SAGGI MARSILIO

CRITICA

Luca Clerici

Il romanzo italiano del Settecento

Il caso Chiari

Marsilio

ISBN 88-317-6452-7

INDICE

INTRODUZIONE

Fra i grandi temi di capitale importanza per definire il carattere della nostra civiltà letteraria ce n'è uno piuttosto trascurato dalla critica. Si tratta della questione dell'origine del romanzo italiano. Senza scomodare Boccaccio e senza ricorrere ad esempi rinascimentali troppo lontani[1], le prime tracce del genere risalgono agli inizi del xvii secolo. I pochi e lacunosi censimenti disponibili dei romanzi pre-ottocenteschi concordano nel registrare due periodi di intensa produzione, separati da un vuoto bibliografico della durata di parecchi decenni. Nel xvii secolo «il romanzo in Italia nasce, fiorisce e muore nello spazio assai ristretto di un quarantennio, all'incirca fra l'*Eromena* del Biondi (1624) e la *Peota smarrita*»[2] di Girolamo Brusoni (1662). Dopo il 1670 «la moda romanzesca è quasi esaurita»[3], e occorre aspettare la seconda metà del xviii secolo perché il genere ritorni alla ribalta. Anche se mancano analisi comparative approfondite fra romanzo del Seicento e romanzo del Settecento, è indubbiamente nel secolo dei lumi che diventa possibile individuare i primi passi del romanzo moderno. Una storia ancora tutta da scrivere, il cui termine *ad quem* potrebbe ragionevolmente essere identificato in una data «manzoniana», il 1827.

---

[1] «È specialmente col Rinascimento che si diffonde la conoscenza dei romanzi greci, e si fa sentire sempre di più l'influsso di essi» (Q. Cataudella, *Introduzione* a *Il romanzo antico greco e latino* (1958), Firenze, Sansoni, 1981, p. xl).

[2] A. Asor Rosa, *La narrativa italiana del Seicento*, in *Letteratura italiana*, direzione di A. Asor Rosa, vol. iii, *Le forme del testo*, ii, *La prosa*, Torino, Einaudi, 1984, p. 726.

[3] M. Capucci, *Introduzione* a *Romanzieri del Seicento* (1974), a cura di M. Capucci, Torino, UTET, 1978, p. 56.

La difficoltà maggiore dell'impresa consiste nel fatto che in Italia la genesi del *novel* si configura come una nebulosa di autori e titoli oggi per lo più sconosciuti e in buona parte irreperibili. Faccio qualche nome. Dei romanzi di Vincenzio Formaleoni, Giuseppe Maria Foppa, Giambattista Verci, Vincenzo Rota, Alessandro Zanchi non si sa nulla. Lo stesso vale per quelli edificanti di Michelangelo Marin, Sebastiano (o Giuseppe) Rovida, di tal padre Barbieri e per le narrazioni pedagogiche di Giambattista Micheletti. Non migliore è la nostra conoscenza dei romanzi più tardi di un'interessante pattuglia di scrittrici: Carlotta Ercolina Saxy (*Zefira. Aneddoto morale*, 1804), Augusta Reggiani Banfi (*Avi e nipoti. Romanzo*, 1807), Carolina Pichler (*Agatocle, romanzo storico*, 1813), Nella Pasini (*Magda Silveyra. Romanzo*, 1814), Carolina Decio Cosenza (*Lettere di un'italiana*, 1825), Angelica Palli (*Alessio o gli ultimi giorni di Psara*, 1827). E i nomi che si potrebbero aggiungere sono tanti altri.

Da questo orizzonte piuttosto sfuocato si staccano alcuni autori ben altrimenti noti e studiati, le cui opere configurano due insiemi cronologicamente sovrapposti solo in parte. La prima è una famiglia di testi abbastanza eterogenea, caratterizzata dal prevalere di un intento antirealistico e da interessi culturali raffinati, affidati ad un linguaggio molto lontano dalla colloquialità. I suoi ingredienti fondamentali, diversamente prevalenti nei singoli casi, si possono sintetizzare così. Una scrittura esemplata sugli *auctores* (l'*Abaritte* di Ippolito Pindemonte), il ricorso ad un immaginario iperletterato (i romanzi di Alessandro Verri, e in particolare *Le notti romane al sepolcro degli Scipioni*), il gioco ammiccante dei rimandi cifrati alla realtà (*Né amori né donne ovvero la stalla ripulita* di Giacomo Casanova e *Il congresso di Citera* di Francesco Algarotti), l'adozione di procedimenti espressivi allegorici e non mimetici (i *Viaggi di Enrico Wanton* di Zaccaria Seriman), il prevalere della divagazione saggistica sul *plot* (*Il mondo morale* di Gasparo Gozzi), la sceneggiatura di contenuti ideologicamente orientati al punto da rendere strumentale l'invenzione narrativa (*Platone in Italia* di Vincenzo Cuoco), la forte componente autobiografica (*Il duello ovvero saggio della vita di Giacomo Casanova veneziano*). Nel complesso, questi romanzi si potrebbero definire con una certa approssimazione «classicistici», e l'arco di tempo in cui vengono pubblicati va dal 1745 (il *Congresso di Citera*) al 1815, data di stampa della *Vita di Erostrato* di Alessandro Verri, scritta nel 1793.

Il secondo gruppo di romanzi si colloca prevalentemente all'inizio del nuovo secolo, anche se i suoi capostipiti nostrani sono settecenteschi, individuabili nel romanzo satirico di Girolamo Gigli il *Gazzettino* (composto fra il 1712 e il 1713) e nelle *Memorie del signor Tommasino* di Francesco Gritti, un testo parodico del 1767. Penso agli abbozzi foscoliani del *Sesto tomo dell'io* scritti fra il 1799 e il 1801, alle *Avventure letterarie di un giorno* (1816) di Pietro Borsieri, al *Breve soggiorno in Milano di Battistino Barometro* (1819) di Pellico, al *Viaggio nelle mie tasche* di Luigi Bassi («giunto alla sua quarta edizione nel 1823»[4]) e a Luigi Ciampolini autore del *Viaggio di tre giorni* (1832). Questo gruppo è caratterizzato da una conduzione programmaticamente metaromanzesca della rappresentazione, una componente ironica e umoristica non sempre estranea ai testi dell'altra famiglia, ma qui dominante.

Ad avvicinare romanzi così diversi, «classicistici» e «parodici», vi è soprattutto un atteggiamento comune fortemente discriminante nei confronti dei lettori. Nel primo caso si configura una produzione rivolta al letterato ipercolto tradizionale e non al nuovo pubblico della narrativa. Le grandi potenzialità comunicative del nuovo genere sono trascurate; la mentalità elitaria degli autori si riflette in una serie di testi che guardano all'indietro, incapaci di proporsi come modelli di un tipo di racconto giovane, proiettato con spregiudicatezza verso il futuro. Opere insomma più legate alla canonistica del passato che alle libere regole del *novel*, libri che fanno appello alla cultura letteraria del lettore e non alla sua esperienza di vita, imponendo con ciò una fruizione smaliziata, dottamente consapevole. Nel secondo caso, a colpire è il fatto che testi dichiaratamente romantici procedano con strategie diverse ma non meno selettive rispetto ai destinatari potenziali. In effetti, i lettori dell'epoca della Restaurazione (il «popolo» di Berchet) si trovarono alle prese con romanzi «antiromanzeschi», non meno ostici di quelli di Verri, Cuoco e Pindemonte, anche se per ragioni dissimili. Libri concentrati sì sulla realtà contemporanea, ma in modo indiretto e attraverso molteplici filtri culturali.

La riprova dello spiccato intellettualismo di questa tradizione è data da un fatto paradossale: il punto è che la produzione nar-

---

[4] L. Toschi, *Foscolo e altri «sentimental travvellers» di primo Ottocento*, in *Effetto Sterne. La narrazione umorista in Italia da Foscolo a Pirandello*, Pisa, Nistri Lischi, 1990, p. 104.

rativa ironicamente critica verso il romanzo si esercita ben prima che in Italia il genere si sia affermato. Certo, all'inizio dell'Ottocento l'offerta di *novel* comincia ad articolarsi diversamente. Ma il neonato romanzo storico (soggetto di una tradizione critica specifica) non pare bersaglio all'altezza della situazione: prima del fatidico 1827 (fatidico anche per la pubblicazione della *Battaglia di Benevento* di Guerrazzi) i romanzi storici di Giovanni Agrati, Diodata Saluzzo di Roero, Davide Bertolotti, Ottavio Falletti, Stefano Tricozzi, Carlo Varese, Giovan Battista Bazzoni, Vincenzo Lancetti, Pietro Marocco ed altri ancora circolano soprattutto al di fuori dei confini della cittadella dei letterati. D'altronde, opere come *L'amor tra l'armi ovvero la storia militare e amorosa d'Aspasia e di Radamisto* (1773) di Antonio Piazza, come la *Storia della vita e tragica morte di Bianca Cappello gentildonna di Venezia e Gran Duchessa di Toscana* (1776) di Giulio Roberto Sanseverino o come *La Rossane. Romanzo storico in cui si fanno conoscere le vicende politiche che accaddero in Italia e in Germania sotto l'imperatore Federico I chiamato Barbarossa* (1791) di G.B. Fanucci non costituiscono certo un saldo retroterra al genere che troverà nei *Promessi sposi* il suo capostipite moderno.

A conferma della situazione assai precaria in cui versa da noi il romanzo valga una constatazione semiseria di Giuseppe Pecchio esule in Inghilterra, datata 1831: «qui bisogna ch'io dica due parole intorno ai romanzi inglesi che a diluvio in oggi si stampano, e che sono letti da tutti, non eccettuato né il gran Cancelliere, né il re. Da noi e quasi ovunque sul continente esiste una prevenzione che giunge quasi all'orrore pei romanzi»[5]. La considerazione calza particolarmente al caso italiano: non sarebbe forse una forzatura affermare che uno dei tratti salienti della mentalità dei nostri intellettuali umanisti è sempre stato proprio il disinteresse (a volte il disprezzo) per il romanzo. Fra le posizioni di Giuseppe Baretti, violento accusatore del Chiari romanziere popolare – un «cane», da «trattare come si trattano i cani rabbiosi»[6] – e quelle di Edoardo Sanguineti contro Bassani e Cassola – «le Liale del '63» – le differenze sono ovviamente enormi. Ma resta un fatto: in Italia

[5] G. Pecchio, *Osservazioni semiserie di un esule sull'Inghilterra*, a cura di G. Nicoletti, Milano, Longanesi, 1975, p. 159.
[6] G. Baretti, *Epistolario*, a cura di L. Piccioni, 2 voll., Bari, Laterza, 1936, vol. I, p. 174; Baretti scrive al dottor Giambattista Chiaramonti, a Brescia, il 26 novembre 1763.

l'insofferenza verso il genere principe della modernità attraversa senza interruzioni gli ultimi tre secoli, e caratterizza lo sviluppo della nostra civiltà letteraria appunto in senso antiromanzesco, a conferma della sua tenace vocazione aulica e aristocratica. Basti pensare che l'affermazione definitiva del romanzo nell'insieme della produzione nazionale avviene solo nell'ultimo dopoguerra, con la cosiddetta narrativa neorealista. In questo quadro, la mancanza di una tradizione di studi sull'origine del romanzo in Italia appare più che spiegabile.

Quanto la condanna del romanzo facesse parte del senso comune dei nostri scrittori sin dal Settecento è del resto dimostrato da un episodio eloquente. Persino Pietro Chiari – di lì a poco romanziere di grido – nel capitolo delle sue *Lettere scelte di varie materie piacevoli* (1749) intitolato *Difesa della Storia contro i Romanzi* spende dure parole contro «simili frascherie». Ciò nonostante, è proprio la sua narrativa a mostrare le caratteristiche più interessanti rispetto a quelle degli altri romanzi dell'epoca. Si tratta infatti di opere costruite prelevando da materiali «alti» (la tradizione cavalleresca, il teatro, la trattatistica) e «bassi» (pubblicistica periodica, almanacchi, prediche, dialoghi divulgativi), mescolando letterario ed extraletterario. Tale vocazione polimorfa, tipica del romanzo, si accompagna nella narrativa di Chiari alla sua destinazione «aperta»: per questi best-seller si potrebbe ripetere quello che Pecchio aveva scritto a proposito del *novel* in Inghilterra: furono libri «letti da tutti». Naturalmente, non è corretto parlare in Italia di pubblico in senso moderno, vista la mancanza addirittura delle premesse strutturali (di produzione, di mercato, di alfabetizzazione) che ne renderanno possibile la costituzione parecchi decenni dopo. Del resto, molti aspetti qualificano i romanzi dell'abate bresciano come decisamente debitori della tradizione, soprattutto retorica: per rendersi conto dell'irrimediabile inattualità di queste opere è sufficiente leggerne un solo «articolo».

Il fatto è che, per quanto se ne sa oggi, nella seconda metà del Settecento manca una produzione «media», concepita cioè senza l'assillo del magistero degli antichi ma nemmeno indulgente verso un effettismo grossolano. Un genere di narrazione come quella modestamente rappresentata dal Casanova degli *Aneddoti viniziani militari ed amorosi* (1782) e, su un più elevato piano di garbata conversevolezza mondana, da *Per questi dilettosi monti* di Carlo Botta. Ma il romanzo di Botta è un'opera incompiuta, scritta nel 1795 e pubblicata postuma solo dieci anni fa[7]. Una leggibilità non corriva ma elegantemente sciolta è semmai rinvenibile in libri come la *Storia della mia vita* di Casanova, i *Mémoires* di Goldoni (con le loro scene «degn[e] di un romanzo marivaudiano»[8]), la *Vita* alfieriana, o ancora le *Lettere familiari a' suoi tre fratelli* di Baretti. I «romanzi» più riusciti dell'epoca sono insomma libri di memorie o di viaggio, a conferma delle difficoltà di affermazione in Italia di un moderno *novel*: al mancato sviluppo del romanzo corrisponderebbe una proliferazione del «romanzesco», con un conseguente effetto destabilizzante sul sistema dei generi.

Stando così le cose, il principale paladino del romanzo nell'Italia nel Settecento è dunque uno scrittore di second'ordine, Pietro Chiari. Senza naturalmente alcuna attribuzione di eccellenza, conta sottolineare l'interesse di testi narrativi che furono capaci di ottenere uno straordinario successo, anche grazie all'evidente ritardo dei letterati tradizionali nell'elaborazione di un paradigma romanzesco al passo con i tempi. Per parte sua, Chiari dà prova di saper piegare una strumentazione d'ascendenza classicistica e d'indole retorica a scopi nuovi, realizzando ingegnose formazioni di compromesso fra letteratura tradizionale e romanzo moderno. La sua proposta, di ispirazione razionalistico-cognitiva, consiste in sostanza nella decisa valorizzazione dell'importanza della trama e nella pervasiva retoricizzazione del testo in tutti i suoi aspetti, a scapito dell'unità della costruzione del personaggio e della coerenza della visione del mondo. L'impostazione «formalistica» del modello chiariano inibisce il cortocircuito individuante di spazio e tempo, trascura la dimensione della socialità, riesce solo in parte ad amalgamare avventura e commento. Ciò non di meno queste opere, così lontane dalle nostre abitudini di lettura, dimostrarono una funzionalità sconosciuta agli altri romanzi dell'epoca proprio in quanto seppero soddisfare esigenze di ricreazione letteraria storicamente tramontate ma non perciò meno interessanti. Studiare il Chiari romanziere vuole dunque dire mettere a fuoco un capitolo nient'affatto secondario della nostra civiltà letteraria alle soglie della moder-

---

[7] C. Botta, *Per questi dilettosi monti*, romanzo inedito a cura di L. Badini Confalonieri con una premessa di A. Battistini, Bologna, CLUEB, 1986.
[8] B. Anglani, *L'autore in maschera. Percorsi della finzione nei «Mémoires» di Carlo Goldoni*, in «Kvartalnik neofilologiczny», a. XXXV, n. 2, 1988, p. 205.

nità. La sua «ricetta» narrativa[9] ebbe infatti un certo respiro stori-co: *La Filosofessa italiana*, il fortunatissimo esordio romanzesco di Chiari, è disponibile sui banchi delle botteghe librarie nel 1753. Perché si profili finalmente un tipo di narrazione lunga davvero nuova, bisognerà aspettare parecchio: l'edizione definitiva delle *Ultime lettere di Jacopo Ortis* reca la data 1817.

[9] Fornisco una sintetica descrizione del paradigma narrativo chiariano in un articolo che perciò menziono: L. Clerici, *L'ingegnosa ricetta dell'abate Chiari romanziere*, in «Belfagor», a. LI, n. 4, 31 luglio 1996, pp. 403-416.

IL ROMANZO ITALIANO DEL SETTECENTO

Capita spesso quando si conclude una ricerca: le persone da ringraziare sono molte. Ma preferisco evitare un lungo elenco. Mi limito quindi a chi ha sempre dimostrato una sorprendente disponibilità verso il mio lavoro. Impagabile supervisore di quello che scrivo è Vittorio Spinazzola, un vero maestro. Ringrazio anche il paziente Tommaso, che ha passato l'estate accanto a me, dormendo, per non disturbarmi mentre concludevo questo libro. E Nicoletta, perché ha fatto tutto ciò di cui avevamo bisogno senza che dovessimo chiederle nulla. Il libro è dedicato a voi.

IL FENOMENO CHIARI ROMANZIERE

UN INGEGNOSO PROFESSIONISTA

Per farsi un'idea del successo della narrativa di Pietro Chiari e della sua straordinaria diffusione, basta considerare un fatto: i primi quattro romanzi pubblicati dall'abate bresciano andarono a ruba fino a totalizzare la bellezza di 42 edizioni. Alla fine della sua carriera, la tiratura complessiva dei romanzi immessi sul mercato si può quantificare in almeno 200.000 copie[1]. Un'offerta così ingente risponde a precise richieste da parte del pubblico. Se ne lamenta padre Adeodato Turchi:

la passione di leggere è diventata in oggi un furore. Le donne stesse in questo voglion distinguersi, lasciandosi veder sovente con qualche libro alla mano. Si senton dire alla giornata dai loro adoratori, che bisogna istruirsi, coltivare lo spirito, acquistare dei lumi. Va bene: ma con quai

---

[1] «A cavallo tra gli anni '50 e '60, a Venezia [...] La tiratura media [dei romanzi dell'abate Chiari] presumo sia stata attorno alle 1.500 copie» (A. Marchi, *L'autore mercatante. Mercato e professioni nel Settecento*, in «Problemi», n. 76, 1986, p. 138). Il dato complessivo si ricava considerando il numero di edizioni (circa 130) dei 23 romanzi di attribuzione certa (per il computo del numero delle opere originali si vedano le pagine seguenti). Bisogna naturalmente considerare che la quantità dei lettori tende ad essere maggiore rispetto a quella degli acquirenti di libri: lo scarto è dato soprattutto dalla pratica della «prestanza». È Chiari stesso a deprecare «l'abitudine dei lettori [...] di prestare gazzette e romanzi, "prestanze" che recano gravi danni economici ad autori e librai» (R. Ricorda, *La «Gazzetta veneta» di Pietro Chiari*, in *La cultura fra Sei e Settecento. Primi risultati di una indagine*, a cura di E. Sala di Felice e L. Sannia Nowé, Modena, Mucchi, 1994, p. 90). Fra i moltiplicatori di lettura va aggiunto un fatto: probabilmente questi romanzi erano letti anche ad alta voce, in pubblico.

libri? Ah quel serpente che volle Eva erudita, non la volle erudita che per suo danno, e per danno dei figli suoi[2].

Attestata per almeno un cinquantennio, la popolarità di Chiari ha richiamato l'attenzione degli osservatori più acuti, dai contemporanei Giuseppe Baretti e Carlo Gozzi fino agli studiosi del Novecento che hanno concentrato la loro attenzione sulla produzione narrativa dell'abate bresciano[3]. Ciò nonostante, questo luogo comune manca ancora oggi di un contenuto preciso: quanti siano i romanzi che il prolifico poligrafo ha scritto non è affatto stabilito[4].

I problemi che si incontrano per definire la bibliografia dei romanzi di Chiari riguardano più in generale qualunque indagine sulla narrativa italiana coeva: «ricercare i romanzi editi in Italia nel Settecento, era impresa non facile, poiché tutti, vuoi per il loro scarso valore artistico, vuoi perché immorali, o imbevuti d'idee rivoluzionarie, dopo il 1815 andarono dispersi e caddero in dispregio. Le biblioteche pubbliche ne sono pressochè del tutto prive»[5]. Una situazione peggiorata nel Novecento. Le poche prime impressioni sopravvissute fino ad oggi sono le più accurate da un punto di vista tipografico (e dunque le meno diffuse) e le edizioni dei titoli meno apprezzati dai lettori: i libri che riscattano la loro vocazione popolare con l'eleganza della confezione e le giacenze. Ci rimangono insomma non pochi romanzi di secondo piano, mentre i più importanti *best-seller* sono introvabili: non a caso l'edizione originale della *Filosofessa italiana*, il massimo successo romanzesco chiariano, risulta irreperibile.

---

[2] A. Turchi, *Omelia recitata il giorno di Pentecoste 1791 sopra la lettura de' libri*, in *Raccolta delle orazioni, omelie e lettere*, 3 voll., 6 tomi, Torino, dalle stampe Soffietti, [1792]-1807, vol. i, t. 2, p. 41.

[3] Per la storia e la bibliografia della critica dei romanzi chiariani mi permetto di rimandare a L. Clerici, *Appunti per un nuovo paradigma di lettura: la fama critica di Pietro Chiari romanziere*, in «ACME», Annali della Facoltà di Lettere e Filosofia dell'Università degli Studi di Milano, vol. ii, fasc. i, maggio-agosto 1996, pp. 177-202.

[4] I fondamenti documentari e bibliografici degli argomenti di seguito solo accennati si leggono in un articolo che perciò richiamo: Id., *Best-seller del Settecento: i romanzi di Pietro Chiari*, in ivi, vol. xlviii, fasc. ii, maggio-agosto 1995, pp. 73-101.

[5] G. Marchesi, *Saggio di una bibliografia dei romanzi italiani (originali e tradotti) del secolo XVIII*, in *Romanzieri e romanzi del Settecento* (1903), premessa *Un secolo di romanzo*, di L. Toschi, con la *Rassegna bibliografica sul romanzo del Settecento*, di M. Gori, Roma, Vecchiarelli, 1991, p. 370. Pur con le condivisibili riserve avanzate da Ilaria Crotti («il Marchesi, accanto a molti pregi, presenta una serie altrettanto vasta di errori», *Rassegna di studi e testi del romanzo italiano nel Settecento (1960-1989)*, in «Lettere italiane», a. xlii, n. 2, aprile-giugno 1990, p. 297), la bibliografia di Marchesi rimane un capitolo imprescindibile della critica di Chiari e del romanzo del Settecento italiano.

Ma le difficoltà non si fermano qui. Avviare il censimento dei romanzi di Chiari significa anche porsi lo spinoso problema dell'attribuzione dei testi. In questo campo i dubbi sulla paternità dell'opera si intrecciano con quelli relativi alla sua originalità: le traduzioni tacite sono numerose almeno quanto le false attribuzioni da parte di spregiudicati stampatori e di acquiescenti scrittori senza scrupoli[6]. Emblematica in questo senso è la sovrapposizione della bibliografia romanzesca chiariana con quella di Antonio Piazza, il suo successore nel mestiere di scrittore popolare: circa un terzo dei suoi romanzi sono stati attribuiti a Chiari[7].

Ai dubbi relativi all'accertamento della paternità e dell'effettiva indole del testo se ne aggiungono altri concernenti la sua fisionomia. Il fatto è che i romanzi di Chiari furono sottoposti a molteplici modifiche, di due ordini. Volontarie, cioè prodotte dallo scrittore, e involontarie, imposte all'opera nel corso della sua tradizione, correzioni imputabili a «quella particolare coazione che deriva dal successo e sforza l'autore a subire una profluvie di stampe sempre meno corrette»[8], in analogia con quanto era accaduto ai romanzi italiani del secolo precedente. Chiari interviene soprattutto sulle opere di maggiore successo ampliandole ad ogni nuova edizione, con il risultato di provocare un abnorme incremento della loro mole. *La filosofessa italiana* passa dai due tomi dell'edizione capostipite del 1753 ai tre dell'edizione Bettinelli del 1755, ai quattro di quella Vinaccia del 1755-56, di complessive 939 pagine contro le 450 in media dei romanzi chiariani attualmente reperibili in prima edizione. Meno frequente è invece l'aggiunta di un testo diverso al fine di valorizzare la ristampa, come nella «terza edizione accresciuta» delle *Lettere filosofiche in versi martelliani*, comprensiva

---

[6] «Quello del tradurre divenne il ripiego di molti che non avrebbero saputo come altrimenti sbarcare il lunario, e nell'ingrato lavoro si fiaccò anche qualche bell'ingegno, come Gasparo Gozzi [...] Venezia e Padova furono le maggiori sedi de' traduttori, e se in Padova i discepoli di Giannantonio Volpi sapevan l'inglese, in Venezia il Gozzi e la sua brigata non lo sapevano. Ma c'erano le traduzioni (spesso vere contraffazioni) francesi, che rimediavano al difetto. Se ne accresceva a dismisura la copia dei libri, e Venezia n'era sommersa. Gl'imbrattacarte facevano ressa intorno ai librai [...] Il Chiari, più volte, li ritrasse con assai foschi colori» (A. Graf, *L'anglomania e l'influsso inglese in Italia nel XVIII secolo*, Torino, Loescher, 1911, pp. 244-245).

[7] Nella *Cronologia delle opere* di Antonio Piazza (in A. Piazza, *Amor tra l'armi. Storia d'Aspasia e Radamisto. Eugenia ossia Il momento fatale*, a cura di E. Villa, Genova, La Quercia, 1980, pp. LXI-LXII) Villa elenca ventotto titoli: per otto di questi, in almeno un'edizione è accreditata la paternità chiariana.

[8] Capucci, *Introduzione*, in *Romanzieri del Seicento*, cit., pp. 9-10.

di un *Poemetto inedito intitolato Descrizione di Bagnara*[9]. A colpire è pure la sorprendente rapidità nell'aggiornamento: nel medesimo anno dell'uscita (1754) i librai propongono una versione di *La cantatrice per disgrazia* «con nuove e copiose aggiunte dell'Autore». Il valore promozionale delle integrazioni è evidente, e infatti sul frontespizio di numerose ristampe si legge spesso l'indicazione «con aggiunte», anche se a volte rispetto ad una versione precedente non indicata, una dichiarazione non di rado addirittura falsa[10].

Le varianti dovute all'assenza di un diretto controllo da parte dell'autore del lavoro tipografico cui è sottoposto il libro sono invece involontarie: l'altissima produttività di Chiari comporta quasi di necessità un suo disinteresse per la qualità e la correttezza della stampa[11]. Sia quando le edizioni di un romanzo si succedevano in luoghi lontani (in generale la prima è veneziana, le altre sono licenziate a Parma e a Napoli), a maggior ragione nel caso delle edizioni apparse contemporaneamente in località diverse: nel 1755 *La commediante in fortuna* esce in ben quattro impressioni, a Venezia (Angelo Pasinelli), a Napoli (Domenico Lanciani a spese di G. A. Vinaccia e, in altra edizione, presso Manfredi), a Parma (per Filippo Carmignani). Se c'è da credere che «scrivendo con tanta fretta» Chiari non «dovesse aver tempo neppure di rileggere quanto scriveva»[12], l'attenzione dello stampatore alla fedeltà del dettato è dimostrata dalla disinvoltura con cui il medesimo libro viene indicato con titoli diversi: le *Lettere scelte di varie materie piacevoli, critiche ed erudite scritte ad una Dama di qualità* nel catalogo allegato da Pasinelli al best-seller *La Giuocatrice di lotto* diventeranno *Lettere scelte contro le lettere critiche dell'avvocato Giuseppe Costantini*.

---

[9] P. Chiari, *Lettere filosofiche in versi martelliani [...] Terza edizione accresciuta [...] poemetto inedito intitolato Descrizione di Bagnara*, Venezia, Gio. Ant. Pezzana, 1784. La seconda edizione (Venezia, G. Bettinelli, 1758) è invece «Accresciuta d'altre rime diverse dell'autore medesimo». Considerando che il testo delle *Lettere* arriva a p. 55 e che il *Saggio di varie poesie del Signor Abate* finisce a p. 118, si capisce l'entità dell'intervento: con le nuove poesie d'occasione, la mole del libretto raddoppia.

[10] Basti osservare che l'edizione in quattro tomi del 1783 di *La filosofessa italiana* (Venezia, Bassaglia) è detta «con aggiunte», ma certo non rispetto alla precedente (Venezia, Fenzo, 1782): all'epoca di questa edizione postuma Chiari è ormai morto da sette anni.

[11] «La presenza persistente di refusi fa parte di uno stile commerciale e letterario, o meglio antiletterario, lo stile di chi è inserito, o forse asservito, ad una produzione editoriale che metteva in secondo piano i principi della "vera" cultura» (C. A. Madrignani, *Colombo, le Americhe, i «selvaggi» e l'Europa*, in P. Chiari, *Sulle Americhe «compendiose notizie per spiriti colti» (1780)*, a cura di C. A. Madrignani, Pisa, ETS, 1991, p. 7).

[12] Marchesi, *Romanzieri e romanzi del Settecento*, cit., pp. 80-81.

Naturalmente, a fare le spese di un mercato selvaggio privo di un'adeguata legislazione specifica [13] è soprattutto l'autore. Sta qui la ragione *pratica* della necessità di produrre una quantità eccezionale di opere, al fine di supplire con ciò alla mancanza di un riconoscimento economico proporzionato all'apprezzamento del pubblico [14]. Per questo aspetto, si tratta di un lavoro artigianale: disprezzandoli, Saverio Bettinelli considera gli autori disposti a scrivere per soldi «al pari de' falegnami, de' pittori, degli stuccatori, e de' macchinisti col solo divario che avevano paga più discreta di tutti gli altri» [15]. Una questione di professionalità, che entra in gioco anche quando Chiari si occupa personalmente della distribuzione dei suoi libri presso corrispondenti privati incaricati di smerciarli, istituendo un mercato parallelo a quello delle botteghe, pressoché impossibile da valutare in termini quantitativi. Ad esempio, in una lettera inedita spedita da Venezia il 29 luglio 1959 indirizzata al canonico Lodovico Ricci di Chiari (Brescia), lo scrittore gli comunica l'invio della *Zingana* («il prezzo della mia *Zingana* è di lire cinque»), e si lamenta dei costi di spedizione: «le spedizioni per via del corriere [...] sono dispendiosissime, né saprei qual altra via breve se ella non me l'accenna». La lettera si chiude con l'auspicio da parte del mittente di ricevere altre ordinazioni: «in aspettazione adunque di nuovi suoi ordini io mi rassegno per questa prima volta con tutto il rispetto siccome sempre faccio» [16].

Dal punto di vista degli interessi dello scrittore, però, una situa-

---

[13] Le «opere di sicuro successo costituivano per gli editori un'occasione preziosa di sfruttamento, essendo ancora affidata la tutela dei diritti d'autore al senso dell'onore e dell'onestà delle singole parti» (G. Barbarisi, *Il mestiere del letterato nell'esperienza di Ugo Foscolo*, in *Letteratura e società. Scritti di italianistica e di critica letteraria per il XXV anniversario dell'insegnamento universitario di Giuseppe Petronio*, Palermo, Palumbo, 1980, p. 329).

[14] Sintomatico dei forsennati ritmi di lavoro cui questi autori «popolari» furono costretti è il fatto che la rapidità di esecuzione è motivo di vanto. Dopo aver accennato a «passate mie applicazioni lunghissime [che] mi rendeva bisognevole di qualche riposo», Chiari dice di aver «intrapresa, e condotta dentro pochi giorni al suo fine» la stesura della *Commediante* (*La commediante in fortuna*, 2 tomi, Napoli, Giuseppe di Domenico e Vincenzo Manfredi, 1755, t. I, p. 1).

[15] S. Bettinelli, *Lettere sopra vari argomenti di letteratura scritte da un inglese ad un veneziano*, in *Lettere virgiliane Lettere inglesi e Mia vita letteraria*, Milano, Rizzoli, 1962, p. 115.

[16] Il carteggio del canonico Lodovico Ricci (1730-1805) è raccolto in dieci volumi conservati presso la biblioteca Morcelliana in Chiari (Brescia), segnati Arm. Mss. A. I, 1-8 e A. II, 1-2. Le lettere di Chiari sono quattro (quella citata è la terza), tutte raccolte nel secondo faldone.

zione così poco regolata non costituisce come parrebbe soltanto un danno e un impedimento al suo lavoro, anzi: gli editori di questi romanzi compongono una geografia policentrica che consente una loro distribuzione sia al Nord, sia al Centro e al Sud. Una rete che comprende Venezia, Parma e Napoli, con propaggini a Carpi, Genova, Livorno e Torino. La concorrenza quasi sempre sleale fra i numerosi tipografi sparsi nella penisola[17], lungi dal dimostrarsi dannosa ai fini della distribuzione dei testi, ha esercitato una spinta verso la diversificazione del prodotto e ha ottimizzato la diffusione dei romanzi tramite un effetto di interazione reciproca fra gli stampatori. Un modo per rispondere alle articolate richieste di un pubblico eterogeneo e per superare la frammentazione del mercato italiano varcando gli angusti confini della Repubblica di Venezia[18].

I TESTI DA INTERROGARE

Anche per queste ragioni «strutturali» di mercato, i romanzi di Chiari fanno dunque parte di un genere bibliograficamente sfuggente, costituito da opere di difficile o impossibile reperibilità e di paternità non di rado dubbia. Senza dimenticare la questione della qualità della lezione dei vari esemplari, determinata dalla concorrenza di interventi coatti dovuti allo specifico tipo di tradizione e varianti volontarie a volte esorbitanti. Potrebbe sembrare un paradosso, ma stando così le cose è proprio la difficoltà di un approccio filologicamente fondato al tema ad imporre una lettura impostata se non su basi certe, almeno su criteri di «buon senso filologico». Tanto più considerando le edizioni più recenti di questi romanzi. Se Folco Portinari include *L'uomo di un altro mondo* nell'antologia *Romanzieri del Settecento* senza indicare quale edizione riproduce (la prima è del 1760, la quinta ed ultima risale al

---

[17] «L'unico sicuro incentivo imprenditoriale è rappresentato dalla pratica di una dilagante pirateria libraria – che costituisce il solo, vero grande affare dell'editoria italiana settecentesca» (E. Di Rienzo, *Intellettuali, editoria e mercato delle lettere in Italia nel Settecento*, in «Studi storici», 1988, 1, p. 116).

[18] «Il mercato del libro italiano di questo periodo appare contrassegnato da una vera e propria situazione di sottosviluppo»: nel primo numero della «Bibliothèque italique» (1728), Marc-Michel Bousquet sottolinea «la difficoltà del commercio librario, quasi impossibile da instaurare tra i diversi Stati italiani, e le condizioni di un asfittico sistema produttivo che rendeva troppo alti i prezzi del libro impedendone una diffusione ampia e generalizzata» (ivi, pp. 104-5).

1788), nel 1989 Francesco Scolari ripropone *La Giuocatrice del lotto* stravolgendone il dettato: l'edizione consiste addirittura nella «riscrittura del testo originale»[19]. D'altra parte, la critica si è posta di fronte a queste opere senza badare alla qualità della lezione, ricorrendo semplicemente ai volumi più facilmente reperibili. Quando non si è esercitata su romanzi la cui attribuzione a Chiari è controversa o errata[20].

In questa situazione, a fronte di un *corpus* variamente attestato dalla tradizione di circa cinquanta titoli di romanzi chiariani e pseudo-chiariani comprese le traduzioni e i raffazzonamenti, occorre procedere nel senso di una progressiva riduzione dell'insieme. Vista l'impossibilità di verificare l'identità di testi irreperibili, può essere utile partire dal censimento e dalla comparazione delle fonti bibliografiche, peraltro molto disperse, allo scopo di allestire una sinossi di tutti i dati di seconda mano disponibili. Un'operazione utile non solo in vista dell'individuazione di un insieme circoscritto di testi «sicuri» in cui scegliere quelli da sottoporre a lettura critica, ma anche per fare luce sulla storia editoriale così poco nota di questi libri, la cui scarsa qualità estetica sconsiglia indagini più ambiziose e tanto più onerose[21]. Di certo, dalle maglie dello spoglio non sfuggirà nessun capolavoro: una campionatura ragionata delle opere

[19] *Romanzieri del Settecento* a cura di F. Portinari, Torino, UTET, 1988. Al riscontro, la lezione utilizzata risulta conforme alla seconda (Venezia, presso Domenico Battifoco, 1768). P. Chiari, *La Giuocatrice del lotto ovvero Memorie di Madama Tolot. Scritte da lei medesima con le «Regole» con cui fece al Lotto una considerevole fortuna*, Milano, Messaggerie Pontremolesi, 1989; a recare la specificazione citata è il frontespizio.

[20] Ad esempio, l'articolo di G. Petrocchi, *Il soldato francese* (in «Critica letteraria», a. IV, n. 10, fasc. 1, 1976, pp. 3-11) studia un romanzo di attribuzione dubbia. Nella *Nota bibliografica* di *L'ultima dea* (Roma, Bonacci, 1977) Petrocchi ha definito la sua lettura chiariana «uno svago» (p. 301). Non mancano casi di vere e proprie sviste: se per Ginetta Auzzas Chiari sarebbe «autore di un romanzo, *La filosofessa inglese*» in effetti inesistente (*Gallomania e anglomania*, in *Storia della cultura veneta*, diretta da G. Arnaldi e M. Pastore Stocchi, *Il Settecento*, 5/I, Vicenza, Neri Pozza, 1985, p. 584, nota 14), Silvio D'Amico menziona un solo romanzo di Chiari, che però non è suo: le *Veglie inglesi e francesi, ossia raccolta di storie galanti per trattenimento delle donne* (*Storia del Teatro Drammatico* (1939-40), 4 vol., vol. II, *Dal Rinascimento al Romanticismo*, Milano, Garzanti, 1970 (6ª ed.), p. 250; l'informazione è ripresa tacitamente da G. Guerzoni, *Il teatro italiano nel secolo XVIII. Lezioni*, Milano, Treves, 1876, p. 185). Ancora, secondo M. A. Bartoletti, *L'uomo ovvero lettere filosofiche* sarebbe un romanzo (cfr. *Chiari, Pietro*, in *Dizionario critico della letteratura italiana*, diretto da V. Branca con la collaborazione di A. Balduino, M. Pastore Stocchi, M. Pecoraro, 4 voll., Torino, UTET (1973), 1986, vol. I, p. 591), mentre invece si tratta della traduzione in versi martelliani dell'*Essay on man* di Pope.

[21] Parecchi romanzi di Chiari sono conservati all'estero: ad esempio, Carlo A. Madrignani ne ha identificati diversi a Parigi (comunicazione epistolare).

reperibili in Italia basterà ad individuare i caratteri fondamentali di questo tipo di narrativa.

Al censimento concorrono indicazioni di diversa natura. I dati desunti dalla visione diretta di buona parte del materiale librario disponibile si sommano a quelli ricavati sia dalle bibliografie[22] sia dagli esemplari menzionati negli studi critici, cominciando dalle edizioni analiticamente studiate per finire con quelle soltanto citate. Vi sono poi i dati di carattere catalografico che registrano i romanzi chiariani posseduti dalle biblioteche[23]. Il lavoro di integrazione e di

[22] Quelle che seguono si sono rivelate le fonti bibliograficamente più utili. V. Peroni, *Chiari ab. Pietro*, in *Biblioteca Bresciana*, 3 voll., Brescia, Nicolò Bettoni, 1818, vol. I, pp. 257-262 (riproduzione anastatica, Bologna, Arnaldo Forni, 1968); E. A. Cicogna, *Saggio di bibliografia veneziana*, Venezia, dalla Tipografia di G. B. Merlo, 1847 (riproduzione anastatica, Bologna, Arnaldo Forni, 1980); Valentini [Andrea], *Nuova bibliografia degli scrittori bresciani, principiata l'anno 1880, riveduta e aumentata l'anno 1903*, manoscritto conservato alla Biblioteca Queriniana di Brescia, vol. XV, pp. 508-532; G. Soranzo, *Bibliografia veneziana compilata da G.S. in aggiunta e continuazione del «Saggio» di Emmanuele Antonio Cicogna*, Venezia, Prem. Stabil. Tip. di Pietro Naratovich Editore, 1885 (riproduzione anastatica, Bologna, Arnaldo Forni, 1980); Marchesi, *Saggio di una bibliografia dei romanzi italiani (originali e tradotti) del secolo XVIII*, in *Romanzieri e romanzi del Settecento*, cit., pp. 369-428; R. Garzia, [rec. a Marchesi, *Romanzieri e romanzi italiani del Settecento*, cit.], in «Bullettino Bibliografico Sardo», vol. III, fasc. 31-32, 30 settembre 1903, pp. 116-126; M. Catucci, *Catalogo delle opere a stampa dell'abate Pietro Chiari, o a lui attribuite, custodite nelle biblioteche romane Alessandrina, Angelica, Apostolica Vaticana, Besso, Bucardo, Casanatense, Corsiniana e Nazionale Centrale Vittorio Emanuele II*, s.d., dattiloscritto depositato alla II Università di Roma.

[23] La ricerca è stata svolta presso le seguenti biblioteche. Avellino (Biblioteca Provinciale Capone); Benevento (Biblioteca Provinciale); Bologna (Biblioteca dell'Archiginnasio, Biblioteca Universitaria centrale); Bergamo (Biblioteca Civica Angelo Mai); Brescia (Biblioteca Civica Queriniana); Capua, prov. di Caserta (Biblioteca del Museo campano); Chiari, prov. di Brescia (Biblioteca Morcelliana); Chiavari, prov. di Genova (Biblioteca della Società Economica); Como (Biblioteca Comunale); Cremona (Biblioteca Comunale, Biblioteca del Seminario Vescovile); Cuneo (Biblioteca Comunale); Ferrara (Biblioteca Comunale Ariostea); Firenze (Biblioteca della Facoltà di Lettere, Biblioteca del Magistero, Biblioteca Marucelliana, Biblioteca Nazionale Centrale, Biblioteca Riccardiana); Genova (Biblioteca Civica Berio, Biblioteca dell'Istituto di Italiano Facoltà di Magistero, Biblioteca dell'Istituto di Italiano Facoltà di Lettere, Biblioteca Universitaria Centrale Facoltà di Lettere); Lonato, prov. di Brescia (Biblioteca della Fondazione Ugo da Como); Macerata (Biblioteca Comunale Mozzi Borgetti); Milano (Biblioteca Nazionale Braidense, Biblioteca Comunale, Biblioteca Trivulziana, Biblioteca Centrale dell'Università Cattolica del Sacro Cuore, Biblioteca Centrale dell'Università degli Studi); Modena (Biblioteca Estense); Napoli (Biblioteca della Società Napoletana di Storia patria, Biblioteca Nazionale, Biblioteca Universitaria Centrale); Padova (Biblioteca Civica, Biblioteca dell'Università); Parma (Biblioteca Palatina); Pavia (Biblioteca Comunale, Biblioteca Universitaria Centrale); Pisa (Biblioteca della Scuola Normale Superiore); Reggio Emilia (Biblioteca Panizzi); Roma (Biblioteca Universitaria Alessandrina, Biblioteca Angelica, Biblioteca della Fondazione Besso, Biblioteca Casanatense, Biblioteca Hertziana, Biblioteca Apostolica Vaticana, Biblioteca Nazionale Centrale Vittorio Emanuele II); Savignano sul Rubicone, prov. di Forlì (Biblioteca Comunale e Accademica della Rubiconia Accademia dei Filopatridi); Stresa, prov. di Novara (Biblioteca Rosminiana); Torino

verifica incrociata delle corrispondenze e delle imprecisioni delle informazioni porta a una prima selezione: ad essere espunte sono anzitutto le edizioni che il confronto delle fonti sia bibliografiche sia catalografiche accredita come dubbie o incongruenti[24]. In secondo luogo, conviene ritenere autentici solo i romanzi *concordemente* attribuiti a Chiari dagli studiosi. Incrociando i due criteri, il libro dell'esordio è *La Filosofessa italiana*, e in tal modo i romanzi di attribuzione certa si riducono a 23[25]. Da un punto di vista crono-

(Biblioteca Nazionale Universitaria, Biblioteca Reale, Biblioteca Universitaria Centrale); Trieste (Biblioteca Civica, Biblioteca Universitaria); Udine (Biblioteca Comunale V. Joppi, Biblioteca dell'Università); Venezia (Biblioteca della Casa del Goldoni, Biblioteca del Museo Correr, Biblioteca Universitaria Ca' Foscari, Biblioteca dell'Istituto di Lettere Musica Teatro della Fondazione Giorgio Cini, Biblioteca dell'Istituto veneto di scienze, lettere ed arti, Biblioteca Nazionale Marciana, Biblioteca della Fondazione Querini-Stampalia); Vicenza (Biblioteca Civica Bertoliana); Verona (Biblioteca Civica). L'indagine è stata estesa alla biblioteca privata di villa Cazzago Bettoni a Bogliaco (Brescia) e a quella di Villa Salvago Raggi a Molare di Ovada (Alessandria). È inoltre stato consultato il Catalogo Centrale delle biblioteche milanesi e delle biblioteche associate al Catalogo Centrale, il cui aggiornamento, a seconda della lettera, varia dal 1980 al 1994. Il Catalogo raccoglie le schede di tutte le biblioteche comunali delle province lombarde, di biblioteche minori pubbliche e private e di biblioteche per varie ragioni oggi inaccessibili, come ad esempio l'Ambrosiana di Milano. Banche dati: BOMAS; Catalogo bibliografico collettivo delle Università padane; base dati Indice/ICCU (Istituto centrale per il catalogo unico delle biblioteche italiane e per le informazioni bibliografiche) del Servizio bibliotecario nazionale. Lo spoglio dei cataloghi di librerie antiquarie ha dato modestissimi esiti; tramite il ricorso a diversi servizi specializzati (circa 65.000 i titoli del mercato antiquario vagliati), non è stata trovata neppure un'edizione originale e solo un paio di romanzi in edizioni successive alla prima.

[24] Ad esempio, il catalogo allestito da Sotheby's per l'asta milanese del 13, 14 e 15 novembre 1995 menziona un'edizione delle *Due Gemelle* del 1754 (Venezia, Pasquali) che non ha alcun altro riscontro negli spogli. Tale edizione è stata espunta dal regesto anche considerando che la datazione anticiperebbe di ben 23 anni quella unanimemente ritenuta la prima.

[25] Ecco l'elenco. *La Filosofessa italiana, o sia le Avventure della Marchesa N.N., scritte da lei medesima e pubblicate dall'abate Chiari*, 2 tomi, Venezia, Pasinelli, 1753; *La Ballerina onorata, o sia memorie d'una figlia naturale del Duca N.V. scritte da lei medesima*, 2 tomi, Venezia, Angelo Pasinelli, 1754; *La Cantatrice per disgrazia, o sia le Avventure della Marchesa N.N. scritte da lei medesima e pubblicate dall'abate Chiari*, 2 tomi, Venezia, Pasinelli, 1754; *La Commediante in fortuna, o sia memorie di Madama N. N., scritte da lei medesima e pubblicate dall'abate Chiari*, 2 tomi, Venezia, Angelo Pasinelli, 1755; *La Giuocatrice di lotto o sia memorie di madama Tolot Scritte da lei medesima Colle regole con cui fece al Lotto una fortuna considerabile. Pubblicate dall'abbate Pietro Chiari*, Venezia, Angelo Pasinelli, 1757; *La Zingana, memorie egiziane di Madama N. N. scritte in francese da lei medesima e pubblicate dall'abate Pietro Chiari*, 2 tomi, Venezia, Pasinelli, 1758; *La Francese in Italia, o sia Memorie critiche di Madama N. N., scritte da lei medesima e pubblicate dall'abate P. Chiari*, 2 tomi, Venezia, presso gli eredi del Pellecchia, a spese di G. A. Vinaccia, 1759; *L'Uomo d'un altro mondo o sia Memorie d'un solitario senza nome, scritte da lui medesimo in due linguaggi, chinese e persiano, e pubblicato nella nostra lingua dall'abate Pietro Chiari*, 2 tomi, Parma, per i tipi di Filippo Carmignani, 1760; *La Viaggiatrice, o sia le avventure di madamigella E. B. scritte da lei medesima in altrettante lettere all'abate Pietro Chari e da lui pubblicate*, Venezia, Angelo Pasinelli, 1760; *La Bella Pellegrina, o sia Memorie di una dama Moscovita, scritte da*

logico si va dalla *Filosofessa* (1753) alla *Istoria della virtuosa porto-ghese* (1786); il romanzo più volte ristampato è *La Filosofessa* (13 edizioni), quelli proposti una sola volta sono solo *Il Serraglio india-no* e *La Corsara francese*; in totale questi romanzi circolarono in circa 130 edizioni. Ultimato lo spoglio, la storia editoriale delle opere selezionate risulta documentata piuttosto bene[26].

lei medesima, e pubblicate dall'abate Pietro Chiari poeta di S. A. S. il sig. Duca di Modona E dedicate al signor dottor Carlo Goldoni poeta di S. A. R. S. il sig. Duca di Parma, 2 tomi, Venezia, Domenico De Regni, 1761; *La Viniziana di spirito, ossia le avventure di una Vini-ziana ben nota, scritte da lei medesima e ridotte in altrettante massime, le più giovevoli a formare una Dama di spirito, pubblicate dall'abate Pietro Chiari bresciano, poeta di S. A. R. il Signor Duca di Modena*, 2 tomi, Venezia (D. Deregni) e Parma nella stamperia di Filippo Carmignani, 1762; *La donna che non si trova, o sia le avventure di Madama Delingh scritte da lei medesima, e pubblicate dall'abate Pietro Chiari, Poeta di S. A. R. il sig. Duca di Modena*, 2 tomi, Parma, Filippo Carmignani, 1762; *L'amore senza fortuna, ossia memorie d'una Dama portoghese scritte da lei medesima e pubblicate dall'Ab. P. Chiari*, Venezia, Pasinelli, 1763; *L'Amante incognita, o sia Le avventure d'una principessa svedese, scritte da lei medesima E pubblicate per ordine suo dall'abate Pietro Chiari*, 2 tomi, Parma, Carmignani, 1765; *La moglie senza marito, ovvero Memorie di una Dama italiana, scritte da lei medesima e pubblicate dall'abate Pietro Chiari, Poeta di S. A. il Duca di Modena*, Venezia, Bassaglia, 1766; *La vedova di quattro mariti, ossia Memorie della Baronessa N. N. scritte da lei medesima e pubblicate dall'abate Pietro Chiari*, 2 tomi, Venezia, Battifuoco, 1771; *Le Due Gemelle. Memorie scritte dall'una di loro, e pubblicate dall'abate Pietro Chiari*, 2 tomi, Genova, per Giovanni Franchi, 1777; *La Fantasima Aneddoti castigliani di una Dama di qualità, scritti da lei medesima e pubblicati dall'Abate Pietro Chiari*, 2 tomi, Genova, Giacomo Franchi, 1778; *La cinese in Europa ossia storia d'una Principessa Cinese del nostro secolo, scritta da lei medesima e pub-blicata dall'abate Pietro Chiari*, Genova, Franchi, 1779; *Il Serraglio indiano*, in *Trattenimenti dello spirito umano sopra le cose del mondo passate presenti possibili ad avvenire*, 4 voll., 12 tomi, Brescia, per Daniel Berlendis, 1780-1781, vol. II, t. v (1781); *La Corsara francese*, in *Trattenimenti dello spirito umano sopra le cose del mondo passate presenti possibili ad avve-nire*, cit., vol. IV, tomi XI e XII (1781); *Le pazzie fortunate in amore, memorie di Miledi Dorvei, scritte da lei medesima l'anno passato e pubblicate dall'abate Chiari*, 2 tomi, Venezia, presso Leonardo e Gian Maria fratelli Bassaglia, 1783; *Istoria della virtuosa portoghese, ovvero il modello delle donne, pubblicata dall'abate Pietro Chiari*, 4 tomi, Napoli, Di Bisogno, 1786.

[26] A titolo di esempio riporto una sola voce bibliografica completa, inclusiva delle tra-duzioni: *La Cantatrice per disgrazia, o sia le Avventure della Marchesa N.N. scritte da lei medesima e pubblicate dall'abate Chiari*, 2 tomi, Venezia, Pasinelli, 1754; «con nuove e co-piose aggiunte dell'Autore», 2 tomi, Venezia, Pasinelli, 1754; Venezia, Pasinelli, 1755; Na-poli, Francesco de Lieto, 1755; Parma, Carmignani, 1755; Venezia, Pasinelli, 1762; «Con nuove e copiose aggiunte dell'autore», Parma, Carmignani, 1763; 2 tomi, Venezia, Pasinelli, 1763; Napoli, presso Giuseppe Di Domenico, 1766; Venezia, Pasinelli, 1769; Venezia, S. Gnoato, 1810. Traduzioni: *Die Tänzerin schöne*, 2 tomi, Angsburg und Memmingen, 1768; *Adrienne ou les Aventures de la Marquise de N.N., traduites de l'italien de l'abbé P. Chiari par M. De la Grange* [pseud. di Papillon de Fontpertuis], 2 parties en 1 vol., Milan, Reynards et Colombes-Paris, Veuve David, 1768 (lo stesso, 2 tomi, Londres, 1784); *Die Sängerinn schöne, oder lesenswüdige Begebenheiten der Marquis Justina*, 2 tomi, Augsburg und Leipzig, 1770; *Adrienne ou les Aventures de la Marquise de ***, traduites de l'italien de l'abbé P. Chiari par D. L. G.*, 2 tomi, Londres, 1784; *La cantatrice par infortune ou les Aventures de M.me N. N. écrites par elle-même*, 3 tomi, Paris, Maradan, 1799. Un riassunto del romanzo apparve in «Bibliothèque Universelle des Romans», agosto 1778. L'elenco delle 23 sinossi bibliogra-

Per individuare in questo insieme i titoli da analizzare in sede critica occorre distinguere ancora, vista la consuetudine da parte dello scrittore di arricchire le ristampe al punto da trasformarle in qualcosa di ben differente dall'originale, e considerando che non tutti i romanzi di cui si ha notizia sono oggi consultabili. Un criterio di selezione oggettivo tale da garantire alle letture la maggior omogeneità possibile consiste nella scelta delle sole prime edizioni. Con ciò, il *corpus* dal quale ricavare i titoli su cui esercitare l'analisi conta 15 romanzi, i soli sopravvissuti fino ad oggi nella prima impressione. Ma occorre specificare ancora. Quando si presenti il non infrequente caso di disponibilità di prime edizioni multiple affidate a più editori in luoghi diversi, è meglio ricorrere a quella veneziana e, soltanto in mancanza di questa, ad una contemporanea stampata altrove.

A questo punto, a guidare la scelta dei titoli campione subentrano criteri di rappresentatività. Sono preferibili sia i romanzi più studiati (l'interesse riservato loro dagli interpreti li rende imprescindibili) sia – al contrario – quelli meno letti, utile terreno di riscontro alle analisi consolidate. Ma a contare nella scelta è pure il successo, valutabile tanto in termini di numero di edizioni, quanto tramite il censimento delle eventuali traduzioni straniere: i romanzi di attribuzione certa tradotti sono 5, per un totale di 12 versioni, in francese e in tedesco; *La Cantatrice in disgrazia* è il titolo più tradotto (6 volte), *La Francese in Italia* e *La donna che non si trova* sono quelli meno esportati, e contano una sola versione. Per rispettare la varietà di impianto della produzione narrativa di Chiari è poi opportuno affiancare ai romanzi pseudo-autobiografici (di gran lunga i più numerosi) altre tre tipologie, quella epistolare (*La Viaggiatrice*), quella filosofica (*La Viniziana di spirito*) e quella dialogata (*La Bella Pellegrina*), attestate da tre romanzi usciti nel periodo «sperimentale» 1760-62. Conta infine la collocazione cronologica dell'opera: è infatti necessario sia testimoniare la varietà tipologica della produzione dell'abate bresciano, sia cogliere le tappe salienti dell'evoluzione – se evoluzione c'è stata – della sua produzione romanzesca.

In definitiva, un campione sufficientemente rappresentativo di letture comprende dieci opere, cronologicamente disposte fra il

---

fiche si legge in Clerici, *Best-seller del Settecento: i romanzi di Pietro Chiari*, cit., pp. 86-89. La tavola di p. 84 sintetizza le informazioni principali.

1755 e il 1780. Ecco l'elenco, seguito tra parentesi dalla sigla con cui d'ora in poi il romanzo verrà indicato[27]. *La Commediante in fortuna* (CF); *La Giuocatrice di lotto* (GL); *La Zingana* (Z); *L'Uomo d'un altro mondo* (UM); *La Viaggiatrice* (V); *La Bella Pellegrina* (BP); *La Viniziana di spirito* (VS); *L'Amante incognita* (AI); *Le Due Gemelle* (DG); *Il Serraglio indiano* (SI). Fanno eccezione ai criteri appena individuati *L'Uomo d'un altro mondo* e *La Viaggiatrice*, entrambi del 1760, letti in seconda edizione. Il primo, grazie alla sua inclusione nell'antologia di Portinari, in quanto facilmente accessibile è il romanzo più noto agli odierni lettori dell'abate[28]. Il secondo rende possibile gettare uno sguardo completo sul triennio «sperimentale» 1760-62[29]. La campionatura comprende anche testi dell'ultimo Chiari. Il tentativo è quello di provare a verificare le ragioni formali dell'evidente calo d'interesse da parte del pubblico, documentato dall'irreversibile diminuzione delle ristampe ma anche da una certa disattenzione svalutativa da parte della critica.

Una volta individuato il *corpus* e dopo aver scelto le letture rappresentative dell'insieme, si tratta di impostare in modo proficuo le domande da porre ai testi. Testi le cui caratteristiche sono state messe a fuoco dagli studiosi soprattutto «in negativo». Quelli di Chiari sono giudicati romanzi inverosimili, i cui personaggi agiscono in modo bizzarro e non di rado incongruente; le trame sono troppo contorte, macchinose; il ritmo della vicenda è convulso e le strutture narrative sconnesse; le componenti digressive sono estrinseche; il linguaggio è monocorde e svincolato dal tenore della situazione sceneggiata come dalle caratteristiche individuanti il personaggio. Oppure, con una eccessiva sottolineatura delle «costanti», si tratterebbe di testi prevedibili e stereotipati, costruiti per moduli ripetuti all'insegna della serialità. In tutti i casi, romanzi la cui particolarità più evidente consiste nella loro pressoché assoluta

---

[27] Per gli estremi bibliografici completi si rimanda alla nota 25. Alla citazione seguirà fra parentesi la sigla che rinvia al titolo e la pagina del passo. Poiché molti romanzi non presentano una numerazione progressiva per tutto il testo, all'interno della parentesi il numero della pagina può essere preceduto dal numero romano II, che indica il tomo in cui si legge la citazione. Se assente, il riferimento si intenda al primo volume.

[28] Per il testo di *L'Uomo d'un altro mondo* la versione utilizzata è quella inclusa in *Romanzieri del Settecento*, cit., pp. 211-361, conforme alla seconda (Venezia, presso Domenico Battifoco, 1768).

[29] L'edizione adottata è: *La Viaggiatrice, o sia le avventure di madamigella E. B. scritte da lei medesima in altrettante lettere all'abate Pietro Chari e da lui pubblicate*, 2 tomi, Venezia, Angelo Pasinelli, 1761.

incapacità di farsi leggere. L'invincibile noia che attanaglia il lettore di oggi, figlio di un'ormai matura civiltà del romanzo, sembrerebbe di primo acchito derivare dall'astrattezza non tanto dei passi moralistici, quanto della sceneggiatura della storia, e dall'assoluta dominanza nel romanzo di una dimensione discorsiva di stampo oratorio. Peraltro maldestramente accompagnata da vicende così invadenti da determinare una vera e propria ipertrofia del racconto. Oggi, in sostanza, *niente* dei romanzi chiariani sembra in grado di suscitare il benché minimo interesse e coinvolgimento da parte del lettore contemporaneo: non la personalità dell'eroe, non la straordinaria varietà dei suoi casi.

«Ma quale sarà stata la reazione di un lettore dell'epoca dinanzi a topologie che a noi oggi suonano così artificiose?»[30]. Data la «fortissima reciprocità tra le pratiche del leggere e le forme della scrittura» e poiché «i caratteri di molte opere letterarie sono in effetti legati alle forme del leggere»[31], per riuscire a delineare la conformazione di queste storie avventurose converrebbe partire proprio dal fastidio che si prova davanti ai racconti di Chiari. La reazione (ipotetica) del destinatario naturale di quei libri si qualifica innanzitutto in quanto *diversa* dalle risposte di lettura attuali. Non solo. In prima approssimazione sono proprio gli aspetti dell'opera maggiormente estranei all'orizzonte della percezione estetica del lettore di oggi a dover essere riconsiderati con più attenzione, perché i romanzi di Chiari sono un prodotto letterario concepito secondo regole che rispondono ad atteggiamenti di lettura «invisibili» in quanto storicamente superati.

Del resto, ad annoiare in primo luogo il lettore moderno è proprio la caratteristica principale di questa produzione, e cioè la conformazione bipolare di romanzi costruiti sull'alternanza di un discorso narrativo e di un discorso commentativo. Un fatto capitale, che comporta conseguenze precise sia sul piano della conformazione del testo, sia su quello della sua ricezione, due aspetti interdipendenti. Poiché la fisionomia di una qualunque opera di larga diffusione si definisce in primo luogo in relazione alle competenze dei suoi destinatari elettivi meno smaliziati, occorre tracciare il profilo culturale delle fasce più basse del pubblico. I lettori di mo-

---

[30] L. Serianni, *Presentazione*, in G. Antonelli, *Alle radici della letteratura di consumo. La lingua dei romanzi di Pietro Chiari e Antonio Piazza*, Milano, Istituto di Propaganda Libraria, 1996, p. 12.

[31] G. Ferroni, *Il silenzio della lettura*, in «l'Unità 2», 12 febbraio 1996, p. 8.

desta estrazione culturale dei romanzi di Chiari avevano una certa familiarità con testi semiletterari ed extraletterari, dagli almanacchi, lunari e calendari alle agiografie, alla letteratura devozionale. Testi scritti ma anche orali: non solo recitati dal palcoscenico (opere teatrali, melodrammi, tragicommedie) ma anche dal pulpito, come le prediche. Ecco perché il romanzo si affianca a questo genere di testi, condividendone gli aspetti che tramite analoghe convenzioni espressive rimandano ad una medesima sensibilità.

Le più avvertite fra le recenti indagini sul romanzo italiano del Settecento sono concordi nell'individuare una delle caratteristiche tipiche del genere nella sua essenza composita, in una disponibilità verso forme espressive appartenenti sia agli strati alti del sistema letterario istituzionale, sia a quelli bassi e addirittura estranei alle codificazioni consegnate dalla tradizione al xviii secolo. Le intricate storie avventurose di Pietro Chiari sono un terreno ideale di ricerca per tentare di identificare «in atto» l'identità di un genere votato sì alla contaminazione con altri generi, ma dotato di un'originale e inequivocabile fisionomia. Quelli di Chiari sono infatti romanzi che istituiscono un precario equilibrio fra tradizione e modernità tramite interessanti assemblaggi di materiali testuali di provenienza assai varia, piegati secondo nuove reciproche gerarchie a significare inedite potenzialità espressive in modo da configurare opere piuttosto inconfondibili.

I PERSONAGGI E LE LORO RELAZIONI

ASTRATTE SILHOUETTE

Basta aver letto anche un solo romanzo di Chiari per accorgersi di un fatto singolare: riposto il libro, non rimane impresso nella memoria il nome di neppure un personaggio. Ripensando alla protagonista, quasi certamente ci si ricorderà soltanto l'epiteto che la accompagna a partire dal titolo: la Zingana e non Zaida, l'Amante incognita e non Cristina, la Commediante in fortuna e non Rosaura. Sin dal nome, nei romanzi di Chiari i personaggi mostrano la loro vocazione a esemplificare qualità, valori, caratteristiche astratte, manifestano cioè una netta tendenza al tipico. Come dichiara l'anagramma, Madama Tolot rappresenta la passione del lotto; Spinetta è una virtuosa, Galletto un dongiovanni, Sibilla un'invasata; il simbolismo di appellativi come Madamigella Guerrina e Madamigella Felicita è lampante. A nomi antonomastici tipo Lucrezia ed Elenia («la Georgiana, che chiamavasi Elenia, quasi fosse l'Elena della guerra presente» SI 138) si alternano appellativi generici (Bella pellegrina, Sempronia) e nomi tipici del repertorio del teatro comico: Rosaura, Firaldo, Don Alvaro[1].

Lo stesso si può dire per la descrizione della fisionomia delle eroine. «Una conveniente statura, un nobile portamento, una carnagione bianchissima, un'indole allegra, e vivace con fattezze assai

---

[1] Per un'analisi dell'onomastica dei romanzi di Chiari mi permetto di rinviare a L. Clerici, *Fra realtà e finzione: il battesimo dei personaggi nei romanzi dell'abate Chiari*, in «Rivista Italiana di Onomastica», vol. II, a. II, n. 1, aprile 1996, pp. 99-111.

regolari, e geniali mi rendeano a prima vista cara, ed amabile agli occhi di tutti» (DG 26), dice di sé Brunetta. Le componenti del ritratto riguardano l'aspetto fisico del personaggio e soprattutto la sua personalità, ma a prevalere è la sintesi valutativa del narratore a scapito della constatazione descrittiva dell'eroe. Le particolarità fisiognomiche individuali sono svalutate, l'approccio è sintetico e non analitico, l'oggettività del personaggio è sacrificata alla soggettività di chi racconta: per la presentazione Chiari utilizza categorie che individuano insiemi di singoli aspetti, relativi al carattere («l'indole»), alla fisicità («le fattezze»), all'educazione («le maniere»). E li qualifica tramite aggettivi: «gli occhi [avea] in rara foggia neri, e vivaci, l'indole aperta, le fattezze assai dilicate, il portamento agile senza sconcerto, la voce soave all'estremo, e le maniere tutte così graziose, ed amabili» (*ibid.*). Se il ritratto è particolarmente accurato, come nel caso della Viaggiatrice, la vaghezza della descrizione colpisce ancora di più: «io sono d'una proporzionata statura né grande, né picciola, ma snella della persona, agile, sottile, e vivace. Il mio viso è piuttosto rotondo, la carnaggione bianca, gli occhi che danno all'azzurro, la bocca ben tagliata, la fronte spaziosa, l'aria aperta, il collo, ed il petto proporzionato, in somma a dir tutto in poco, *non sono né brutta né bella*» (V ii, 194-195). Persino la concretezza dei dettagli viene stemperata nella genericità stereotipa del paragone: il Principe Ernesto «biondi avea come l'oro, e lunghissimi i capelli [...] La carnagione avea bianca di neve» (AI 105). Del resto, quando vengono individuati particolari precisi lo scopo non cambia. I dettagli del saio da pellegrina di Eugenia sono quelli dell'iconografia popolare: «oltre l'abito nero di semplice tela, copersi di nero zendado un cappello di paglia, e per lo modo lo accomodai all'aria del volto mio, che un non so che m'accresceva di compassionevole, e di bizzarro. M'apparecchiai un bordone da reggere i passi» (BP 73).

La genericità dei personaggi è connessa alla vocazione «educativa» dei romanzi di Chiari: «ma un trattato io non prendo a scrivere di fanciullesca educazione [...] sebbene intendo, che gli esempj miei, e le mie massime possano forse riuscire a sì lodevole oggetto vantaggiosi del pari» (DG 4). In questa ottica ogni episodio è emblematico, e va ricondotto ad una regola. Perciò Rosaura sottolinea il valore paradigmatico della sua esperienza: «eccone il primo esempio nelle circostanze da me poc'anzi accennate, e di questi esempj se ne vedranno tanti altri nel corso di queste memorie, che non ci sarà più d'uopo che io gli faccia osservare» (CF 83). L'impostazione «esemplare» dell'eroe comporta alcune conseguenze importanti. Quando la figura romanzesca fa il suo ingresso in scena, viene immediatamente corredata da una serie di qualità: l'educazione rese Brunetta «umana, cortese, benefica, onesta, industriosa, socievole, tollerante, discreta, allegra, indifferente, e donna in somma di spirito nelle più critiche circostanze» (DG 4). La condotta del personaggio consiste nell'agire in conformità a tale dotazione costitutiva rispetto agli obiettivi imposti dalla vicenda. In questo senso, le sue scelte sono tutte pre-determinate: il lettore non dovrà desumere dal comportamento dell'eroe i valori morali e gli aspetti caratteriali cui si ispira il suo agire ma, all'inverso, li vedrà «messi in opera». L'interesse della lettura consiste nella verifica dell'applicazione nei fatti di principi selezionati a priori: «m'onori della sua sofferenza nel leggere quanto anderò sinceramente scrivendo chi di vedere è curioso se io dica il vero» (DG 5). Una prova facilitata da periodici riepiloghi delle principali qualità degli eroi: «l'ostinazione di mio padre, la malignità del Barone di Cervia, la sfrontatezza di D. Capostorno, la tardanza del Conte B.C., e la mia confusione medesima» (CF 196).

L'identità del personaggio e la sua condotta si spiegano dunque con il valore morale che significano, e infatti la coerenza etica dell'eroe assume un rilievo particolare rispetto alla sua funzionalità con il contesto. Il fatto che la trama si snodi in ossequio a principi etici e non per ragioni utilitaristiche, a volte colpisce. «Felice voi, che dispor potete di voi medesima! Quanto v'invidio! e quanto più volentieri vi terrei compagnia in un deserto dell'Africa, che nel cuore di Londra!» (SI 19) afferma paradossalmente Rosnì di Brinville rivolgendosi a Rosbelle. A «Ceilan» Rosbelle si ricorda della battuta: «che bella occasione, mi disse, sarebbe mai questa di scomparire insieme, e fuggire al deserto come m'avete promesso! Fuggiamo pure, io risposi» (SI 21). Detto e fatto: le conseguenze sono facili da prevedere. Una decisione incomprensibile sia sul piano della congruenza contestuale (recarsi nel deserto non può che peggiorare la situazione) sia su quello della coerenza personale (una decisione così imprevedibile conferisce alla protagonista un'avventatezza poco consona all'immagine di sé accreditata finora). Ciò che importa, invece, è l'autentico motivo dell'azione, intrapresa per tenere fede alla parola data dimostrando integrità etica. Tanti comportamenti sorprendenti dipendono da astratte ragioni di principio

analoghe a questa: allorché il Pellegrino incontra la piccola Eugenia, figlia di un suo vecchio amico, le si rivolge con una proposta
assolutamente implausibile considerando che i due non si sono mai
visti. «Quando vi giovasse di ritrovare in me un secondo Padre, e
vi contentaste della povera fortuna mia, non so che non farei per
procurarvi colla libertà una vita migliore» (BP 14): come ricorda
l'immancabile qualifica di «buon Vecchio» (BP 15), il Pellegrino è
un personaggio altruista, ed è questo che conta.

Poiché una delle principali funzioni di personaggi così concepiti
è dunque quella di *illustrare* dei valori in una cornice narrativa
presentando aspetti del reale riferibili «non a una verità storica,
psicologica o sociologica, ma a una verità etica o metafisica»[2], si
capisce quanto il rapporto illustrativo personaggio-valore sia definitivo, nel bene e nel male. La condotta del Pellegrino sarà sempre
irreprensibile, ma se nell'*Amante incognita* appare Tiborn c'è da
aspettarsi senz'altro qualche brutta sorpresa. Naturalmente, nonostante le somiglianze di impostazione degli eroi e delle loro storie,
non si tratta di personaggi interscambiabili. Certo, la comune vocazione alla coerenza morale, il valore illustrativo, la genericità dei
profili e l'emblematicità dei nomi rende piuttosto sbiaditi questi
personaggi esemplari[3]. Ma proprio per bilanciare tale uniformità
Chiari utilizza alcuni mezzi d'indole formale.

Concorre anzitutto all'individuazione dei personaggi la loro
configurazione per coppie oppositive. Tiborn e Don Jago rispondono alla formula del contrasto fra caratteri: «non mai si conoscono
meglio gli estremi, che quando s'ha l'occasione di vederli al confronto. La baldanzosa loquacità di Tiborn, e la rigorosa taciturnità
di Don Jago erano sì male accoppiate insieme [...] l'uno taceva di
troppo, e troppo l'altro parlando» (AI 89). Se nelle *Due Gemelle* gli
identici lineamenti delle sorelle nascondono sentimenti opposti, la
prima e la seconda donna della compagnia del Signor di Marbele
hanno sia un aspetto sia un'indole antitetici: il carattere della prima

---

[2] R. Scholes-R. Kellog, *La natura della narrativa* (1966), trad. di R. Zelocchi, *Introduzione* di R. Barilli, Bologna, Il Mulino, 1970, p. 111.

[3] Sin dall'antichità, nell'*exemplum* «personaggi e azioni, mentre dimostrano nel concreto
il fondamento di un principio astratto, ne ripetono in tal modo l'attributo dell'universalità:
sacrificando i connotati più empirici, in vista di un coinvolgimento del lettore che fa leva
sulla tipicità piuttosto che sulla caratterizzazione individualizzante» (A. Tartaro, *La prosa
narrativa antica*, in *Letteratura italiana*, direzione di A. Asor Rosa, vol. iii, *Le forme del testo*,
t. ii, *La prosa*, Torino, Einaudi, 1984, p. 625).

donna è «ipocondriaco e patetico» (CF 126) mentre la seconda è «fiera e sdegnosa» (*ibid.*); l'una è «ben messa della persona, quanto era quell'altra gracile e tenue» (CF 127). Anche il singolo personaggio è disegnato per opposizioni binarie: il Signor Girandola è «sempre pieno d'affari, senza nulla conchiudere; sempre pieno d'amorose corrispondenze, senza essere corrisposto; sempre colla voce in aria, senza persuader chichessia» (CF 100). In tutti questi casi, l'icasticità dell'individuo non è perseguita tramite lo scavo della sua personalità o mediante la composizione di un ritratto originale, ma con un espediente adatto a conferirgli *evidenza*: la sua bizzarria risalta in primo luogo dal rapporto formale che instaura con altre figure. Ma i mezzi per rendere evidenti i personaggi sono anche altri, a partire dall'attribuzione di unicità: «il carattere di Roberto era il più particolare in amore» (VS, II 35). Vengono inoltre utilizzati procedimenti di amplificazione: le reazioni dell'individuo sono parossistiche e i fatti che lo riguardano sorprendenti. Così, anche le indicazioni temporali contribuiscono a dargli risalto: «una violenza pari a quella d'allora non me la feci mai in vita mia» (VS, II 128). Perciò gli eroi hanno spesso a che fare con avventure eccezionali: «quella notte, che io passai sull'albergo medesimo fu delle più dolorose della mia vita» (BP 170).

Anche la semplificazione dei registri rappresentativi ispirata a una parziale emancipazione dalla tradizionale separazione degli stili conferisce tratti di icasticità ai personaggi. Ad imporsi è un regime espressivo che si potrebbe definire «medio» oppure «serio», caratterizzato in primo luogo dall'esclusione delle partiture tragiche, epiche ed elegiache. Invece, il comico ha un ruolo importante nel creare un'alternanza alla serietà dominante del dettato romanzesco. I personaggi appartengono così a due categorie: l'insieme abbastanza variegato di quelli seri e la famiglia dei personaggi comici. Un modello organizzato secondo un principio di coerenza antirealistica. Le figure di bell'aspetto sono sempre altolocate. La loro dignità è sempre rispettata: l'irriverenza nei loro confronti non si spinge mai oltre il divertimento scherzoso. Invece, i personaggi comici si distinguono grazie alla corrispondenza fra bassa estrazione sociale, sgradevole fisionomia esteriore, bizzarria di condotta e ruolo marginale nell'economia del racconto. Fra «fattezze» e «carattere» può esserci un nesso per analogia o *per differentiam*. Per vedere l'anima nera del maldicente Tiborn basta uno sguardo: «era egli di bassa, e piuttosto grossolana statura, d'un livido, e terreo colore in volto, d'una guardatura assai torva, d'un ceffo smunto, e cagnesco, e d'una rabbiosa energia nel suo ragionare, che sola bastava a dimostrare il maledico, e velenoso fiele dell'animo» (AI 87). Al contrario, il Signor di Greland «era uno di quegli uomini, che hanno ottimo il cuore, ma non corrispondono al cuore le loro apparenze. D'età avanzata, d'aspetto non dirò maestoso, ma tetro; di pochissime parole, d'un misterioso contegno mi sconcertava con una occhiata sola» (DG 61). In tutti i casi, suscitare il riso è sempre compito di figure secondarie. Nei modi della presa in giro greve: Zilia, la figlia del Bramino povero, crede di essere gravida e invece muore per un tumore all'utero. Tramite la sceneggiatura di una beffa, come nell'episodio dell'ingenuo pretendente «zoppo, e scimunito» (AI 183) di Cristina che si conclude con lo sposo che «si vide burlato» (*ibid.*). Per mezzo di comportamenti imprevedibili di personalità paradossali come quelle dei genitori di Rosaura: «posso dire con verità che quanto era mio padre capace di tutto, altrettanto non era ella [la madre] buona da nulla [...] Il caso sempre bizzarro nelle sue stravaganze avea fatta una unione che parea lungamente studiata per dar da ridere al mondo» (CF 22).

In deroga al modello, numerose protagoniste condividono con Rosbelle la caratteristica di «non esser nata Dama» (SI 206) senza perciò venir mai stilizzate comicamente. Il trattamento di riguardo ha una spiegazione: l'estrazione sociale delle eroine dei romanzi di Chiari non è affatto modesta. Soltanto, all'inizio della peripezia le protagoniste *non sanno* di «esser nate Dame». È dunque tramite una reticenza che Chiari riesce a sottrarre la protagonista alla sua vocazione comica. A riprova delle corrispondenze rappresentative individuate, valore morale negativo ed elevata estrazione sociale non si conciliano: «basti sapere intanto a chiunque stupisse, che un cavaliere operasse così, che tale non era egli di nascita. Che il titolo di Barone di Cervia se l'aveva usurpato» (CF 87). Le possibilità combinatorie di questo paradigma sono dunque limitate: se va escluso che belle donne si innamorino di personaggi negativi, i comportamenti devianti rispetto alla cifra morale dell'agente sono sempre esplicitamente segnalati: «non era D. Fabio l'uomo più prudente del mondo, ma si regolò in quell'occasione con molta accortezza» (SI 127), dove D. Fabio è figura malvagia.

Impiegando protagonisti non dichiaratamente nobili, Chiari imposta non storie di destini sublimi ma «commedie serie», il cui tenore espressivo sarebbe piuttosto adatto a figure di più bassa origine sociale. D'altro canto, se la condotta spesso eroica della protagonista e il suo valore paradigmatico contrastano con la *medietas* del personaggio, alla fine tali nobili prerogative sono giustificate dalla rivelazione del suo sangue blu. In contrappunto con questa opzione intermedia della rappresentazione, ecco i motivi patetici e sentimentali: «sofferenza pertanto, o leggitori benevoli, che la storia senza esser tragica non lascia d'essere stravagante, e compassionevole» (AI 8-9). La condotta dell'eroe non attinge quasi mai al tragico, qualificandosi piuttosto come eroica: «gli Eroici sentimenti, che poc'anzi testificati avevo a Madama Doralice, protestandole di volermi regolare a mio modo» (GL 31). Di un eroismo degradato, «domestico»: «il confessarla innocente della ferita del Castellano con tanto mio danno, confesso la verità, che mi parea un eroismo assai bello, di cui per altro non mi sentivo capace» (BP 224).

«Le Memorie di Madama Tolot non son le memorie di Cleopatra, di Didone, o di Semiramide; scrivendo di me scrivo d'una povera Giovine, che vuol farsi conoscer nel mondo» (GL 4): protagonista di una vicenda «normale» non può che essere una figura «mediocre», come Rosaura: «le fattezze mie [...] nulla hanno per verità di deforme che disgusti chi mi rimira: ma nulla hanno altresì di particolare che promettermi potesse una favorevole accoglienza nel Mondo» (CF 15). Nel corso della storia, tale emblematica normalità riceve insieme una smentita e una conferma. Infatti, quel che vale la pena di raccontare è l'essere «vissuta nel Mondo»: «all'ora, in cui scrivo, io conto trenta anni d'età; ma non sia chi si persuada che di tutta questa età mia io voglia qui raccontargli la storia. Trattine quattro anni soli, ne' quali posso dire d'essere vissuta nel Mondo» (CF 14). Sugli «anni che non mi distinguono punto da una donnicciuola plebea» (*ibid.*), silenzio assoluto. Ad avvicinare le *mirabilia* raccontate e la «normalità» che di sé la protagonista accredita ci pensa il narratore: Tolot gioca al lotto per interesse; il lotto è un gioco diffusissimo; si sa quanto «la debolezza del proprio interesse predomina tutto il genere umano» (GL 6). Ecco come viene riaffermato il valore generale della peculiare esperienza del personaggio. Un'operazione funzionale anche quando la qualificazione dei fatti da parte di chi racconta non corrisponde al loro effettivo tenore. Che la condotta debba essere ispirata ad un realistico «giusto mezzo» è opinione sostenuta da tutte le protagoniste, un modo per accreditare la medietà della vicenda: più di una volta Cristina ricorda «la strada di mezzo, che mi sforzai di tenere»

(AI 171). Ma come le altre autobiografie romanzate di Chiari, la storia dell'*Amante incognita* racconta proprio di chi, invece, usava praticare gli estremi.

PERSONALITÀ CONCRETE

«I termini astratti e generali non hanno buoni effetti in alcuna composizione volta a divertire, poiché è solo dagli oggetti particolari che si possono formare immagini»[4]: le caratteristiche non concrete dei personaggi li rendono poco adatti a comporsi in una raffigurazione mentale definita, né basta l'evidenza a renderli memorabili. Proprio perché sono concepiti in modo illustrativo e quindi improntati ad una stilizzazione astrattizzante, Chiari sottopone i suoi personaggi ad una serie di trattamenti di segno opposto, per individuarne fisionomia e comportamenti, per fissarne le singolari identità. Sul piano della caratterizzazione, gli aspetti illustrativi e gli espedienti volti a conferire evidenza formalistica alle figure romanzesche si accompagnano a tecniche di rappresentazione della personalità funzionali alla resa letteraria del *proprium* di ogni personaggio, della sua concretezza individua. Queste spinte divergenti fra astrattezza emblematica e concretezza determinata sanciscono l'indole di soluzione di compromesso del personaggio, un'immagine narrativa che compendia esemplarità e soggettivismo, funzione illustrativa e valore individuale, tipicità e irripetibilità. All'attrazione del *romance*, insomma, si oppone quella del *romanzesco*.

In realtà, le donne di carta chiariane manifestano una certa fissità almeno quanto mostrano elementi di emancipazione dalla tradizione, e perciò non sono propriamente né figure «a formula fissa», né paladine di comportamenti borghesi[5]. «Anche il carattere mio dar potrebbe non poco credito a queste Memorie; ma sono in caso

---

[4] Il passo degli *Elements of Criticism* (1762) di Lord Kames è citato da I. Watt, *Le origini del romanzo borghese. Studi su Defoe, Richardson e Fielding* (1957), a cura e trad. di L. Del Grosso Destrieri, Milano, Bompiani (1976), 1984, p. 14.

[5] Per Laura Granatella «questo tipo di eroina è personaggio statico, monolitico, sempre uguale a se stesso dall'inizio alla fine, senza alcuna evoluzione interiore [...] Anche i personaggi secondari sono a formula fissa» (*La donna nei romanzi teatrali del Chiari*, in «L'Osservatore politico-letterario», a. xxvII, numero 12, 1981, p. 59). A proposito della Filosofessa, Elvio Guagnini registra un comportamento «"ragionevole" (borghese)» (*Sensibilità e ragione nel romanzo italiano del Settecento: «La Filosofessa italiana» di Pietro Chiari*, in «Problemi», n. 72, 1985, p. 75).

di poterlo dire un complesso di più differenti caratteri, che sulla gran scena del mondo mi toccò sostenere nel corso de' giorni miei, e m'accostumarono insensibilmente ad un formare l'indole mia alle mie circostanze» (AI 6): nelle parole dell'Amante incognita, la personalità si configura come «un complesso di più differenti caratteri» di volta in volta attualizzati a seconda delle circostanze. Alla duttilità comportamentale dei protagonisti chiariani corrisponde *in interiore homine* una sommatoria di singoli tratti caratteriali. Le azioni del personaggio ne ritraggono direttamente l'indole: «mia madre fin dal primo momento che potevo meglio conoscerla volle darmi a dividere lo stravagante carattere, che sortito aveva dalla natura» (CF 101). Alcune figure sono definite da un solo tratto, il carattere di altre è invece costituito da una pluralità di tratti. Naturalmente, non tutti i personaggi compendiabili in un solo tratto dominante hanno la stessa indole narrativa. «Il Castellano [...] era di quelli, che colle donne hanno più della bestia, che del carattere umano» (BP, II 157): se questo atteggiamento rende assolutamente prevedibile il comportamento del Castellano, al contrario la gemella di Eugenia «era avvezza a dire, e disdire tutto ciò, che le veniva alla lingua, lusingata dall'abilità sua di rimediare ad ogni contraddizione con qualche nuova menzogna» (BP, II 139). Governata dalla spregiudicatezza, la sua condotta è imprevedibile. Prerogativa tipica delle figure negative è quella di esibire un solo imperativo caratteriale, il che le rende personaggi molto rigidi, come confermano i loro rarissimi cambiamenti di atteggiamento, veri e propri ribaltamenti di ruolo. Nella *Zingana*, Truffardo passa da interessato seduttore della Zingana a suo fedele ambasciatore; Sarech, l'ebreo, diventa alleato della protagonista dopo averla perseguitata per denaro, mentre al contrario Madama Queville da aiutante si trasforma in nemica. Come per Ghimof, lo schiavo di *L'Uomo d'un altro mondo*, la metamorfosi avviene nello spazio di un'avversativa: «non più schiavo mio, ma mio confidente e fratello» (UM 282).

Ad essere definite da una personalità articolata sono le protagoniste. Ecco scomposta nei suoi fattori principali l'indole della Zingana in ordine al manifestarsi dei tratti nella loro successione. Vanitosa (Z 58, 127); «il mio carattere era fiero, ma non disumano» (Z 48); ambiziosa (Z 50, 60); temeraria (Z 60); dotata di «naturale alterigia» (Z 61, 127); «superba» (Z 76); vanagloriosa (Z 78); curiosa (Z 177); intraprendente («volli esserne spettatrice io medesima, per poter dire in vita mia, d'aver fatto di tutto» Z, II 164); feroce

(Z, II 60); coraggiosa (Z, II 95); «una donna più vaga d'ispirar dell'amore che di sentirne» (Z, II 125); perfida (Z, II 140); generosa (Z, II 164). Solo di rado la coesistenza di tratti positivi e negativi ha la funzione di alludere all'evoluzione morale dell'eroe: per simularne la crescita interiore indotta dall'esperienza maturata, nella parte finale della *Zingana* prevalgono le qualità. Nella maggior parte dei casi, invece, tratti antitetici sono compresenti e in patente contraddizione. Così, la Bella Pellegrina dipinge un ritratto del padre che contrasta con una figura fin qui mite e teneramente affezionata alla figlia: «mio Padre non meno risoluto, e violento nelle sue massime, che tenace, ed insensibile nelle sue risoluzioni più strane» (BP, II 107). Certo, «prudenza, freddezza, assenza di sentimentalismi e di debolezze fanno di queste fanciulle dei personaggi in sostanza nuovi e inquietanti nella nostra letteratura»[6]. Ciò che però le distingue davvero dal punto di vista della fisionomia caratteriale è proprio il privilegio accordato ai protagonisti di poter esibire un *pedigree* di tratti contraddittori. «D'una giovine temeraria in tutte le sue operazioni, e vivissima, io divenni prestamente una stolida» (V 49) confessa la Viaggiatrice, salvo poco tempo dopo dirsi «divenuta quasi per forza filosofessa» (V 70). Ad esprimere la vocazione «realistica» e non eroica della Viaggiatrice è proprio l'incongrua varietà delle sue qualità positive e negative: in mancanza di una configurazione organica del personaggio le cui attitudini concorrano dialetticamente a compendiare azioni e motivazioni, la semplice successione di tratti caratteriali disomogenei allude all'effettiva assenza, nella vita, di figure integralmente buone o cattive.

Questa prerogativa dei protagonisti è sintomatica di una particolare configurazione del sistema dei personaggi. Considerando l'oggettiva importanza dell'antagonista in tutti i romanzi, il suo declassamento assiologico rispetto all'eroe è evidente. In netto contrasto con il ruolo di primo piano nelle dinamiche della vicenda, la semplicità del carattere degli antieroi li rende personaggi assolutamente prevedibili. Come le comparse, i «nemici» agiscono spinti da un solo tratto caratteriale o da pochi tratti omogenei, e fanno riferimento ad un singolo valore etico. Invece, per l'alternanza di tratti

---

[6] F. Fido, *I romanzi: temi, ideologia, scrittura*, in *Pietro Chiari e il teatro europeo del Settecento*, a cura di C. Alberti, con una nota di C. Molinari, Atti del Convegno *Un rivale di Carlo Goldoni. L'abate Chiari e il teatro europeo del Settecento*, Istituto internazionale per la ricerca teatrale, Venezia, 1°-3 marzo 1985, Vicenza, Neri Pozza, 1986, p. 296.

positivi e negativi l'eroe è narrativamente costruito in deroga al regime di stretta impostazione manichea che organizza il sistema dei personaggi, e ciò gli conferisce un'importanza ineguagliabile, unica figura rilevata fra una pletora di personaggi «piatti»: l'antagonista, i suoi aiutanti, gli aiutanti dell'eroe, le comparse. I protagonisti sono però individuati da un'ulteriore caratteristica specifica: rispetto alle altre figure hanno una *posizione* privilegiata nell'economia della storia. Ogni figura esiste in quanto intrattiene una relazione antagonistica o coadiuvante con l'eroe, posto al centro ideale del sistema dei personaggi. A prevalere di gran lunga in questo sistema sono i rapporti di tipo oppositivo e le differenze di personalità, cosicché l'eroe si potrebbe definire la figura con più nemici, la cui identità si specifica per contrasto con quella di tutti gli altri. Un privilegio che spiega la vocazione alla conflittualità di tutte le prime donne chiariane. Del resto, la condotta dell'eroe ha tanto spazio nelle parole di chi racconta proprio perché, essendo più libera, a volte risulta ambigua. Diventa allora necessario ricondurla al valore appropriato di riferimento, un po' più dissimulato di quello che tutti gli altri personaggi portano impresso nel volto.

In effetti, l'ambito nel quale si esplica la prima forma di coerenza dei tratti caratteriali non di rado eterogenei dei personaggi principali è proprio il discorso di chi racconta. In mancanza di una compiuta e organica sintesi romanzesca del personaggio, ecco come è anzitutto sottolineata l'unitarietà dell'eroe. In forma di rendiconto preventivo, all'inizio del romanzo: «prevaleva una volta il fuoco alla flemma; ma l'età, e l'esperienza lo ridussero a poco a poco ad ischivarne gli estremi. L'educazione mia fu delle migliori, e fu tale, che merita un esatto ragguaglio, a cui però riservo il susseguente capitolo» (AI 8). Alla fine, in forma di bilancio:

quante col crescer degli anni si cangiano idee, inclinazioni, e costumi, o perché dall'età ricevono una combinazione diversa gli umori del nostro corpo, o perché vien fatto lo spirito nostro dalla sperienza più saggio! Poco prima di sei anni prima io mi vedea sì di mala voglia nel luogo solingo della mia educazione, che quasi a liberarmi da un carcere tenebroso giudicai necessaria una fuga. Ritornando adesso spontaneamente a quella solitaria prigione, ond'ero fuggita, i tristi pensieri miei parer me la fecero così bella, così desiderabile (AI, II 100).

Ad essere surrogata è la dimensione del divenire: nient'affatto concepita come crescita e modificazione dell'io in azione, l'esperienza è tematizzata nei discorsi del commento. Un antidinamismo evidente quando l'esperienza non fa altro che confermare le attitudini caratteriali in dotazione sin dall'inizio al personaggio:

> sarà forse stata la saggia educazione, che mi toccò in sorte sin dal principio del mio cangiamento; ma giunta non meno dappoi colà nel Brasile al grandissimo onore, a cui sollevommi la ragguardevole carica del Conte Duffeld mio marito, non mi trovai nulla cangiata nell'animo da' miei sentimenti di prima; e sempre in appresso mi conservai tra tutti gli onori umani nelle prime mie moderatissime idee (DG, II 149).

In almeno un romanzo la vocazione del didascalico all'integrazione fittiva dell'eroe si emancipa dall'avventura, e finisce per configurare un vero e proprio protagonista del discorso saggistico *pendant* di quello narrativo. Il tema della donna di spirito è certo ben rappresentato dalla «Madamigella» protagonista della *Viniziana*, ma più compiutamente di lei la rappresenta la figura astratta cui rinviano sia gli attributi del personaggio principale, sia quelli elencati a diverso titolo nelle ampie zone didascaliche di questo romanzo «filosofico» in cui il tema è approfondito. Al fine di conferire evidenza alle sue figure romanzesche, Chiari predilige le soluzioni di continuità, sottolinea le cesure, i colpi di scena, i ribaltamenti paradossali, a scapito delle sfumature, della progressione, delle trasformazioni. Al discorso commentativo del narratore sono perciò affidate le sintesi dei processi dinamici impliciti nella storia, sede deputata di fatti *discreti*.

La seconda modalità principale utilizzata da Chiari per dotare di coerenza i suoi caratteri è l'impiego funzionale della componente avventurosa: la singola qualità è molto spesso vicaria all'azione contingente dell'eroe; diluendoli in una progressione, la storia rende omogenei i tratti contraddittori. «Per natura ero inclinatissima a farmi degli amici, facendo a tutti, dove potevo, del bene, in virtù di quella gran massima radicata altamente nell'animo mio; cioè che una volta o l'altra possiamo aver bisogno di tutti» (GL 214). Per rendere plausibile questa affermazione, fatta da una donna egoista ed assetata di denaro come Tolot, Chiari introduce apposta un episodio: «in quella occasione m'avvenne di fatto così, ed un tal benefizio da me fatto alla Zia di Guglielmo senza conoscerla, mi fruttò un benefizio maggiore della medesima contribuitomi, il quale decideva per sempre della nostra fortuna» (*ibid.*). Qui l'inserimento del nuovo aspetto dell'indole del personaggio nella trama è funzionale all'epilogo positivo; altre volte la storia prende pieghe inaspettate con ragioni surrettizie. «Per conciliare insieme tante cose contrarie mi venne in capo d'andare dove mi portava la sorte» (BP 71): in questo caso il carattere della Bella Pellegrina è vicario all'azione; storie rocambolesche abbisognano di personaggi bizzarri, *relais* adatti a produrre meraviglia. Il concepire personaggi «componibili», insiemi di tratti discreti anche di segno opposto, consente una grande libertà sul piano della vicenda, una potenzialità che bilancia il rigido valore illustrativo dei personaggi. Visto però che la personalità di questi individui non si modifica affatto col progredire dell'esperienza, a vicende fortemente movimentate corrispondono personaggi *statici* con una vocazione all'«immanenza», intesa come qualità generale dei tratti caratteriali, preesistenti alla vicenda, inerenti l'eroe.

Oltre alla descrizione astratta della sua fisionomia e all'individuazione dei tratti caratteriali salienti, per presentare il personaggio principale nell'atto del suo affacciarsi alla ribalta romanzesca Chiari si affida all'enunciazione della *storia* pregressa dell'eroe. Anzi, l'ampiezza della biografia qualifica direttamente il rango del personaggio, a prescindere dalla quantità di informazioni a disposizione. Di Ninna si conosce ben poco, ma il ricordo della sua infanzia è analitico, scandito da continui «non so». Chiari non rinuncia al ragguaglio neppure nell'*Uomo d'un altro mondo*, dove le origini dell'eroe sono programmaticamente oscure: la didascalia del primo «articolo» del romanzo recita *Breve introduzione alle presenti memorie, e prime notizie oscurissime della mia nascita, e della mia educazione* (UM 211). Ogni volta, i suoi romanzi presentano in apertura la biografia dell'io narrante, aggiornata fino all'epoca in cui inizia il racconto. Lo schema è quello della narrazione *ab origine*: per chiarezza e semplicità, ad essere presentato per primo sarà il protagonista, e l'autobiografia deve muovere dai suoi natali, anche se incerti. Si tratta di una convenzione consolidata. La formula *ab origine mundi*, che risale almeno alle cronache medioevali, è una forma «finita» e sintetica di organizzazione del senso del personaggio, utilizzata immancabilmente da Chiari per la sua trasparente funzionalità. Non per nulla sia Steving sia il Pascià si innamorano della Zingana non appena Zaida ha finito di raccontare la sua storia. Il personaggio – infatti – è la storia che racconta: in quanto «personaggio piatto», il suo significato coincide con il ruolo interpretato, la sua prima ragione d'essere è la trama.

Nonostante tale aderenza della figura romanzesca all'azione, e pur ricordando il suo «determinismo caratteriale», la personalità di Zaida e di tutte le sue compagne non si riduce solo a questo. In più, Chiari conferisce loro un certo spessore «psicologico». L'immagine fosteriana bidimensionale di «personaggio piatto» ben si adatta al modello utilizzato dallo scrittore: le sue figure romanzesche sono infatti dimidiate fra «esterno» e «interno»; ogni personaggio di una certa rilevanza ha una «forma» e un «contenuto». A volte lo stato emotivo del personaggio si traduce nel suo «esteriore», altre volte i suoi due profili, interno ed esterno, non si sovrappongono affatto. Accade al Barone di Cervia: «il di lui esteriore nulla avea di vile e di abbietto, che denotasse la viltà del suo sangue» (CF, II 27). Proprio per affrontare il problema della corrispondenza solo eventuale fra la «forma» e il «contenuto» della persona, Chiari appronta alcuni strumenti espressivi specifici. Le strategie rappresentative volte alla focalizzazione dei rapporti fra gli scenari dell'interiorità (il «contenuto» della figura narrativa) e la facciata mostrata dal personaggio agli altri (la sua «forma») sono di tre tipi. La prima risposta è quella che consente una rappresentazione *diretta* del tenore sentimentale. Vi sono poi le soluzioni espressive che accennano ai moti sentimentali, ma senza tematizzarli; la rappresentazione dei sentimenti è *allusiva*. Infine, Chiari ricorre ad una serie di espedienti non propriamente allusivi né direttamente espressivi di intenzioni, desideri, passioni. Sono le tecniche di rappresentazione *indiretta* della psicologia.

Il codice della *rappresentazione diretta* del sentimento è corredato sia da segni verbali sia da segni non verbali: in situazioni psicologiche esasperate il personaggio paventa «risoluzioni da disperata, e da amante» (CF 69). Se l'impeto dei sentimenti è incontenibile, l'effetto è evidente: «sbalordita, ed oppressa quasi da un profondo letargo, passai tutto il resto di quella notte [...] abbandonata sopra d'un letto, senza aprir gli occhi, senza ergere il capo, senza volere né ristoro né cibo» (AI, II 3). Eugenia esprime la sua irresolutezza con inquieti movimenti privi di scopo: «tremante, confusa, ed irresoluta se dovessi nascondermi alla prima, o alla prima guardar di soppiatto chi fosse, andai buona pezza avanti, e indietro, volendo, e non volendo, senza sapere cosa avessi da farmi» (BP 78-79). Quando lo scrittore fa affiorare in superficie l'emotività dei suoi eroi tramite un segnale «fisiologico», la durata della reazione qualifica l'intensità del sentimento: «diede l'amica mia in un

dirottissimo pianto, e ne fu inconsolabile per più giorni» (DG 172).
Del resto, il lettore di Chiari sa bene quante volte il malessere
interiore del personaggio si traduce in vera e propria malattia.
Come in ogni rappresentazione comportamentistica della psicologia, anche qui vige un codice di gesti standard. Così, ogni rappacificazione è celebrata da enfatici abbracci: «i più teneri abbraccia-
menti posero fine a quel nostro congresso» (SI 88);

per troncare una conversazione i personaggi voltano le spalle all'interlocutore e se ne vanno; per assumere un atteggiamento aggressivo le donne si
mettono le mani sui fianchi. Lo strapparsi i capelli è sinonimo di disperazione, il battere i piedi al suolo indica una rabbia incontenibile, mentre
l'alzare gli occhi al cielo può significare di volta in volta un ringraziamento
alla provvidenza, una richiesta d'aiuto o un abbandono rassegnato[7].

Altre volte, per cogliere i moti dell'animo bisogna osservare
con una certa attenzione i movimenti somatici dell'interlocutore:
«non dissi più di così; ma esaminai nel atto di dirlo sul volto del
Signor di Grenland gli interni movimenti dell'animo suo, e ci feci
poi immediatamente dopo mille necessarj riflessi» (CF 79). Ulteriori tecniche di espressione diretta del «contenuto» del personaggio ricorrono alle parole del narratore. A partire dal semplice resoconto:

parerà inverisimile di che fosse capace il Barone di Cervia, se non lo fo
prima conoscere, formandone minutamente il Carattere [...] Sotto un esteriore placido, manieroso, e dolcissimo, covava un animo pronto ad ogni
violenza, capace d'ogni iniquità, e voglioso d'ogni vendetta. Seco lui non
facevano lega che persone del suo carattere; e il suo Lacchè medesimo
arrivava ad essere il segretario delle sue più nere intenzioni (CF 186-187).

Per esprimere uno stato d'animo, chi racconta può utilizzare
un'immagine esplicativa riferita a un meccanismo psicologico *tipico*:

i Telescopj più accreditati ingrandiscono a dismisura gli oggetti lontani
col farli all'occhio nostro vicini: e per lo contrario la fantasìa nostra gl'in-
grandisce più del dovere quando gli abbiamo presenti. Non vedendo la
Contessa di Keit dove fermamente credevo di ritrovarla, mi si alterarono

---

[7] Antonelli, *Alle radici della letteratura di consumo. La lingua dei romanzi di Pietro Chiari
e Antonio Piazza*, cit., pp. 325-326.

per modo i sentimenti del corpo, e le potenze dell'anima, che mi parve allora dopo un miglio di strada d'esser stata condotta fino in America (AI 96-97).

Ma il narratore adotta altre due strategie per rappresentare lo spazio che separa «esterno» e «interno» dell'eroe: il riepilogo e l'ipotetico. Chi racconta si incarica di sintetizzare la dialettica apparenza-sostanza psicologica per mezzo di consuntivi: «ero una donna ancor io, ero giovane, ero innamorata, ero in caso di trovare chi mi dasse assistenza; e per tutte queste ragioni non era così agevole di persuadermi» (CF 71). Per esprimere l'interiorità del personaggio è pure efficace l'adozione del discorso ipotetico. «Se vorrò amarlo, io dicea meco stessa, l'amerò anche lontano da me [...] Così fossi io sicura [...] S'egli fosse» (GL 24-5): la maggior parte delle riflessioni delle eroine chiariane sono di questo tenore. L'ipotetico assolve il compito di rappresentare la molteplicità, aspetto della vita interiore dei personaggi altrimenti inespresso. Si configura anche in questa occasione un manifesto contrasto oppositivo fra l'inequivocabile sinteticità che governa l'evoluzione dei fatti e l'analiticità appunto ipotetica delle loro motivazioni: alla dilatazione dell'interiorità tramite la mimesi delle riflessioni si contrappone la sintesi della loro ricaduta fattuale, affidata ad essenziali resoconti riassuntivi.

Oltre al narratore, è il personaggio stesso a contribuire al disvelamento del suo «interiore». Più del monologo (godibile quello di Don Astrolabio nella *Giuocatrice di lotto*, efficace parodia del ciarlatano scommettitore incallito), il modo di gran lunga più efficace per sceneggiarne lo spessore «interno» è il discorso diretto fra sé e sé: «giacchè altro non posso, dicevo dentro il cuor mio, giacchè altro non posso, voglia almen [...] Possibile, dicevo allora a me stessa, che vedendomi per amor suo abbandonata» (CF 53). L'alternanza fra prima e terza persona («no, dissi subito dentro il cuor mio, Rosaura non serve, se colla servitù dovesse farsi strada ad un trono» CF 97) e soprattutto l'impostazione bipartita dei monologhi, sono tecniche che enfatizzano le parole dell'eroe:

sicché, dentro di me stesso io dicea, in questo mare vastissimo della società umana, o mi convien andare a seconda della corrente, e farla anch'io in qualche modo da impostore, e da ciarlatano, come mi viene insegnato, o andando a ritroso degli altri tutti, restar mi conviene dagli urti altrui calpestato ed oppresso? No: quanto a me: né l'uno, né l'altro (UM 333).

Nella forma del rovello dilemmatico, o in quella dell'indecisione esasperata, la struttura binaria dell'esposizione è una caratteristica fondamentale del modo con cui i personaggi di Chiari impostano le loro analisi. Gli stessi stati emotivi sono modellati secondo un'alternanza parossistica. Momenti di paralisi depressiva si alternano a fasi di esuberanza euforica: «restai incantata a questo discorso, passando in un punto dall'estremo della disperazione a quello della più viva speranza» (CF 80-81). Per affermare uno stato interiore di irresolutezza, ecco la contrapposizione fra due condizioni antitetiche: «esitai parecchi giorni tra il volere, e il non volere» (CF, ii 104) confessa Rosaura; d'altra parte, Zaira è spesso indecisa: «il colpo era fatale, e produceva in me due contrarissimi effetti, tra i quali determinarmi non sapevo chi avesse più forza» (GL 24). Ma le situazioni emotive ambivalenti vissute dal protagonista non si contano: «il desiderio di rivederla mi rinvigoriva per l'una parte; ma il timore, che il Conte di Vindson scoprisse la cabala mia m'abbatteva per l'altra parte altamente» (Z 204). Così la complessità delle dinamiche interiori è ridotta alla bidimensionalità oppositiva fra sentimenti ed emozioni antagonistiche. Alla polarizzazione sintomatica delle emozioni, alla temperie sentimentale tratteggiata per eccessi, si alternano dunque situazioni psicologiche «intermedie», spesso raffigurate come incapacità di decidere *cosa fare*: l'interiorità del personaggio è in tal modo declinata tramite il suo rapporto con il piano dell'azione. Come che sia, il resoconto degli stati interiori procede per netti contrasti ottenuti soprattutto tramite figure speculari. Saputo della malattia di Milord, Rosnì di Brinville prova un sentimento simmetricamente inverso a quello della sua governante: «restando amendue a sì strana novella sbalordite, e confuse, gran doglianze ne fece la governante, senza forse sentire il dolore, e grand'affanni ne sentì l'appassionato cor mio, senza che ne facessi parola» (SI 12). Culmine della drammatizzazione dell'emotività, la compresenza di opposti: «in questo contrasto d'affetti io mi rallegravo, e piangevo, senza che lo stato mio meritasse né allegrezza, né lagrime» (BP 168). «Per quanto si mettesse a tal nuova in tumulto la mia passione non ne lasciai trasparire al di fuori il menomo indizio, anzi mostrai di non oppormi alle intenzioni del Padre con un rispettoso silenzio» (CF 231): quando lo scrittore tematizza le dinamiche volontarie che separano la «forma» ingannevole del personaggio dal suo «contenuto» autentico si entra invece nel dominio della *dissimulazione*, dell'autocontrollo interessato della condotta, un'attività praticata con ingegno da moltissime figure, motore fondamentale dell'intreccio, occasione per numerose commedie degli equivoci.

Un disagio interiore tanto grave da tradursi in prostrazione fisica, il repertorio dei gesti che veicola significati emotivi, l'esposizione dello stato d'animo da parte del narratore grazie all'ipotetico o al riepilogo, il discorso fra sé e sé del personaggio dai toni perlopiù esasperati, la stilizzazione dilemmatica dei sentimenti associata alla condizione di sofferta indecisione cronica da parte dell'eroe, la sceneggiatura della dissimulazione: ecco le principali tecniche di drammatizzazione dell'interiorità utilizzate da Chiari, cui bisogna infine aggiungere il monologo recitato. Nella forma patetica dell'autocommiserazione:

misera me! qual partito prendere, che non fosse sproporzionato, o violento! Come sagrificare la mia passione per il Principe Ernesto, e le di lui amorose promesse? In qual maniera farmi sposa d'un altro, che non avendo diritto alcuno sopra il cuor mio, più tollerabile delle sue nozze mi rendea senza dubbio la morte medesima? Ah che io non sapea dove rivolgermi, o dovunque volgessi i pensieri miei disperati, non trovavo che oggetti d'orrore, di confusione, e di pianto! (AI 202-203).

O in quella del compianto: «povero Barone di Bellifeld, dove eri tu in quel momento, che non vedevi qual orrore, e qual gelo mi corse allora per l'ossa, al solo sentirmi intimare, che mancarti dovevo di fede, e che ad onta dell'amor mio t'avevo a sagrificare per sempre!» (BP 231). Il personaggio propriamente *recita*: il tono si innalza, esclamative e interrogative regolano un fraseggio emotivamente partecipato in modo *diretto*.

LA RAPPRESENTAZIONE DELLA PSICOLOGIA

«Da questi, ed altri ragionamenti tenuti presso il mio letto io rilevai chiaramente» (DG 13): a dar voce all'«anima» del personaggio sono esclusivamente «ragionamenti» e «riflessi», secondo una concezione parziale dell'interiorità che sacrifica le facoltà affettive a favore di quelle razionali. La distinzione fra «interiore» ed «esteriore» separa semplicemente il piano del visibile agli altri da quello del visibile a sé, con una conseguente ipertrofia della razionalità. Ad essere escluse dalla rappresentazione sono le facoltà mentali non organizzate in modo logico e le dinamiche interiori dell'individuo. In questo senso, il razionalismo chiariano non solo comporta l'interiorizzazione preliminare da parte del narratore di ciò che della psicologia è irrappresentabile, ma favorisce l'adozione dell'ipotetico quale via espressiva privilegiata. Proprio perché è impossibile conoscere la ragione *profonda* dell'agire umano, si dovrà procedere per ipotesi e non per certezze. Perciò, Chiari riesce ad addentrarsi nei meandri dei ragionamenti dei personaggi, può dipanare ipotesi, previsioni e interpretazioni di comportamenti, ma non può indagare direttamente gli stati d'animo, i conflitti sentimentali, le tensioni emotive, con un effetto di oblio del sentimento e di sceneggiatura delle riflessioni.

Se gli espedienti di espressione diretta del sentimento sono di gran lunga i più utilizzati, Chiari adotta pure soluzioni espressive che accennano ai segni del cuore pur rinunciando ad interpretarli. Esclusa dal modello bipartito «esterno-interno» adottato dallo scrittore per disegnare la personalità umana, ed estranea alle ragioni privilegiate della logica pragmatica, la psicologia del profondo è accennata per mezzo di tecniche di *rappresentazione allusiva*.

Avevo a fare con una mano di persone, che conosceva di me più destre ed accorte: mi ricordavo i motteggi mille volti uditi in proposito dello sconosciuto mio Protettore: avevo mille argomenti per credere che potesse essere quello stesso di cui bramavo contezza: non volevo darmi a conoscere d'aver notate le di lui premure, quasi che fossi seco d'accordo: Dubitavo d'espormi a delle osservazioni più rigorose ancora, e soffistiche. Insomma, non conoscendo appieno l'interno mio, non volevo darne altrui il menomo indizio; e mi contentavo, dirò così, di tenermi in alto mare a discrezione del vento piuttosto, che tentare d'afferrare un porto, pieno di banchi (CF 43).

«Non conoscendo appieno l'interno mio»: l'irresolutezza è espressa tramite l'accostamento di ipotesi *indecidibili*, che in quanto tali rimandano ad un'alterità interiore inindagabile. Come in questo caso, le allusioni al profondo sono espresse soprattutto in «negativo» nella forma della reticenza, o si limitano ad una mera constatazione. «Chi mi sa dire quale io mi rimanessi dopo aver letta questa lettera» (CF 50) si domanda Rosaura, «chi arriverà mai ad intendere queste contraddizioni del core umano?» (V 15) è quel che si chiede la Viaggiatrice. La risposta è lasciata al lettore: «immagini chi legge» è uno degli inviti ricorrenti in *La Zingana*, «immagini chi può» nella *Viaggiatrice*. Chiari allude alle manifestazioni emotive anche tramite il *topos* dell'impossibilità della loro rappresentazione: «chi può concepire abbastanza quale fosse l'allegrezza de' Genitori miei, quali i trasporti della tenerezza loro, e quali le dimostrazioni d'amore, che tutti insieme ricevemmo da' proteggitori nostri in quella occasione» (BP, II 14).

In contrapposizione all'indole iper-razionalistica che li caratterizza, parecchi personaggi hanno una sensibilità molto spiccata: «il cuor mio era stato sempre presago delle sue disgrazie» (CF, II 66) constata Rosaura, ed Eugenia annota: «quasi mi predicesse il core ciò, che doveva accadere, le feci le più cortesi accoglienze» (BP, II 56). Come i presentimenti, alcune azioni e certe motivazioni sono riconducibili alle risorse istintuali degli eroi: «risolvendo alla cieca nella pericolosa mia situazione per verità non potevo meglio risolvere» (BP, II 54). Tali attitudini pre-razionali sono caratteristiche congenite del personaggio, finestre aperte sulla sua irragionevolezza. Il destino dell'eroe ha qui le sue radici. «Quell'unico pregio che fino da' primi anni miei mi distinse, fu un animo dirò così maggior di me stessa, il quale m'eccitava continuamente a sperare qualche cosa di grande [...] Ho veduto coll'esperienza mia [...] non esservi migliore stimolo di questo per sorger dal niente e grandeggiare sugli altri» (CF 15): nelle parole di Rosaura è inscritta la parabola della sua esistenza, spinta da un irrefrenabile impulso all'emancipazione. In effetti, nei romanzi di Chiari il nesso vicenda-condizione interiore del personaggio è molto forte. Rapimenti, abbandoni da parte di genitori e amanti, tranelli insidiosi di vario genere sono situazioni narrative che condensano in modo implicito sentimenti parossistici: le dinamiche interiori sono tradotte sul piano dell'azione. Data una situazione sentimentalmente combattuta, la vicenda si incarica di esasperarla tramite restrizioni del suo contesto operativo. Così, nel *Serraglio indiano* Rosnì non sa se sposare Milord Fielg. Gli otto giorni che ha a disposizione per decidere sono ridotti a tre: le condizioni psicologiche del personaggio peggiorano a causa di quella stessa situazione che le simboleggia sul piano materiale. Del resto, nulla vieta di interpretare l'ipercinesi delle vicende dei romanzi di Chiari come un sintomo delle pulsioni profonde da cui sono spinti, in percorsi inconsulti e contraddittori, i suoi eroi: la trama rappresenta allora la più macroscopica cifra esistenziale e antropologica dei protagonisti.

Oltre agli espedienti allusivi alle ragioni del cuore affidati al silenzio reticente, Chiari ricorre ad altre procedure. L'autoanalisi abbozzata da Rosnì, per la verità piuttosto atipica, fa parte dei tentativi volontari di rappresentazione allusiva di sentimenti più profondi. «Dalle occhiate sue, e dal suo pensieroso silenzio m'avvidi non meno, che le fattezze mie in lui faceano qualche non ordinaria impressione» (SI 33); subito «crebbe ancora di più quella non so quale inquietudine, che mi lasciò egli nell'animo» (SI 37). Con cautela, ecco individuato il momento in cui scocca l'amore: «questo rimoto principio d'agitazione, sto per dire, amorosa» (*ibid*.). A riprova della sua natura incomprensibile, l'innamoramento assume quasi sempre la forma del colpo di fulmine, un fenomeno del tutto incosciente:

a quella prima occhiata, con cui da capo a piede mi corse, parve colpito da un fulmine, perocchè impallidì ad un tratto, ed un momento dopo si fece di fuoco [...] Sei buoni minuti passarono senza che nè l'uno, nè l'altro di noi battesse palpebra, movesse un piede, o articolasse una sillaba. Le anime nostre forse sino d'allora parlarono infra di loro, e furono perfettamente d'accordo; ma io certamente non ne intesi il linguaggio sul fatto [...] In lui prima, che in me cessò quella meravigliosa sorpresa, e buon per me, perché forse non sarei io mai stata la prima. Dal suo letargo si scosse egli come chi si scuote dal sonno (BP 95-96).

L'irrazionalità delle dinamiche emotive è evidente quando Eugenia allude al desiderio sessuale, per di più in un rapporto non sancito dal matrimonio: «a fronte di tutto ciò io non partecipavo né punto, né poco della comune allegrezza. Io avrei voluto disporre dell'Amante mio, *senza mai diventare sua Moglie*, in una parola trattandosi d'una tale mutazione di stato mi sentivo imbarazzata, perplessa, confusa, e volevo senza sapere, che mi volessi, come si farebbe, o delirando, o dormendo» (BP, II 226, c.vo mio). Altre volte lo scrittore ricorre ad un'immagine adatta a completare sul piano metaforico il senso dell'enunciato: «questo fu un impeto di passione, che fa appunto come il fuoco, il quale s'apprenda in un fascio di paglia, e in un momento divampa» (CF 52). Alla bassa consapevolezza da parte del personaggio delle proprie pulsioni libidiche corrisponde una spiccata propensione alla fantasticheria: «ne' delirj della mia fantasia io m'andava ideando qual dolce sorpresa non sarebbe ella stata per il Conte B. C. se avessi potuto improvvisamente arrivargli alle spalle» (CF, II 95). All'opposto della reticenza, si collocano infine gli accenni ad una spiegazione «scientifica» delle «disposizioni dell'animo»: «uno scotimento improvviso della natura, urtando fortemente ne' fluidi, e ne' solidi del nostro corpo, arriva talvolta a sanare delle malattie già invecchiate [...] Chi non sa che suole avvenire ordinariamente lo stesso sulle disposizioni dell'animo» (V 90-91).

I personaggi dei romanzi di Chiari mostrano dunque aspetti contraddittori. Caratteristiche funzionali alla tipizzazione illustrativa accompagnano qualità individualizzanti; l'identità composta da tratti caratteriali incongruenti non esclude una coerenza centrata su alcune priorità sentimentali, per quanto implicite. In questo modello non integrato tutta una serie di espedienti di *allusione indiretta* ai sentimenti del personaggio rappresentano un'altra risposta al problema dell'accesso al suo mondo interiore. I mezzi di allusione indiretta alla psicologia utilizzati da Chiari si possono suddividere in tecniche operanti per condensazione e tecniche che funzionano per spostamento. Al primo tipo vanno ricondotte anzitutto le contraddizioni del testo che alludono alle dinamiche altrettanto contraddittorie della psiche. Quando un capitolo manifesta una discontinuità con quello precedente sul piano delle affermazioni del narratore circa il medesimo oggetto, ecco un'allusione indiretta alla psicologia. «Chi veduto avesse come io conteneami nell'accennata supposizione d'aver a partire dal Portogallo, detto avrebbe, che spasso io prendeami degli amici miei, operando per solo capriccio. Non era così, e di tutt'altro sentivami voglia, che di ridere» (DG, II 94): l'affermazione smentisce il resoconto degli atteggiamenti della protagonista raccontati nel capitolo precedente. Se qui il salto semantico avviene dopo una cesura forte del testo, affermazioni di segno opposto possono alternarsi a breve distanza nel medesimo «articolo». Ninna vede per due volte la madre maligna a Venezia e decide di scappare per evitare guai: «non altro scampo trovai meco stessa [...] che quello d'allontanarmi da Venezia al più presto» (DG 53). L'esclamazione successiva si spiega solo in quanto simulazione di uno stato d'animo combattuto: «ahimè! perché non rimasi a Venezia» (DG 55). Altre affermazioni contraddittorie con la medesima funzione allusiva sono più sintetiche: se l'Amante incognita rimpiange la vita solinga che da giovane anelava lasciare e dalla quale rifugge, l'Uomo di un altro mondo, mentre desidera che i suoi diritti di nascita vengano rispettati, aspira ad una condizione non blasonata di solitudine.

Appartiene invece alle tecniche del secondo tipo lo spostamento dell'eccitazione interiore sul piano dell'espressione linguistica: il discorso dell'eroe è allora intonato alla sua emotività. In un fraseggio breve e spezzato, si susseguono con buon ritmo esclamazioni concitate e interrogazioni retoriche:

il Conte mio Protettore ammogliato! sclamai subito quasi fuor di me stessa [...] Se voleva egli tradirmi, perché non farmi a dirittura avvisata del rischio mio? [...] perché non esser sincero [...] gli mancavano forse pretesti per colorirmi in un'aria di dovere indispensabile la sua infedeltà? [...] E perché [...] Sarebbe mai [...] Oh pietà crudele più della fierezza medesima, se mi si fa conoscere dopo avermi per più mesi tenuta in un deplorabile inganno! (CF 166).

Più rilevante è lo spostamento delle dinamiche psicologiche profonde sul piano della dialettica consapevole fra essere e apparire: la dissimulazione replica i contrasti interiori a livello di coscienza. Altrettanto importante è la consuetudine di trasformare le caratteristiche psicologiche o caratteriali del personaggio da attributi del singolo individuo in aspetti tipici dell'uomo in generale:

sinché si tenne al suo letto uscì delirando la meschina in queste due esclamazioni: come abbandonare un Monarca, che tanto mi ama?... come non consolare il mio povero padre?... Piuttosto morire,... morire. Piena, e caldissima avendo la fantasia di sì tetre immagini venirle non poteano più a proposito in sulla lingua, onde all'Imperadore s'affacciassero su gli occhi le lagrime. Ecco, sclamò allora egli stesso, ecco, Brinville, i contrasti tra la virtù, e la natura, che vorrebbe ciascuna, ma non può, superare se stessa (SI 166-7).

Un terzo importante spostamento è la traduzione dei segni dell'animo in segni del corpo, tramite l'approccio comportamentistico alla psicologia. Grazie a questa convenzione il personaggio che con la medesima azione persegue scopi multipli allude alla complessità delle motivazioni interiori della sua condotta: «arrivò quel momento, in cui m'avvidi di soffrire e sperare invano; e che volendo però schivare un male presente, m'esposi ad un altro peggiore per l'avvenire» (CF 161).

Un'altra soluzione consiste nella sostituzione del soggetto annunciato: a un certo punto del romanzo, l'Uomo di un altro mondo si impegna in quella che chiama «descrizione locale della mia solitudine, che aborrir mi facea il rimanente del mondo» (UM 245).

Per significare lo stato d'animo del personaggio Chiari descrive l'ambiente «locale», spostando l'attenzione dall'effetto (la solitudine) alla causa (il luogo disabitato). Di altro tipo è lo spostamento della spiegazione di un problema lasciato irrisolto su una questione diversa da quella sollevata. Lo scopo consiste nello sfruttare l'effetto positivo di «ricaduta» della soluzione del problema successivo sull'incompiuta questione precedente. Eugenia, assillata da timori e previsioni funeste, dopo essersi arrovellata invano prende una decisione istintiva:

per conciliare insieme tante cose contrarie mi venne in capo d'andare dove mi portava la sorte, e di lasciare colà nella mia stanza una lettera [...] Mi passò allora bensì per la fantasia, che una tal lettera poteva ancora servire di scorta per ritrovarmi a' Persecutori miei, se mai avessero delle mire sopra di me medesima; e somigliante pensiero gelar mi fece per qualche momento. Lo superai ciò non ostante, perché colà non potevo ad ogni patto vedermi, e perché feci riflessione, che le intenzioni mie mi mettevano al sicuro dalle loro orecchie (BP 71-72).

La declinazione analitica del motivo «lasciare colà una lettera» sostituisce lo svolgimento del tema di pertinenza psicologica. Un altro mezzo con cui Chiari si sforza di rappresentare indirettamente l'emotività degli eroi consiste in uno spostamento del discorso sul piano logico. Le situazioni emotive vengono così passate al vaglio del più ferreo ragionamento, alla ricerca di cause ed effetti in osservanza del principio di non contraddizione. Un approccio razionalistico all'illogico accavallarsi dei moti del cuore paradossale ma non arbitrario, se si considera come in effetti le cause dei dilemmi dei personaggi risiedano sempre all'esterno della loro coscienza. Che siano impedimenti di fortuna (i natali plebei, la mancanza d'assenso al matrimonio o al fidanzamento da parte dei genitori) o dovuti a cause «politiche» (l'amato è già stato promesso ad altra, per interesse), la protagonista deve combattere comunque una battaglia «fuori di sé». Sono i contraccolpi di tale battaglia a determinare i suoi stati d'animo, e non viceversa. Ecco perché Eugenia si deve sottrarre a un matrimonio sgradito invece di trovarsi nella condizione di riuscire a sposare l'uomo che ama. Ad imporsi è la solita stilizzazione romanzesca per contrapposizioni nette, secondo un regime rappresentativo di separazione icastica e non di commissione problematica degli elementi costitutivi la raffigurazione narrativa.

Un altro modo indiretto di raffigurazione sentimentale sfrutta un diverso spostamento, sull'asse del tempo. «Immaginando adesso l'altezza del luogo, e la profondità del canale a lui sottoposto, mi corre un freddo gelo per tutte le vene, mi trema la mano, e mi si abbaglia la vista come se mi trovassi al dì d'oggi in quelle orribili circostanze» (CF 199): la sopravvivenza nel presente dell'emozione è un segnale della sua intensità. Altri effetti di penetrazione delle psicologie sono possibili grazie allo sdoppiamento dell'identità protagonistica in io-narrante e io-narrato e tramite il gioco fra sovrapposizione e separazione ora-allora. L'analisi pacata e distaccata di Cristina è lucida perché condotta con la consapevolezza dell'oggi: «s'aggiunse a questo un'interna mia ripugnanza di cui non intendevo ragione; ma fortemente mi persuadeva, che il Barone non mi credesse già maritata forse mi stimarebbe di più. Cosa era questo se non un desiderio nascente d'essere amata da lui, come io cominciavo ad amarlo senza vedermene?» (BP 103-104).

C'è però un ambito fondamentale dell'interiorità di cui Chiari rinuncia a fornire testimonianza: in un tipo di romanzo fondato sulla comunicazione dei ricordi del narratore, la memoria dei personaggi rimane in ombra. Gli esempi di «memoria corta» degli eroi sono innumerevoli; per rendersene conto basterebbe contare tutte le volte che vengono ripetuti errori già commessi. In effetti, l'attenzione del personaggio è tutta concentrata o sul presente o sul futuro, mai sul passato: i pochi accenni nel merito sono proferiti dal depositario del patto autobiografico, un narratore-ora anche perciò ben distinto dal protagonista-allora. Una reticenza analoga riguarda le motivazioni degli eroi. Il senso delle loro azioni risponde infatti ad imperativi etici, a ragioni di perspicuità rispetto alla trama, a corrispondenze caratteriali e non psicologiche, inadatte ad essere organizzate da chi legge in una concezione psicologica e personalistica dell'agente. Come quando le relazioni fra i personaggi si stabiliscono per motivi del tutto astratti: «s'aggiunga che il Poeta fanatico dava ad essa [alla madre] nel genio, perché il genio de' pazzi ordinariamente s'incontra, e s'accordava seco lui nelle massime per farmi disperar maggiormente» (CF 145). La Viniziana di spirito, donna emancipata e indipendente, accetta di sposarsi contro ogni logica e senza alcun coinvolgimento sentimentale. Le spiegazioni accampate sono addirittura contraddittorie. C'è una motivazione morale: la Viniziana si sente responsabile della situazione difficile del padre, e il matrimonio dovrebbe risolverla. Questa ragione si scontra con una motivazione «utilitaristica»: per evitare quello stesso matrimonio l'eroina confida nell'aiuto dell'amica Marchesa. Evidentemente, l'eroe non è compiutamente integrato. Come afferma Locke, «l'individuo è in contatto con la sua identità in progresso tramite la memoria di pensieri e azioni passati», e perciò l'identità personale si definisce «una identità di coscienza attraverso la durata nel tempo». I protagonisti chiariani non sono dunque in grado di vagliare i fatti pregressi nella consapevolezza della continuità di sé. Poiché «l'intreccio del romanzo si distingue [...] da quelli della narrativa precedente tramite l'uso di esperienze passate come cause dell'azione presente»[8], nei romanzi di Chiari il nesso capitale memoria personale-motivazioni all'azione non esiste, a tutto vantaggio di altre coerenze non più familiari al lettore moderno.

La quantità di tecniche utilizzate dallo scrittore per rendere conto dell'interiorità dei suoi eroi è la migliore prova di quanto egli avvertisse l'importanza capitale della psicologia, un interesse centrale della nuova cultura, identificabile proprio per il primato della sensibilità e del sentimento[9]. Una cultura in via di elaborazione e affermazione all'estero, ma in Italia ancora anacronistica. Che Chiari non avesse a disposizione gli strumenti culturali adatti a risolvere in modo soddisfacente il problema, lo conferma un fatto. Nei suoi romanzi la psicologia non è ancora emancipata dalla morale, e non solo perché i comportamenti e il carattere sono illustrazioni di valori. L'aspetto decisivo sta nell'adozione del vocabolario dell'etica in mancanza di un linguaggio dei sentimenti. Un vocabolario intrinsecamente valutativo e non descrittivo, ereditato dalla tradizione religiosa e da quella laica dei moralisti, sintomatico dell'eticizzazione della psicologia attuata da Chiari[10]. Si spiega così il ricorrere in sede di autovalutazione moralistica di un sentimento particolare, la vergogna: «mi vennero, non lo nego, agli occhi le lagrime, ma furono queste di vergogna piuttosto che di dolore. L'esser tro-

---

[8] I due passi sono citati da Watt, *Le origini del romanzo borghese. Studi su Defoe, Richardson e Fielding*, cit., rispettivamente alle pp. 18-19.

[9] Cfr. N. Jonard, *Elementi per una sociologia della sensibilità in Italia nel XVIII secolo*, in «Problemi», gennaio-aprile 1985, pp. 22 e 44.

[10] Stefano Calabrese osserva il fenomeno dalla prospettiva inversa: «il passaggio dalla spettrale amnesia degli assoluti etici alla lenta formazione di una moderna *phronesis* offre una visione a tutto campo della genesi del romanzo, questa "morale in atto" (secondo l'assioma del Galanti) che ha un ruolo cruciale nella psicologizzazione dell'etica settecentesca» (*Intrecci italiani. Una teoria e una storia del romanzo (1750-1900)*, Bologna, il Mulino, 1995, pp. 104-105).

vata in bugia, mi pareva insoffribil rossore» (CF 58). Caso clamo-
roso di confusione fra moralità e sentimenti è l'episodio del
corteggiamento «etico» di Rosnì da parte dell'imperatore del *Serraglio indiano*: la sua condotta irreprensibile trova amorosa corrispondenza nella fanciulla, innamorata non di lui ma delle sue qualità positive. L'episodio conferma la solidarietà fra valore morale e
ruolo del personaggio: le protagoniste sono mature quando il male
genera in loro repulsione affettiva e il bene attrazione sentimentale,
dopo i primi corteggiamenti indifferenti a tale corrispondenza, e
perciò fallimentari. Infine, grazie all'adozione del linguaggio della
moralità, anche in un ambito così delicato come quello della vita
sentimentale degli eroi il decoro è garantito *ab origine*. Con buona
pace per la smaliziata curiosità delle lettrici settecentesche.

LA VICENDA, LO SPAZIO E IL TEMPO

Pur in una varietà di scenari non di rado esotici, l'avvio dei romanzi di Chiari è contrassegnato da una situazione canonica. *La Giuocatrice di lotto* inizia con una omissione, con il silenzio circa i natali di Tolot; l'*Uomo di un altro mondo* lamenta sin dall'infanzia la mancanza dei genitori; per decreto del tribunale, padre e madre della Bella Pellegrina devono affidare la figlia Eugenia ad un istituto. A partire da questa comune reticenza, la sorte degli eroi procede attraverso innumerevoli alti e bassi, anche se il fatto responsabile della svolta della vita dei protagonisti è sempre lo stesso. A quindici anni la trovatella Eugenia comincia a scoprire qualcosa di sé: c'è chi vede in lei l'unica erede della famiglia «de' Conti di Renolf [...] la più nobile, la più facoltosa della Moscovia» (BP 34). La Zingana verrà addirittura a sapere di essere nata principessa. Si tratta, con tutta evidenza, di storie che raccontano la progressiva scoperta della propria identità da parte del protagonista. La soluzione, naturalmente, è procrastinata nel tempo, tramite numerose soluzioni provvisorie: caratteristiche quella dei genitori che si dichiarano tali senza esserlo, e quella di padre e madre «che non confessavano ancora d'avermi data la vita» (BP, ii 24). L'affacciarsi alla ribalta di falsi genitori sostitutivi non solo incrementa le potenzialità del *plot*, ma istituisce una sorta di doppia identità del personaggio, la cui vicenda si conclude con la soluzione di questa ambiguità. Infatti, la reticenza dalla quale prende avvio la lacunosa narrazione della storia dell'eroe è propriamente un'ellissi *anagrafica*.

Ipotizzare un'analogia (o, ancora una volta, uno *spostamento*) fra *anagrafico* ed *esistenziale* permette di leggere in queste storie vicende di maturazione codificate su un piano metaforico, autobiografie che raccontano il conseguimento di una maturità traslata nei termini della riconquista di uno *status* sociale elevato, di un'identità di classe e non di persona. Una maturazione come lotta per il *riconoscimento* dei propri natali, processo di emancipazione nella forma di una giustizia rivendicabile con l'azione: l'avventura accetta un'altra delega di matrice psicologica. Ecco perché la memoria di sé del personaggio si esplica esclusivamente nella richiesta di informazioni circa la propria origine. La risposta è affidata a figure informate: nelle *Due gemelle* Don Pippo, Scarfoglio e Ruffalda, nell'ordine. Invece di rendere conto delle molteplici dinamiche psicologiche mobilitate nel processo di crescita individuale, la consapevolezza di sé si riduce alla conoscenza della propria storia grazie al soccorso di terzi. Non per niente le eroine di Chiari fanno corrispondere il punto di avvio della narrazione della propria autobiografia con il momento in cui, passata sotto silenzio infanzia e adolescenza, giovani donne si affacciano al mondo.

Stando così le cose, ad opporsi sono elementi fortemente dinamici e aspetti di immodificabile staticità. La protagonista indossa panni altrui, offre credenziali fasulle, accredita identità posticce e relative false parentele, istituendo un piano di apparenze sul quale si susseguono commedie degli equivoci e inseguimenti di stampo epico-cavalleresco, drammi sentimentali e incredibili avventure. Ma al dinamismo convulso dell'eroe si contrappone la sua origine familiare, rispetto alla quale tutto ciò che accade risulta in qualche modo estrinseco, poiché dal punto di vista anagrafico chiunque non può non essere sempre identico a se stesso. E infatti l'approdo della ricerca «esistenziale» degli eroi va a ricucirsi puntualmente con le tacite premesse dalle quali sono partiti. La scoperta di sé non avviene grazie alla proteiforme attività dei protagonisti, ma semmai per il disvelamento progressivo delle coordinate anagrafiche delle loro esistenze, del tutto indipendente dallo spirito di iniziativa del personaggio. La spaccatura del soggetto fra «esterno» e «interno» sembra duplicata a livello di trama: per lumeggiare la dimensione esistenziale dell'individuo, Chiari ripiega sulla sceneggiatura del contrasto fra convulsa esteriorità fattiva e immutabile identità anagrafica, con un effetto di cortocircuito atemporale, di sceneggiatura di una petizione di principio. Il finale della maggior parte dei romanzi non può davvero prescindere dalla certezza di natalità: le eroine chiariane si sposano soltanto con l'assenso dei genitori, sanzione istituzionale dell'avvenuta maturità. La varietà discordante della narrazione è solo apparenza: il significato principale della trama risiede nell'autentica identità dell'eroe e nella definizione delle sue relazioni familiari.

Il rapporto fra unicità delle relazioni parentali e varietà delle combinazioni avventurose dei personaggi si può immaginare come rapporto fra una struttura profonda determinata e una struttura superficiale indeterminata. La struttura superficiale racconta una serie ritmata di vicende organizzate in un paradigma di tipo avventuroso. Le avventure dell'eroe disegnano una progressione casuale e imprevedibile che incrocia indizi relativi alla struttura profonda: informazioni, personaggi-testimoni, episodi aneddotici. Dunque, nei romanzi di Chiari la struttura superficiale racconta il progressivo disvelamento della struttura profonda; l'approdo è ad una lettura univoca e certa di ciò che all'inizio pareva oscuro «enigma». Ma l'organizzazione narrativa dei romanzi di Chiari non è così semplice, perché gli elementi del racconto avventuroso «di superficie» sono tanto vari e imprevedibili, quanto necessari e reciprocamente vincolati, caratterizzati da una forte interdipendenza. Il rapporto fra quelli che si potrebbero chiamare gli «oggetti avventurosi» della struttura superficiale (motivi narrativi, situazioni, personaggi, oggetti materiali, persino modesti dettagli) è infatti improntato ad una dialettica di libertà-necessità. Ad una non ben identificata necessità fanno del resto spesso riferimento sia il narratore («bisogna dire che» Z 39), sia il protagonista («saper bisogna» BP 139).

Ad imporre l'individuazione degli agenti e delle cause efficienti del suo procedere è la trama. «Avendo io preso meco in saccoccia del pane, con essa lo divisi, e ne bastò per divorare a gran passi in tutto quel giorno la lunga, e difficile strada» (SI 62): il narratore si incarica di fornire le premesse indispensabili all'azione che racconta, siano pure di minima importanza. Al contrario, si può stare certi che qualunque oggetto nominato assolverà ad un compito specifico. L'anello, oggetto magico quant'altri mai, compare a più riprese nelle mani di Zaida, sempre con funzione salvifica:

per produrre un qualche testimonio delle tenerezze di Sefira [...] trassi fuora l'anello, che m'era stato donato da lei, e conservato avevo quella notte fatale dalla rapacità de' Zingani, che m'aveano per istrada assalita.

La fortuna nel perseguitare, e nel proteggere i disegni nostri arriva ordinariamente agli eccessi. Io non avrei mai sognato, che quell'anello venisse ravvisato da Zelocuf come un suo dono fatto a Sefira in tempo de' suoi primi trasporti. E pure non lo vide egli sì tosto, che lo riconobbe; e ritrovando in esso quasi un testimonio infallibile di quanto intendea, mi gettò al collo le braccia, e mi chiamò replicatamente sua figlia [...] Dentro di me ebbi a scoppiar dalle risa, che tanto potesse un inganno (Z 70-71).

Gli «oggetti avventurosi» sono dunque *servili* rispetto alla vicenda: esistono solo in quanto funzionali alle dinamiche della storia, che perciò ne implica l'individuazione. Naturalmente, la funzionalità di un oggetto si può esaurire all'atto stesso della sua identificazione. Nella *Viaggiatrice* un «uccellatore» (V 77) colpisce un tordo: ferito, l'animale cade ai piedi della protagonista. Con il pretesto di donare l'uccello all'amato Don Luigi, per caso di passaggio in quei pressi, la Viaggiatrice gli consegna un biglietto senza farsi sorprendere da chi la sorveglia. Ecco lo scopo della scena: qui, ad essere servile, è l'intero episodio. La tipologia degli elementi narrativi servili è variegata: la zia di Guglielmo non ha riconosciuto Fiorina travestita da uomo quando le ha rubato i gioielli perché Fiorina «nelle fattezze, e nell'aria sua avea più del virile, che della femmina» (GL 213) (fisionomia servile). La stessa Fiorina si spaccia anche per un mercante olandese: ci riesce perché suo fratello ha viaggiato molto all'estero, precisa il narratore (informazione servile). Ancora, incontrando Cristina, senza neppure conoscerla Jago le chiede a bruciapelo se è l'amante di Ernesto. Niente di strano: «l'aver meco un domestico da lui conosciuto al servigio di Milord Dombres era stato per lui l'indizio più forte» (AI 190). Anche motivi narrativi in apparenza divaganti non sono affatto gratuiti: nell'*Amante incognita* l'attacco subìto dalla nave di Goresio si direbbe un riempitivo per concludere il capitolo. Invece, la cattura del naviglio da parte di un legno inglese e l'uccisione di Goresio rendono libera Alvida, ora disponibile alle profferte amorose di Milord Dombres.

A patto che venga rispettata la natura servile degli oggetti avventurosi, nei romanzi di Chiari ci si può dunque aspettare di tutto. Per un verso gli elementi narrativi sono fortemente vincolati in quanto perfino ogni dettaglio manifesta il suo legame perspicuo con altri segmenti del racconto, presupposto necessario alla sua registrazione romanzesca. D'altro canto, la libertà di scelta degli ingredienti è assai elevata, come imprevedibile è la loro immancabile pertinenza, garanzia di sorpresa. A rendere libera la selezione degli oggetti avventurosi è proprio l'esigenza di rispondere ad un solo tipo di coerenza: la priorità della trama, intesa come successione di fatti le cui implicazioni reciproche siano declinate secondo il legame privilegiato di causa-effetto, permette di trascurare altre forme di pertinenza, per esempio rispetto alla personalità dell'eroe, al tenore della situazione emotiva in cui agisce, al contesto spazio-temporale dell'inserimento, e così via. In questo senso, la coerenza della vicenda corrisponde alla gratuità paradossale dei suoi costituenti e delle sue dinamiche.

Visti i forti vincoli fra le sue componenti, siffatto paradigma del racconto si potrebbe definire a narratività intensiva. La sua economia narrativa riguarda anche le comparse: «un certo Stolepen» (BP 110) è nominato di sfuggita nella *Bella Pellegrina* in quanto destinatario di comodo della corrispondenza dei due amanti protagonisti, ma verrà alla ribalta quando la scena si sposterà a Mosca. Non diversamente, nella prima parte del romanzo il Castellano è una comparsa, che diventa il perno dell'intero secondo tomo. Persino i personaggi più marginali torneranno inesorabilmente in scena, e il loro destino dovrà compiersi, magari per un provvidenziale «male violento» (Z, II 188). «Don Roberto s'avvide d'esser restato colle mani piene di vento» (GL 219); Madamigella Rosalba si ritrova «per la seconda volta senza Marito, quando già si credea alla vigilia delle sue nozze, e restata in uno stato da non trovarne forse mai più» (GL 220). L'*explicit* assume quasi sempre la forma di un bilancio definitivo, nella *Zingana*, nell'*Uomo*, nella *Giuocatrice*. Il cui ultimo «articolo» si intitola eloquentemente *Notizie di Madama Sibilla, di Don Graziano, e di Don Astrolabio; Giustificazione, e conclusione di tutta l'Opera* (GL 221).

Proprio per il peso della trama nel paradigma romanzesco chiariano, di particolare interesse sono le poche situazioni testuali che rinviano ad altre forme di coerenza rispetto a quella avventurosa, di gran lunga dominante. «E nulla più di questo ci volle per conchiudere in fra noi due, *senza saperne il perché*, quella perfetta alleanza, che dura ancora oggidì, e la prima origine diede in appresso a queste curiose memorie» (SI 16-17, c.vo mio): affermare la gratuità di un fatto significa non riconoscere il criterio della servitù degli oggetti avventurosi. Altre volte, la coerenza dell'enunciato è di tipo formalistico: «tra questi e somiglianti pensieri passai tutta la notte, *che pur era una delle più corte dell'anno*; ma nel caso mio mi parve lunghissima» (GL 42, c.vo mio). Il luogo comune è qui valorizzato dall'annotazione temporale, del tutto estrinseca. Infine, i gesti del personaggio a volte non rispondono soltanto al principio della funzionalità rispetto alla vicenda, ma anche ad una ragione contingente: «quando la mia buona fortuna mi portò alle mani il vostro biglietto *nell'atto che cercavo nelle saccoccie mie un'altra lettera cui dovevo tuttavia dar la risposta*» (GL 70, c.vo mio). Certo, quanto poco conta quella lettera, tanto sarà importante il biglietto. Ma così Tolot non riduce il senso dell'azione alla sua mera utilità avventurosa. Una scelta interessante, visto che individuare molteplici connessioni fra gli oggetti avventurosi indipendenti dall'intreccio è una delle caratteristiche del romanzo moderno.

UN INTRECCIO UNILINEARE

Se l'imprescindibile funzionalità degli oggetti avventurosi alla vicenda è un primo vincolo alla libertà di svolgimento dell'azione, l'imprevedibilità degli intrecci chiariani è anzitutto limitata dalla loro *unilinearità* monosemica. Nel *Serraglio indiano* la vendetta di Dianira contro il marito configura un episodio digressivo ma compiuto: il principio dell'unilinearità impone che la vicenda sia interrotta solamente da episodi «finiti». L'andamento dei romanzi si configura perciò come la progressione di una sola linea discontinua i cui segmenti narrativi lunghi rappresentano le vicende principali e quelli brevi le varianti episodiche. La molteplicità è evocata non da storie parallele a quella portante, ma da interruzioni lungo una medesima continuità: le «avventure di Bettè dopo che fu da noi separata» (VS, II 155) si inseriscono in forma di ragguaglio, evitando così ogni simultaneità. Quando la Duchessa N.N. mette in evidenza «quante bizzarre Storielle non potrei io raccontare di que' primi tre mesi, che allegramente passai in quella Corte, se prefissa io non mi fossi di parlare precisamente delle cose mie, senza gettarmi fuor di sentiero» (AI 197), il richiamo ad un gran numero di storie contemporanee si accompagna alla rinuncia a darne conto, qualificando l'operazione del raccontare come un'attività di drastica *selezione* che evoca la compresenza del molteplice escludendolo dal testo. Se protagonista della parentesi è un personaggio importante, ecco il riepilogo di quel che gli è successo dal momento dell'ultimo incontro con l'eroina: in *La Bella Pellegrina* ci pensa la

Contessa di Renolf madre ad aggiornare sugli accadimenti avvenuti alla corte del Castellano dopo la partenza di Eugenia. In tutti i casi la ricostruzione procede secondo una successione orizzontale di tipo cronologico, che esclude tanto la simultaneità di fenomeni interagenti, quanto una visione evenemenziale della realtà. Semplicemente, in campo c'è un solo protagonista assoluto di una storia principale; tutto quanto accade altrove si viene a conoscere solo se interrompe questa linea narrativa. L'identità fra progressione dei fatti e andamento del resoconto è ribadita molto spesso:

ella già sa, che Moscovita io sono di nascita. Ella già vede, che la Natura m'ha favorita piucchè non merito de' doni suoi; e a lei, è noto non meno, che il nome di *Bella Pellegrina* dato mi fu dalle mie vicende; e mi giova però di prevenire con queste tre notizie i Leggitori miei, onde sappiano di me quanto basta, finchè l'ordine delle cose da scriversi gli informi a tempo debito di tutto il restante. Forse ancora non mancherà chi vorrebbe fin da questo principio esser pienamente informato della accennata Principessa benefattrice mia, per servire alla quale intraprendo ad iscrivere i miei avvenimenti. In questo ancora farò pago chi lo desidera; ma lo farò a suo tempo; e qui sarebbe un gettarmi fuori di strada, per non mai arrivare al mio termine, e spargere della confusione in una serie di cose, che vogliono essere a passo a passo intrecciate, ed isviluppate, per essere da tutti intese, e recar a tutti diletto (BP 6).

È tale corrispondenza fra discorso ed avvenimenti ad inibire le manipolazioni fabulatorie del resoconto, come dimostra un rarissimo caso di *flash-back*:

mentre io eseguisco questo ardito disegno, e mi perdo viaggiando nel gran pensiero de' torbidi, che suscitarebbe in Posnania l'inaspettata mia fuga, gran cose avvennero colà, di cui deggio render ragione, come se ci fossi stata presente, altrimenti non s'intenderebbe abbastanza, né si gustarebbe a dovere l'intricatissimo filo delle mie presenti vicende. Andando dunque personalmente in Finlandia, ritorno collo spirito addietro nel Palatinato di Posnania a veder che succede, e mercè le notizie, che n'ebbi dappoi, ne fo anticipatamente un esatto racconto (BP, ii 54-55).

L'imbarazzo di Eugenia alle prese con un salto prospettico del suo racconto è evidente. Proprio per i vincoli espressivi imposti dal principio dell'unilinearità, in certi casi l'aggiornamento circa accadimenti non pertinenti alla linea narrativa principale influenza le stesse dinamiche del *plot*. Ad assumere informazioni riguardanti vicende parallele alla sua storia è il personaggio principale: molto spesso le eroine viaggiano alla ricerca di notizie altrui. Sulle tracce del Principe Ernesto, Cristina parte da Londra alla volta della Finlandia, quando «mi cadde in pensiero di passar prima in Hannover [...] e rilevarne [...] qualche più precisa notizia» (AI, II 113). Per ottenerne informazioni, l'Uomo d'un altro mondo si fa amici i marinai del legno cinese sul quale è imbarcato: «buon per me, che penetrato dell'amore de' popoli miei fratelli» (UM 280). Con ciò, il protagonista aggira un limite del paradigma romanzesco nel quale è inscritta la sua stessa figura.

Oltre all'unilinearità, la seconda caratteristica fondamentale degli intrecci chiariani è la loro configurazione all'insegna dell'*antisuspense*. Sul piano dell'avventura l'attenzione è tutta concentrata sulle modalità di conseguimento di obiettivi che si sa in anticipo saranno centrati: la curiosità riguarda il *come* e non il *cosa* della storia. A ciò mira la ricostruzione a posteriori degli avvenimenti tramite la disposizione in ordine causale e cronologico dei suoi costituenti. All'interno di un paradigma chiuso e vincolato, denso di fatti e di rassegne complete delle loro reciproche implicazioni, i limiti posti al personaggio sono notevoli. La centralità del motivo della sfida deriva da questo aspetto; tanto più la situazione è complicata, quanto più la sfida sarà interessante: «sollevai con poca fatica l'ingegno a tutto intraprendere, perché appunto l'impresa più degna pareami del caso mio, quanto era più malagevole, e più stravagante» (AI 112). L'attenzione è prestata al *come* fare: l'unica eccezione alla prassi di anticipare la soluzione rispetto alla descrizione delle sue dinamiche consiste nell'introdurre i termini del problema *insieme* al suo esito. La «misteriosa condotta» (GL 40) di Sibilla è annunciata da Tolot nello stesso momento in cui l'«enigma» viene chiarito: «sedete qui al fianco mio, che in presenza sua vi narrerò un avvenimento meraviglioso, di cui voi non capirete il mistero, né l'avrei capito io medesima, se egli fin da jeri mattina non me l'avesse spiegato» (GL 43).

Nelle storie di Chiari tutto si tiene nel modo più assoluto: la loro terza caratteristica è la progressiva riduzione dell'intreccio alla *fabula*. Contrastando l'inserzione di elementi narrativi funzionali ad altri aspetti dell'opera, il paradigma della congruenza dei costituenti testuali al piano della vicenda comporta uno sfruttamento intensivo dell'azione e un'ipertrofia del resoconto. Ne derivano meccanismi romanzeschi tanto complicati quanto chiusi in se stessi, in cui il commento assolve al compito di ribadire la coerenza del testo: «le suddette particolarità non si riseppero che qualche tempo dappoi; ma qui mi giova d'averle accennate, perché meglio se ne intendano le non prevedute conseguenze funeste» (AI, II 197). Ogni implicazione del singolo dettaglio di tale universo narrativo dovrà essere delucidata: «questa picciola diversione, che parrà a qualcheduno soverchia, non poteva essere più opportuna alle inevitabili combinazioni del nostro destino» (BP 175). Anche tramite affermazioni metanarrative: «tutte cose son queste, che m'era necessario farle sapere, per giustificare quanto avvenne dappoi» (VS 158).

Lo scopo del romanzo sta dunque nel risolvere, tramite la sistemazione definitiva in un ordine coerente delle informazioni, sia le omissioni, sia i paradossi, sia le apparenti incongruenze disseminate ad arte nel testo. In questo senso, si esprime qui non la sola abilità di Chiari, bensì il suo vero e proprio virtuosismo inventivo e combinatorio; il superamento dei limiti che si pone è vincolato al rispetto della definitiva coerenza romanzesca. A tale strenua coerenza rinviano pure le partizioni strutturali dei romanzi: l'equilibrio simmetrico fra volumi, tomi, parti e articoli, è a volte rispettato fin nel numero delle righe. Discende da questa scommessa sia l'indole peregrina e maldestra di molti episodi, che rispondono così a limiti operativi piuttosto severi, sia qualche forzatura. Senza il minimo sospetto, Eugenia si affida allo sconosciuto Pellegrino che le si presenta in avvio di romanzo perché «quel Vecchio aveva nell'aspetto suo, e nelle sue dolci maniere non so che d'autorevole, e d'insinuante appresso di me» (BP 14-15). La forzatura consiste nel fatto che senza saperlo Eugenia segue suo padre: il suo comportamento richiama perciò una consapevolezza estrinseca all'episodio, una parentela che verrà svelata molto più tardi.

L'assoluta priorità delle ragioni dell'intreccio è evidente anche quando vi è oggettiva sproporzione fra modesta entità di un fatto e portata delle sue conseguenze, come se si potesse imprimere una svolta alla trama a prescindere dalla causa, molte volte pretestuosa. Il primo importante colpo di scena nella vita di Rosaura è un'inusitata reazione del suo capocomico, fino ad allora benevolo e comprensivo. Inopinatamente offeso dalla madre palesemente matta della Commediante in fortuna, il commediografo allontana sdegnato Rosaura. In certe circostanze, l'attitudine degli eroi è sintomatica di siffatto disinteresse per la relazione *nel suo complesso* fra causa ed effetto. «Dopo corso l'impegno, cominciai a riflettere cosa facevo; e mi trovai in un fatale imbarazzo» (GL 184). Le nefaste conseguenze della fuga di Felicita con il figlio del fattore erano facili da immaginare: il personaggio non ha affatto valutato l'impresa. Ma c'è anche chi adotta comportamenti rovinosi. Cristina crede sia un gioco: prima confessa ad un'amica di amare Don Alvaro, poi lui le si dichiara, e «anch'io scherzando soggiunsi, che nessuno più di Don Alvaro arrivar potrebbe a piacermi» (AI 199), con il risultato che deve sposarlo davvero. Gratuite ragioni soggettive della condotta individuale come questa sono i corrispettivi degli arbitri del caso, attivi sul versante oggettivo dell'esistenza.

Bilanciano la forte «chiusura» del romanzesco chiariano alcuni correttivi volti a problematizzare il finalismo degli oggetti avventurosi: le divagazioni filosofiche, le sintesi di pensiero nella forma della sentenza, i passi polemici. Quando le attività digressive del narratore esulano dal rendiconto dei fatti, allora costituiscono luoghi di deviazione dall'orizzontalità unilineare della finzione avventurosa. Lo stesso vale per le ipotesi fondate su informazioni scorrette: la falsa notizia del matrimonio del Conte B. C. in *La Commediante in fortuna* induce una serie assai articolata di considerazioni da parte di chi racconta. La divagazione funziona come succedaneo di una complessità e molteplicità dei possibili cui la trama accenna per mezzo delle notevoli complicazioni dell'intreccio. Si va da vere e proprie divagazioni morali extravaganti in cui i legami fra il *côté* avventuroso e quello edificante è debolissimo, ai progetti operativi del personaggio che sceneggiano ulteriori possibilità rispetto all'effettivo sviluppo della storia. Allora le parole del narratore tornano a farsi racconto, come quando le motivazioni dei personaggi sono ridotte al resoconto di loro private vicende, quando la spiegazione delle condotte si esaurisce nel riassunto di porzioni di esistenze individuali, negli aneddoti illustrativi di valori morali. I romanzi di Chiari si configurano così come serie di divagazioni e di storie secondarie innestate nella vicenda principale.

Come l'Uomo di un altro mondo, i protagonisti dei romanzi di Chiari si muovono fra «non intellegibil[i] enigm[i]» (UM 295) fino alla soluzione: «ecco tutti ad un tratto dizziserati gli enigmi» (UM 318). Il punto è che le risposte sono sempre soddisfacenti da una sola prospettiva: il razionalismo chiariano predilige le connessioni logiche che salvaguardano il principio di non contraddizione e le relazioni causa-effetto. In tale ottica può accadere di tutto: durante un viaggio Eugenia incontra in una locanda il padre ammalato: «a chi sarebbe mai caduto in pensiero, che trovarlo io dovessi sulla mia strada per venire in Isvezzia, quando andavo in traccia di lui medesimo, perché lo supponevo già lontano da tutta l'Europa?» (BP, II 149). Un caso doppiamente fortunato: la protagonista è stata condotta suo malgrado proprio dove avrebbe desiderato recarsi. Che l'importante sia fornire spiegazioni inoppugnabili sul piano della coerenza logica lo dimostra un passo della *Commediante in fortuna*: non occorre «stupirci di nulla: perocchè la sorte ci fa passare talvolta per certi mezzi totalmente contrarj alle nostre massime, che poi direttamente conducono al fine che ci siamo proposti, ed erano forse a lui necessarj, benchè le apparenze li dimostrassero opposti agli occhi di coloro, che pensano che non abbia il presente relazione alcuna coll'avvenire, perché non si prevede da noi» (CF, II 7). Ci si muove qui su un piano di discorso cognitivo e non psicologico, razionale e non realistico, certo e non probabilistico.

Per tale manifesta priorità si potrebbero ascrivere i romanzi chiariani ad una sorta di «estetica del rompicapo», un gioco prevalentemente intellettuale di sorprese, sfide e continui spiazzamenti. Un gioco in cui i limiti imposti dalla trama e le imprevedibili soluzioni narrative volte a superarli si valorizzano reciprocamente. Per certi versi simile al «romanzo d'azione» e per altri al romanzo di carattere[1], non bisogna però dimenticare che il paradigma chiariano sfrutta anche l'allusività etica propria di forme espressive tradizionali. Ispirandosi alla letteratura didascalica e a quella religiosa, questi romanzi confermano la loro indole compromissoria.

LE FORME DELLA STORIA

Rendere pertinenti alla trama il maggior numero degli aspetti caratterizzanti il personaggio significa demandare al piano della storia gran parte delle ragioni della sua stessa fisionomia, deter-

---

[1] «In un romanzo d'azione un fatto insignificante ha conseguenze inattese; queste poi si ramificano tanto da diventare ben presto innumerevoli e dar luogo a una matassa apparentemente inestricabile, che però alla fine si sbroglierà miracolosamente». Comunque, «l'azione resta il punto principale, mentre la risposta dei personaggi ad essa è puramente incidentale e sempre tale da contribuire a portare avanti la trama. Gli attori hanno in genere quel tanto, e quel tipo, di carattere che l'azione richiede (E. Muir, *La struttura del romanzo* (1957), trad. di A. Guadagnin, Milano, Edizioni di Comunità, (1972) 1982, p. 47). L'«immutabilità» e la «completezza» delle figure chiariane rimandano invece al romanzo di carattere, emblematicamente rappresentato secondo Muir dalla *Fiera della vanità*.

minata anche da azioni illustrative di valori morali o funzionali alla rappresentazione dei caratteri: nel *Serraglio indiano*, pur amando Rodolfo, Rosnì rifiuta per orgoglio di accettare la sua proposta di matrimonio. In un momento di corrispondenza di interessi e di possibile composizione dei conflitti la tensione non si scioglie affatto. Al contrario, si può sbloccare in una qualunque altra occasione: grazie al primato del *plot* la libertà di manovra da parte dell'autore è massima; le svolte della storia possono anche essere gratuite. Nonostante tanta imprevedibilità, esiste un fondamentale principio regolatore degli intrecci. In mancanza di un'identità forte del protagonista improntata ad una moderna concezione del soggetto in grado di assumere in sé le priorità testuali, per organizzare il racconto Chiari ricorre soprattutto ad espedienti formali di simmetria e antitesi. In conformità ad un gusto non ancora emancipato da quello cui si erano uniformati i romanzi secenteschi, l'ordinamento dei fatti risponderà soprattutto a principi d'ordine formale. Criteri già operativi nell'istituzione di due dimensioni, una interna ed una esterna, del personaggio; nella dilemmatica scansione sentimentale dei protagonisti; nella loro puntuale disposizione in coppie; nella coerenza formalistica di parecchi enunciati. Il romanzesco chiariano ricorre dunque alla polarizzazione degli elementi, all'alternarsi dell'identico e dell'opposto a garanzia di chiarezza e d'ordine ritmato.

Dal punto di vista delle modalità formali del suo svolgimento, la figura *clou* della trama è il paradosso. Una figura centrale, utilizzata nella presentazione di situazioni: «nata qual sono di legittime nozze, come a suo tempo vedrassi, io non ebbi a conoscere chi m'avea data la vita, se non quando essi furon per cagion mia al duro rischio di perderla; e odiar non potevo nemmeno l'autore innocente delle loro disgrazie» (AI 8). Ma anche nell'organizzazione degli accadimenti: l'educazione di Rosnì, impostata all'insegna della sistematica diffidenza dal genere umano, non le impedisce di innamorarsi del primo scapestrato che incontra. Si va da curiose coincidenze (Rosaura si rifiuta categoricamente di andare a cercare il Conte a Parigi con Girandola, salvo seguirlo poco dopo alla volta della capitale francese) a drammatici sconvolgimenti, come quelli che Eugenia riepiloga alla fine della terza parte della *Bella Pellegrina*: «il Padre senza saperlo assassinata aveva la Figlia; e la Figlia senza saperlo trascinato aveva nelle mani della giustizia suo Padre. Dall'uno, e dall'altra io fui perseguitata del pari, usurpandosi questa il nome mio, e volendo quello trionfare della mia venduta onestà»

(BP, II 132). A situazioni di questo genere la storia dà sviluppo innanzitutto tramite una serie di articolazioni binarie: dopo la stilizzazione paradossale della vicenda si procede verso la soluzione in modo elementarmente dicotomico. Anche l'antitesi funziona come figura drammatizzante: Rosaura è messa dalla Marchesa nella condizione di scegliere: o sposa Cirillo, o si ritira in monastero, mentre è Zaida ad imporre a Vidson un'«alternativa funesta» (Z 33): che decida o di seguirla in Africa, oppure di morire. Rosaura passa «dalla funesta mia situazione in uno stato il più tranquillo del Mondo; e dalle braccia della Morte, in quelle del Conte B. C.» (CF, II 5): il disinteresse per le sfumature, per le trasformazioni, per la medietà rappresentativa, i sistematici passaggi bruschi fra situazioni opposte confermano il regime *separativo* delle strategie espressive dei romanzi chiariani[2]. Che si sviluppano per «salti»: «era un gran salto per me quel dover passare in un punto dalla licenza del teatro al rigore d'una vita, che tanto partecipava del Chiostro» (CF, II 33).

I procedimenti di organizzazione del discorso avventuroso costruiti per antitesi trovano speculare corrispondenza in quelli ispirati alla somiglianza e alla ripetizione dell'identico; il gusto per la simmetria che regola entrambe le tecniche compositive contribuisce a mitigarne la reciproca eccentricità. Vi sono anzitutto le situazioni ricorrenti. Equilibrio vuole che Rosaura si ritrovi alla fine delle sue avventure nel luogo da cui era partita all'esordio del romanzo: «eccomi adunque di bel nuovo sulle scene di Milano» (CF, II 104). Da qui è invitata a Parigi dal truffatore Girandola, esattamente come tanto tempo prima era stata invitata a Londra da quel truffatore che si sarebbe rivelato essere suo padre. Madama Tolot rimane abbagliata dalle fanfaronate di Don Graziano, gioca i suoi numeri e perde, ma l'esperienza non serve: affascinata dalla parlantina di Don Astrolabio, gli dà retta e perde ancora. Meno frequenti sono le situazioni costruite a chiasmo, la figura che della simmetria mette in evidenza la componente analogica non meno delle sue qualità differenziali. Dapprima Tolot spererebbe di sposare [A+] l'indiffe-

---

[2] Di regime separativo in opposizione a regime confusivo e a regime distintivo parla Giovanni Bottiroli in *Retorica. L'intelligenza figurale nell'arte e nella filosofia*, Torino, Bollati Boringhieri, 1993, pp. 165-169. «Separativo è lo sguardo che presuppone un mondo già segmentato e categorizzato, nominabile senza equivoci e senza interferenze [...] Regime diurno, della trasparenza, della coscienza – ricopre le sfere dell'Io e del Super-io» (G. Bottiroli, *Il comico inesistente. I regimi figurali nell'opera di Calvino*, in *Calvino & il comico*, a cura di L. Clerici e B. Falcetto, Milano, Marcos y Marcos, 1994, p. 86).

rente Cirillo [B-], appena però la Marchesa la informa del gradimento da parte di lui [B+], Tolot declina l'invito [A-].

Oltre a replicare i propri comportamenti, i personaggi agiscono in conformità a comportamenti altrui. In *L'Amante incognita* Meltz aiuta Cristina nel suo viaggio all'estero ricalcando la condotta del personaggio che fin qui Cristina aveva ritenuto fosse suo padre. Le analogie accomunano persino i dettagli: Don Valerio ripercorre la stessa strada di Tolot per approdare al medesimo ricovero, l'abitazione di Sibilla; entrambi portano con sé soltanto un fagotto e tutti e due sono fuggiti da casa. Soltanto, per simmetria inversa, la fuga di Tolot è volontaria, quella di Valerio è imposta da altri. La *replicatio* delle situazioni a volte è manifestamente simmetrica; vestendo Carlotta, Ninna ammette: «giubbilando il cuor mio di poter far seco lei quanto era stato fatto meco più anni avanti senza conoscermi» (DG, II 188). La natura gratuita di queste relazioni è evidente in alcuni casi. L'Amante incognita lamenta quanto «i risentimenti del Duca N. N. si stendessero a perseguitarmi, ed insidiarmi dovunque fossi la vita, come fatto egli avea coll'infelice mio padre» (AI 158): il figlio modella i suoi comportamenti su quelli del genitore semplicemente in ossequio ad un principio di analogia della condotta. «Mercè quel lotto medesimo, che aveva [rovinato] mio Padre, ne aveva anche risarcite le perdite co' miei non ordinarj guadagni» (GL 222): il ragionamento di Tolot eleva un'elementare relazione formale di simmetria inversa a chiave interpretativa del destino economico di padre e figlia. Ma quale vincolo prettamente formale è più lampante della consuetudine di costringere la storia negli spazi tipografici predisposti dalla scansione regolare di volumi, parti, articoli? La vicenda dovrà occupare spazi precostituiti, senza attingere alla libertà tipica del romanzo moderno, che finisce dove la storia si conclude, e non viceversa.

Ad osservare nel complesso il destino dei protagonisti di Chiari, si ritrovano le medesime simmetrie e analogie. Nella seconda parte del romanzo, la Zingana si trasforma da perseguitata in inesorabile persecutrice, da vittima di raggiri altrui a regista di tresche a danni di terzi. I suoi attributi caratteriali diventano mascolini: se nella prima parte del libro veniva sempre riconosciuta da interlocutori inopportuni, nella seconda ci pensa lei a presentarsi; quanto in precedenza non era mai creduta, tanto in seguito tutti le prestano fede. D'altra parte, la biografia della Zingana è la storia delle avventure intraprese per evitare matrimoni sgraditi, sorte inversa a quella di Sefira, la quale per sposarsi deve combattere gli interessi altrui contrari al suo matrimonio: alla figura del ribaltamento del destino si oppone la ripetizione sequenziale di un motivo topico. In ordine alla vicenda, infatti, nella seconda metà del romanzo Zaida non fa altro che ripercorrere con esiti contrari le medesime esperienze sceneggiate nella prima parte, una sorte peraltro duplicata per analogia nel destino di Necca, che da schiava, grazie all'appoggio di Zaida, diventa principessa. Architetture narrative costruite tramite uno sfruttamento intensivo degli ingredienti della trama utilizzano giocoforza tematiche, situazioni, espedienti e oggetti ricorrenti. Se la situazione della vita solitaria, canonica nella pubblicistica settecentesca, è posta al centro di *L'Uomo d'un altro mondo*, non manca in quasi nessun romanzo chiariano almeno un episodio dedicato al tema, o un personaggio deciso a vivere relegato dal consorzio umano. Analoga frequenza hanno il motivo del viaggio-viaggiatrice e quello della «donna di spirito»-filosofessa-filosofo, due temi assurti a dignità di titolo. Situazioni ed espedienti ricorrenti sono pure lo scambio di persona e il rapimento con il corollario del travestimento; l'inseguimento e l'imboscata, il naufragio e la fuga dalla prigionia: Chiari utilizza insomma il codice narrativo ereditato dal romanzo alessandrino prima e dal poema cavalleresco poi, rivitalizzato in geometrie parossistiche dal romanzo barocco.

L'abuso di tanti usurati *topoi* tradizionali concorre a conferire astrattezza ai romanzi di Chiari. Ecco perché conta soffermarsi piuttosto sulla presenza in opere così poco concrete di alcuni oggetti materiali, anch'essi utilizzati ripetutamente. Memorabile per la sua stravaganza, nella *Bella Pellegrina* il mago meccanico che lancia i fulmini entra in azione diverse volte. In quanto manufatto strepitoso, il mago è descritto con una certa precisione, mentre oggetti più comuni mostrano caratteristiche generiche. Sulla specificità del referente materiale prevale la funzione allusiva dell'oggetto letterario: certe situazioni narrative sono infatti accennate tramite la citazione di correlativi oggettivi. Il «fardello di poche cose» sintetizza la fuga da casa: sia Tolot sia Valerio se ne muniscono prima di capitare da Sibilla, e lo stesso fa Cristina: «feci un fardello strettissimo d'alcune biancherie più necessarie al mio uso» (AI 68). La «cioccolata» e il «caffè» alludono sineddoticamente alla situazione quanto mai settecentesca della conversazione confidenziale propiziata da due bevande alla moda. «Romer, che per farmi prendere una cioccolata si strusse in pianto» (AI, II 212): l'inusitato comportamento del personaggio rende evidente il valore allusivo dell'oggetto.

Ad ispirare dunque il carattere e il destino dei protagonisti di questi romanzi è il gioco delle ripetizioni e delle simmetrie: gli eroi non tanto superano una serie di prove disposte in un percorso, quanto affrontano ripetutamente la medesima situazione o situazioni equivalenti. Tale progressione antidinamica rinvia ad una concezione dell'esistenza che non sottolinea i *mutamenti* del personaggio ma che ne valorizza piuttosto le invarianti. La vita sottopone l'individuo alle più imprevedibili lusinghe e pressioni; una condotta appropriata oppone alla variegata fenomenologia della tentazione poche virtù che ispirano all'eroe sempre gli stessi comportamenti. Così, grazie alla semplificazione del modello della narrazione per prove multiple, Chiari comunica efficacemente col suo pubblico, e propone una visione della vita semplice e moralmente integerrima. Il suo messaggio, però, non si limita a questo. L'interesse del lettore è attratto infatti da alcune ambiguità, come quella che riguarda il tema centrale dei romanzi di Chiari. Le sue eroine aspirano a sposarsi, e coronano questo sogno alla fine della narrazione. Durante la loro esistenza, però, danno vita a trame che mostrano instabilità familiari, separazioni e precoci vedovanze, esperienze a dir poco refrattarie all'istituto del matrimonio. Dopo il quale, non c'è più nulla da raccontare.

Il piano della vicenda, conviene sottolinearlo, trova nel commento un insostituibile correttivo: sia pure nei termini della contrapposizione complementare più che dell'integrazione, il ritmo serrato degli accadimenti avventurosi ha un riscontro puntuale nel discorsivo, che li modifica mediante amplificazioni o ridimensionamenti. Quando Ninna riceve la lettera del padre che la informa circa il comportamento del marito, l'episodio «avventuroso» assume tutta la sua rilevanza soltanto nell'ambito delle articolate riflessioni riportate dal narratore. La divagazione dapprima ricorda uno dei tratti peculiari del genitore («carattere riflessivo»), poi allude alla situazione emotiva di Ninna («ahime! quanto mai quindi in poi ad ogni lettera della Sicilia mi tremerebbe nell'aprirla il cuore»), quindi presenta in via ipotetica diverse considerazioni culminanti in una domanda retorica che riporta il discorso al piano della vicenda dal quale era partito: «che fare, infelicissima moglie, in circostanze sì imbarazzate» (DG 183). L'avventuroso, procedendo per icastici eccessi antagonistici, lascia così scoperto un terreno «intermedio». È qui che dilagano i discorsi condotti a posteriori del narratore: succedanei psicologici, riassunti di vicende ipotetiche o ragguagli di storie pregresse, divagazioni d'indole filosofica, per lo più attinenti all'etica. Anche altri tipi di parole romanzesche confluiscono qui, come le risposte interlocutorie e diplomatiche di chi è sottoposto a interrogazioni stringenti, visto che spesso nel dialogato si esprime la mediazione, la dissimulazione cautelativa, la reticenza. In questo senso, nei romanzi di Chiari le regole del dire sono ben meno perentorie di quelle del fare. Se la trama esclude la medietà espressiva a favore dell'evidenza paradossale, il commentativo si propone quale principale sostituto dell'istanza realistica.

Il rapporto fra avventura e commento si esplica fra due casi estremi. Da un lato le affermazioni «filosofiche» di carattere generale, dall'altro la pedissequa registrazione delle minime circostanze in cui si articola la vicenda. I due piani, però, sono collegati: se il commento estrapola dall'episodio contingente una massima, l'avventura illustra un principio: «finchè siamo al Mondo non occorre mai decidere del sì, o del nò, in qualunque stato avvenire; perocchè siamo bene spesso necessitati dalle circostanze nostre a fare ciò che non avremmo creduto giammai; e per l'opposto a non volere più ciò che da noi ardentemente bramavasi» (CF 98). In ogni caso, il rapporto fra generalizzazioni «teoriche» ed esempi narrativi è di inveramento reciproco, di *duplicazione* del senso. Il discorso esplicita la storia tanto quanto – tautologicamente – la storia supporta il discorso. Ma la priorità nell'organizzazione tematica e formale dei romanzi è dell'avventuroso, non delle pur tanto sviluppate componenti didascaliche. Infatti, è proprio l'ingrediente narrativo a distinguere i romanzi dalle altre opere di trattenimento chiariane, per altri versi straordinariamente simili.

UNA COLLANA DI EPISODI

Fatta salva l'eccezione dell'*Uomo d'un altro mondo*, nell'insieme dei romanzi originali d'attribuzione certa le protagoniste sono donne, mai uomini; femminile è di gran lunga la maggioranza dei personaggi, e le relazioni tematizzate riguardano in prevalenza donne. Ad opporsi sono innanzitutto femmine *versus* maschi, quindi femmine *versus* femmine, praticamente mai maschi *versus* maschi: il disinteresse per l'universo maschile è certificato dalla rete degli antagonismi. L'uomo interessa, invece, per i rapporti di alleanza che intrattiene con le donne, ma ancora in subordine: le femmine cooperano soprattutto fra loro, e i romanzi chiariani non contemplano alleanze fra uomini. La corrispondenza fra matrimonio e conclusione del romanzo è sintomatica: l'«alleanza» uomo-donna sancita dallo scambio degli anelli non interessa affatto. A riprova, le figure principali che si sposano nel corso della vicenda rimangono subito vedove (Dianira nel *Serraglio indiano*) o sole: il Barone N.N. marito di Ninna è perennemente in viaggio. Piuttosto, appena sposata l'eroina diventa madre: il matrimonio importa in quanto certifica l'attributo femminile per eccellenza, la fecondità. Protagonista assoluta è dunque la donna, una figura caratterizzata da una passività fortemente reattiva: i romanzi di Chiari non raccontano avventure, ma dis-avventure. Sin dall'origine, l'eroina è segnata dalla mancanza: priva di genitori e povera, può intraprendere la via del mondo con la spregiudicatezza che solo la sua condizione di *vittima incolpevole* le consente. Un modo efficace per coniugare emancipazione e innocenza, spregiudicatezza e integrità morale, esperienza del mondo e onestà di costumi.

Stabilito il canale di comunicazione con il suo pubblico in prevalenza femminile, l'avventura di intraprendenti eroine incolpevoli, Chiari ha elaborato una grammatica del racconto ben definita. L'unilinearità della vicenda e la disposizione degli avvenimenti in una successione logico-causale sono i due principi di organizzazione della storia: ogni fatto troverà la sua precisa collocazione e il suo significato univoco. Il romanzo procede per nuclei narrativi relativamente autonomi imperniati su personaggi che aggregano le informazioni necessarie a configurare svolgimento e compimento della singola cellula narrativa. Alcune figure hanno un peso limitato perché concludono la loro parabola all'interno di un solo nucleo; altre sono di portata intermedia, altre ancora li attraversano quasi tutti. La trama si configura dunque a somiglianza di una collana di episodi che si definisce con il procedere della vicenda. Perciò, alla calcolata compiutezza del romanzo si oppone la relativa ambiguità delle situazioni che lo compongono, configurando il testo per semplici scansioni di nuclei narrativi elementari. Di norma, alle canoniche quattro parti in cui la materia è suddivisa corrispondono i nuclei principali della vicenda. *La Viniziana di spirito* è riassumibile in quattro scene ognuna ambientata in un unico spazio: tentativo di sposare Milord Kerl; amicizia con la Marchesa di Longhemar e vita di società a Parigi; a Milano, la madre ritrovata; fuga in barca e serie di beffe finali. Questi nuclei principali della storia si parcellizzano in ulteriori cellule subalterne: l'amicizia della Viniziana di spirito con la Marchesa di Longhemar si articola nel motivo dell'innamoramento di entrambe per il conte di Clairval e connessa gara di nobiltà d'animo nel rinunciare all'amato in favore dell'amica-antagonista, nucleo cui fa seguito il motivo della beffa dello storpio maritato. Cellule anch'esse unitarie grazie ad un vincolo spaziale, sotto-episodi innestati nella vicenda portante del romanzo tramite il coinvolgimento dei personaggi principali.

In ragione della loro modesta portata, affermazioni riferite ad un episodio a volte ne contraddicono un altro: nella versione definitiva della storia gli elementi di bassa gittata cadono, quelli principali sono ribaditi. Poiché il commento accompagna indissolubilmente l'avventura, i nuclei della vicenda sono anche nuclei didascalici: il commento si incarica di problematizzare le funzioni e il senso del segmento di racconto di sua pertinenza. A risultarne è un disegno nitido, affiorato da una pseudo complessità disambiguata. L'asse privilegiato per dare forma all'esperienza complessiva della vita raccontata si conferma cognitivo, razionale, astratto rispetto al patrimonio esperienziale sedimentato nella memoria dell'*histor*.

Si potrebbe immaginare i romanzi alla stregua di insiemi semantici ambigui decifrati progressivamente. Ambigui perché all'episodio «nucleare» fanno riferimento notizie contrastanti fornite da differenti prospettive. La moglie del Pellegrino si confida con Eugenia: «mi fece il breve racconto, che io riservo alla giornata seguente; e fu allora da me ritenuto infallibile in tutte le sue circostanze; ma tale non l'ho trovato dappoi» (BP 36). A fornire versioni discordanti possono essere narratori di secondo e terzo grado, testimoni occasionali, lettere, biglietti. Comunque, quanto più si moltiplicano le voci discordanti, tanto più il loro oggetto sarà importante: sul mistero anagrafico dell'eroe corrono mille voci, fino alla conclusione. Il semplicistico razionalismo chiariano traduce la complessità che pur evoca in una complicazione cervellotica sorprendentemente destinata a trasformarsi in pochi e semplici fatti relativi a identità alla fine certe: la trama dei romanzi racconta la riduzione dell'ingannevole apparire all'univocità dell'essere. Il succo della *Bella Pellegrina* consiste in questo: «l'intreccio funesto di tante vicende derivava unicamente da quel primo principio d'aver sostituita per me nel Ritiro di N. N. un'altra Persona, che portava il mio nome, e mi somigliava cotanto» (BP, II 68). Unico responsabile, il padre di Eugenia.

«Non si dica per questo imperfetta la storia della mia vita [...] Quando ho condotto le mie vicende al suo termine, raccogliendo per istrada tutte le fila sparse quà e là, onde non resti nulla di sospetto, e di oscuro, io credo d'aver fatto tutto, e che dalla storia mia non possa desiderarsi di più» (Z, II 208): l'evidente propensione a declinare le implicazioni di ogni fatto narrato si potrebbe ascrivere ad una generale aspirazione al definitivo e all'inequivocabile. Una tendenza manifesta pure nell'esplicito dominio esercitato dal testimone narratore sulla materia del suo discorso, tramite frequentissimi incisi del tipo: «come l'ho altre volte accennato» (DG 87). All'alto quoziente di imprevedibilità degli accadimenti corrisponde un assoluto dominio del romanzesco, confermato dalla perentorietà della parola del narratore, unico depositario della verità del racconto. Come accostando l'immutabilità anagrafica degli eroi al loro iperattivismo avventuroso, anche in questa prospettiva il romanzesco chiariano imposta sceneggiature convulse di un'ineluttabilità. L'ideale della finitezza autoconchiusa postulata dai testi si esplica in una semantica del definitivo affidata alla tecnica sovrana della ripetizione: i narratori di secondo e terzo grado raccontano spesso storie che duplicano quella principale. Basti ricordare le numerose analogie fra le biografie di Dianira, Sofronia e Barsene nel *Serraglio indiano*. Al solito, l'esperienza non insegna nulla; per capitalizzare le lezioni della vita occorre replicarle più volte: la ridondanza narrativa fa le veci di una memoria autocritica assente. Al convincimento si sostituisce il conculcamento, secondo il modello pedagogico invalso all'epoca e sintetizzato magistralmente nella *Ratio studiorum*. A risultare valorizzati sono gli elementi di stasi e ripetitività rispetto a quelli dinamici di *variatio*. Gli episodi sono inanellati soprattutto per i valori ai quali rinviano, per i principi raccomandati, e solo in subordine in vista della storia che finiscono per comporre.

L'organizzazione nucleare della vicenda trova una conferma nell'intonazione della storia, che alterna al tenore «medio» dell'avventuroso episodi comici, patetici, drammatici. A grandi linee, *Le Due Gemelle* mostrano un andamento di questo tipo. I parte: patetico (l'infanzia elemosinando) – drammatico (prime notizie circa i natali) – sentimentale (primi corteggiamenti); II parte: patetico (la storia della cameriera orfana) – comico (compagnia di teatro) – drammatico (l'avvelenamento del marito della cameriera); III parte:

drammatico (svolta circa i natali) – comico (vari episodi concatenati) – commedia erotica e mondana (uno scherzo) – drammatico e tragico (un lutto); iv parte: comico (il paggio e la virtuosa) – drammatico (il tumulto) – comico, quindi patetico e finale in chiave malinconica. Il principio regolatore è quello dell'alternanza contrastiva, sintonizzato con il discontinuo stato d'animo dell'eroe. Un'alternanza fra euforia e depressione, fiduciosa speranza e scorata disperazione, segmenti a volte componibili in periodi tendenzialmente positivi o negativi di autobiografia, di solito storia di disgrazie nella prima metà del romanzo, della fortunata emancipazione del protagonista nella seconda. Particolarmente significativa è la coincidenza fra gli snodi importanti della trama e la loro intonazione patetica o drammatica; il comico e il divertente colorano piuttosto segmenti della storia divaganti o accessori.

SPAZI ATOPICI E TEMPI ASINCRONI

Iniziando a leggere *L'Uomo d'un altro mondo* ci si stupisce per la modernità dell'esordio. A rallentare il consueto andamento frenetico degli avvenimenti è la configurazione del luogo in cui è collocato il protagonista: il *topos* alla moda dell'isola deserta. Il romanzo esordisce con un ritmo lento, favorito dall'assenza di antagonismi, scandito da un'azione indirizzata con naturale calma alle pratiche domestiche. L'attenzione è rivolta agli scenari naturali, e l'ozio in cui è costretto l'Uomo d'un altro mondo ne favorisce l'attività introspettiva: «quanti profondi riflessi si ridestarono in me da questo solo pensiero [...]» (UM 221). Il tipo di spazio in cui è collocato l'eroe impone un'inedita attenzione al personaggio e alla sua contestualizzazione: chi racconta si sofferma sulla «descrizione locale della mia solitudine» (UM 245). Sintomaticamente, per riferire la localizzazione dell'isola Chiari impiega la stessa formula usata per analizzare i sentimenti del protagonista: «quando mi tornerà più a proposito di dare a chi legge una esatta *descrizione locale della mia solitudine*» (UM 238, c.vo mio). Il fatto è che se allo scrittore mancano gli strumenti di introspezione psicologica, gli è pure estranea l'idea di luogo quale sfondo specifico dell'azione. Non per niente, appena finita quella che definisce una «breve digressione» (UM 248) la storia prende i suoi connotati abituali. Rispetto al romanzesco chiariano «standard», in questo anomalo *in-*

cipit sono inusuali la frequenza delle indicazioni temporali, la coerente localizzazione reciproca degli spazi, la presenza quanto mai numerosa di oggetti, per di più nient'affatto servili. A riprova di quanto Chiari fosse inconsapevole dell'efficacia di tali opzioni espressive basta dire che la descrizione paesaggistica più dettagliata dopo quella dell'isola solitaria è la descrizione del sogno di Tolot, quanto mai irrealistico, del coniglio bianco.

Ad eccezione dell'anomalo avvio dell'*Uomo d'un altro mondo*, in questi romanzi il trattamento dello spazio non interagisce affatto con il tempo, ma si qualifica in relazione alla doppia distinzione *astratto-concreto* e *aperto-chiuso*. In quanto spazio dell'incontro, nei romanzi di Chiari lo spazio è innanzitutto astratto. Il luogo della compresenza, del concretizzarsi dei percorsi dei personaggi in incroci significativi della più bizzarra casualità, configura un semplice e indefinito punto che prescinde da coordinate geografiche precise. Una caratteristica condivisa persino dai luoghi più precisamente connotati:

stava per cadere il sole dall'orizzonte, quando venendo noi dal porto a lentissimi passi, se ne andavamo per restituirci all'albergo. All'imboccatura d'una stradella rimota balzar vedemmo dall'uscio d'una picciola casa, e correrne a braccia aperte all'incontro una giovine donna di buona apparenza, ma livida di percosse, e spruzzata il petto di sangue, che piangendo, e gridando altamente gridava soccorso (UM 341).

A spazi localizzati come questa «imboccatura d'una stradella» manca il collegamento con le geografie precedenti e successive, ridotto a riassunto di una vicenda fitta di ellittici viaggi e soggiorni in sfondi indecifrabili. D'altronde, addirittura un'intera nazione e il «Mondo» sono genericamente concepiti come la ristretta cerchia dell'eletta società: «non inorridiate da mane a sera d'avermi sedotta nella più tenera età colla giurata promessa di farmi vostra moglie, come fede faranno all'Inghilterra tutta queste due lettere vostre» (DG 109); «mi contenterò d'avervi rinfacciato in persona il tradimento vostro, e d'appellarmene pubblicamente al tribunale del Mondo» (DG 109). In ogni caso, l'avventura si sviluppa su sfondi generici; la cornice dell'azione è affidata al discorrere informativo del narratore e non al suo raccontare vicende localizzate. Non diversamente, il primato del soggetto prescinde dalla rappresentazione dei rapporti complessivi fra i personaggi, dal contesto delle relazionali del singolo: il forte soggettivismo dei romanzi chiariani è infatti iper-individualistico e antisociale, astratto anche in questo senso. È sul piano del commento, principale affidatario della connotazione esotica dei testi, che le parole di chi dice io non sono sempre astratte. Un luogo può essere semplicemente nominato oppure costituire il pretesto per una divagazione geografica. Se nei romanzi americani (*La Donna che non si trova*, *L'Americana ramminga*, *La Corsara francese*) l'informazione è dettagliata, negli altri romanzi l'America è menzionata solo per alludere ad un luogo irraggiungibile, il luogo lontano per antonomasia. Nelle digressioni, concretezza vuol dire esaustività dell'informazione, astrattezza significa adozione di un toponimo cui soltanto è affidato il compito di evocare scenari lontani. Toponimi perciò «vuoti», meri significanti suggestivi. E infatti, nelle parole di Zaida l'approssimativa coscienza dello spazio e delle specificità geografiche è evidente: «senza che sapessimo in qual parte del mondo noi fossimo» (Z 186).

Attraverso il deserto e la steppa, fra numerosissime città non solo europee, in lunghe navigazioni oceaniche, gli spostamenti dei personaggi tracciano poche linee che si incrociano. La morfologia degli spazi dell'avventura colpisce per semplicità e chiarezza: lungo quelle vie, in quei crocevia, i personaggi si incontrano e si scontrano continuamente compiendo sempre lo stesso viaggio; la completa ellissi del rendiconto degli spostamenti valorizza le tappe avventurose. L'indefinita geografia dei romanzi chiariani prende così la forma di pochi percorsi obbligati: il timore o il desiderio che il protagonista nutre di fare certi incontri pur muovendosi in territori di enorme ampiezza è sintomatico. Sta proprio qui il carattere di *chiusura* del testo; l'enorme varietà del mondo esotico è ridotta a poche frequentatissime tappe essenziali: «quell'albergo, che m'aveva ommai veduta tre volte nel breve giro di soli tre mesi non ancora finiti, si considerava da me come un luogo fatale alla quiete mia, da cui dovevo ad ogni mio potere tenermi lontana» (BP 142).

I personaggi hanno una tale propensione a viaggiare che spesso peregrinano senza meta, o con mete occasionali raramente organizzate in un progetto compiuto. Non per nulla tutti i romanzi cominciano con una fuga: a contare non è la destinazione ma l'allontanamento dal luogo d'origine. Alla base, un'attrazione per indeterminate geografie «aperte». La dialettica aperto-chiuso si realizza in una struttura di nuclei narrativi quasi sempre separati da una distanza geografica: l'eroe viaggia per raggiungere gli scenari delle sue nuove avventure. Il basso dominio spaziale del narratore si manifesta sia nella parcellizzazione dei luoghi raffigurati, sia nell'incapacità di portare lo sguardo in un contesto più generale rispetto al singolo nucleo narrativo. Il punto è che in questi romanzi lo spazio assume importanza in funzione della trama: sono gli incontri casuali dell'Amante incognita a scandire le tappe del suo viaggio a Parigi, e non viceversa. La prevalenza dell'intreccio determina una specie di spazialità di secondo grado, una «figuratività» dei fatti narrati, in cui prevale l'interno sull'esterno, la chiusura sull'apertura, il definito sull'incompiuto. Nei momenti di reclusione dell'eroe, quando si nasconde, quando scappa o è inseguito in percorsi labirintici, l'esito del tragitto è sempre un ritorno sui suoi passi, non è mai una vera e propria uscita altrove, in inedite geografie. Tutto ciò non significa mancanza assoluta di indicatori utili alla configurazione di spazi individuati, magari solo per accenni. Le parole dell'io narrante contengono sovente indicazioni afferenti più o meno direttamente a significati topografici. A un certo punto del *Serraglio indiano* è possibile collocare l'azione perché si dice che la protagonista dell'episodio è francese, ma soprattutto perché incontra Milord a «Versaglies» (SI 10). Trattandosi di indicazioni quasi sempre valutative e non descrittive, risulta però sempre molto difficile figurarsi questi spazi: immaginarsi l'«albergo» di Sibilla «dove tutto era decente e civile senza essere grandioso o superfluo» (GL 37) è davvero impresa ardua.

Rinunciando ad uno dei grandi privilegi del romanzo, la libera varietà di ambientazione, Chiari mostra uno dei punti meno emancipati della sua concezione del genere. Una conferma di quanto fosse episodica (in fin dei conti «sbagliata», *iuxta propria principia*) l'efficace raffigurazione dei pochi episodi apprezzati dalla critica novecentesca, l'inizio dell'*Uomo d'un altro mondo* e la parte della *Giuocatrice di lotto* ambientata in casa di Sibilla. Ed è proprio la mancata interazione delle coordinate spazio-temporali a spiegare come mai in questi romanzi sia così difficile distinguere fra esterni e interni, fra luoghi naturali o urbani e luoghi domestici. Il loro trattamento – distratto – è sempre lo stesso, e agisce nel senso dell'omologazione di tutte le geografie romanzesche.

Quando il commento tematizza il tempo, le affermazioni sono sempre generiche: «Il tempo, che di tutto dispone» (Z 3). La stessa superficialità concerne il contesto storico delle vicende narrate, quasi mai individuato direttamente: fra le pochissime indicazioni cronologiche si può menzionare la datazione del viaggio in Italia della Viaggiatrice, compiuto «che era allora la primavera del 1740» (V 120). Quando Cristina evita di fermarsi in Olanda perché Francia e Inghilterra sono sul punto di entrare in guerra, la storia inventata prende subito un'altra direzione. Persino il calendario che scandisce l'azione è quanto meno lacunoso e contraddittorio. A fianco di queste palesi incoerenze temporali Chiari alterna espedienti tendenti al contrario a qualificare il testo come un insieme cronologicamente ordinato: «s'affacciava appunto il sole sull'orizzonte» (AI 165); «il dì appresso» (UM 259). I qualificatori temporali attribuiti agli episodi narrativamente significativi possono anche indicare durata: «erano già passati tre mesi» (UM 242). Tanto gli indicatori di tempo determinato quanto quelli di tempo continuato rinviano l'uno all'altro «a senso», facendo supporre una continuità cronologica compiuta. All'andamento episodico della storia con la sua geografia a macchia di leopardo corrispondono isole temporali collegate da un reticolato di indicazioni del tipo «ecco improvvisamente» (VS, II 95), «allora ad un tratto» (UM 292), espressioni che lasciano intendere come gli episodi introdotti siano «ritagliati» in una continuità soltanto suggerita. Un effetto cui concorre l'immancabile indicazione della durata complessiva della storia: «un libro di memorie scritto per mio divertimento; scritto in brevissimo tempo, perocchè abbraccia le azioni mie di soli sei anni» (GL 226). All'interno del «contenitore» cronologico evidenziato dal narratore il racconto procede per focalizzazioni temporali saltuarie.

A garantire in modo decisivo la coerenza della dimensione temporale è l'impianto memoriale dei romanzi. Le discontinuità cronologiche della narrazione si saldano implicitamente fra loro alla fine del testo, quando il narratore fa riferimento al presente del suo raccontare e la memoria del passato si fa cronaca: «confesso la verità, che all'ora in cui scrivo queste Memorie» (Z, II 207). Affermazioni di questo tipo inducono una presupposizione di continuità: alla finzione biografica pertengono «un senso organico e una finalità retrospettiva»[3]. In una finzione d'indole biografico-memorialistica il narratore protagonista domina la vicenda per intero, ma i resoconti hanno una libertà molto relativa. Le poche prolessi e analessi rispondono a motivi ben precisi. «Partì adunque quanto

---

[3] V. Jankélévitch, *L'avventura, la noia, la serietà* (1963), trad. di C.A. Bonadies, Genova, Marietti, 1991, p. 21.

prima la nuova Baronessa Cattò di ritorno per la Germania [...] Prima di lei s'era dileguata dall'Haya la Marchesa Violante [...] Di lei si riseppe, per quanto segretamente il facesse, che si era imbarcata alla volta di Londra» (VS, II 174-175): l'*anticipazione* di destini di personaggi che escono dal racconto risponde alla necessità di circoscrivere uno dei tanti nuclei della vicenda. È la stessa ragione per cui il *flash-back* attualizza elementi narrativi servili, come nell'episodio di Rosaura sonnambula: «sin dalla mia più tenera età ero stata soggetta ad una indisposizione che mi dava assai che pensare [...] Sognando la notte, ero capace d'alzarmi da letto, di girare per casa, e fuori ancora della medesima» (CF 197).

Dato che nei romanzi di Chiari si verifica puntualmente la dilatazione di fatti insignificanti e la sintesi di vicissitudini capitali, la proporzione fra la durata di quel che succede e l'ampiezza con cui viene riferito suscita un certo interesse. Dopo un sintetico ragguaglio circa la vita della protagonista fino al ventesimo anno d'età, i primi cinque capitoli della *Giuocatrice di lotto* raccontano una sola giornata. Il matrimonio di Tolot e Valerio dura ben dieci giorni, ma lo spazio necessario per descriverlo è pochissimo. Se nella *Commediante* l'episodio del dono dell'«oriuolo» a Rosaura è molto ampio, nel *Serraglio indiano* il dialogo di Rosnì e Rosbelle si sviluppa in modo inusitato rispetto al loro lungo viaggio in nave, sintetizzato in poche battute: «il viaggio nostro per mare fu de' più allegri, e felici. Non si prese terra, che qualche volta sulle coste dell'Africa, ma non ci fermammo più giorni, che al Capo di buona speranza, a ciò fare obbligati dalla contrarietà de' venti, e delle stagioni» (SI 19). In effetti, i racconti chiariani non sono affatto calibrati rispetto allo scorrere del tempo: l'andamento della vicenda è discontinuo ed episodico, il personaggio non ha coscienza storica di sé, lo spazio non si determina in relazione al tempo. Né la dimensione temporale manifesta una sua congruenza organica indipendente. Al contrario, è il tempo a piegarsi alle necessità della trama e del discorso saggistico: nel commento Chiari sottolinea l'importanza degli argomenti rendendo l'ampiezza della trattazione proporzionale al loro valore morale, gnomico, al loro tenore informativo. Sono queste le priorità responsabili del trattamento del tempo: il criterio principe dello scrittore per valutare la rilevanza temporale degli oggetti avventurosi riguarda da un lato la loro importanza rispetto all'economia della storia, dall'altro il loro peso «argomentativo». In entrambi i casi, la valutazione dell'oggetto non è mai fondata sull'analogia con l'esperienza.

Al tempo della storia si alterna dunque il tempo del commento, all'allora dei fatti, l'adesso della divagazione testimoniale. La scansione temporale degli episodi avventurosi contrasta con l'assenza di temporalità di un discorso condotto secondo i modi della prosa saggistica, della divagazione morale, della sentenza epigrammatica. Il tempo del commento è scandito per contrasto rispetto alla narrazione, come momentanea sospensione della storia: in mancanza di descrizioni la vicenda viene rallentata dal didascalico. Il tempo del commento sfuma così dalla funzionalità rispetto alla storia all'acronica indipendenza del dire saggistico.

In romanzi come questi, costruiti sull'alternanza e sulla compresenza di avventura e commento, il rapporto fra tempo del discorso e tempo della storia è decisivo. Per collocare i «riflessi» del personaggio all'epoca in cui questi li concepì, Chiari utilizza anzitutto il monologo recitato. Un altro mezzo per rivitalizzare il passato nelle parole del narratore consiste in un procedimento predicativo, nell'attribuire al protagonista di allora una riflessione condotta nel presente: «il mondo nol niego è temerario abbastanza per voler giudicare fino delle nostre intenzioni [...] ma giudicandone egli soltanto dalle esteriori apparenze, è un giudice, che non deve temersi, perché può esser sedotto da ogni artifiziosa menzogna. Questi riflessi, che fin d'allora avevano qualche forza sopra il mio spirito, mi fecero assai cauta» (CF 114). Si passa poi dall'adesso della parola del narratore all'allora dei fatti raccontati tramite l'adozione dell'ipotetico: «avessi veduto almeno qualche raggio di speranza di migliorar condizione col tempo [...]» (AI 45). Anche qui, la revitalizzazione del passato si colloca nel presente. L'incapacità di risolvere la questione in modo adeguato è evidente quando Chiari confonde involontariamente i due piani del discorso: «sebbene il caso della *scorsa* notte [...]» (CF, II 16, c.vo mio). «Scorsa» significa precedente rispetto al presente in cui il narratore racconta, oppure precedente rispetto all'episodio del passato che sta rivivendo nelle sue parole? L'interpretazione corretta è la seconda, ma l'indicazione è equivoca.

Lungi dal configurarsi quali coordinate della rappresentazione, nei romanzi di Chiari spazio e tempo sono semplici attributi, qualificativi degli snodi della storia o vicari alle ragioni del commento. Una delle pochissime date individuate da Chiari, «lunedì 22 Marzo dell'anno 1751» (GL 103), è memorabile non per la giocata di

Tolot (una delle tante) ma perché connota la lunga digressione esplicativa sul lotto e le sue regole. Il passo è interessante anche per un altro aspetto. Non solo la specificazione temporale si giustifica per una ragione extranarrativa, ma a conferma della veridicità del suo racconto il discorso didascalico invita chi legge a verificare l'effettiva verità storica delle estrazioni citate. Così, all'interno di un paradigma avventuroso inverosimile, Chiari fa appello alla realtà extratestuale per accreditare la veridicità della storia.

«Prima di darne quel più esatto ragguaglio, che le si dee, alterar qui non conviene l'ordine de' tempi troppo necessario a qualunque storia ancora galante, per essere credibile, e dilettevole» (SI 89-90): il testo riproduce l'ordine dei fatti nel loro accadere, rigorosamente rispettato nelle parole del narratore. Ecco l'idea di sviluppo temporale accreditata. Si tratta di una concezione ingenua della storia, concepita come semplice progressione cronologica di fatti successivi allineati. Tale corrispondenza fra «parole» e «cose» non solo garantisce la veridicità del narrato, ma accredita l'effettiva storicità del racconto dell'eroina. Ne consegue l'omologazione fra sfera dell'azione materiale e sfera della comunicazione intellettuale: in *La Giuocatrice di lotto* il colloquio fra Tolot e la suocera è formalmente realizzato da Chiari non come uno scambio di opinioni ma come una successione di azioni. In una situazione nient'affatto dialogica, Tolot risponde alla sua interlocutrice nel pomeriggio, parecchio tempo dopo la discussione.

Circa il rapporto fra storia e racconto, ci si trova nel complesso di fronte a quello che si potrebbe chiamare un pregiudizio naturalistico. Durante una battuta di caccia Rosbelle si avvicina all'Imperatore, intento a colpire un daino:

s'incontrarono pur troppo, e s'erano già vicini senza vedersi; quando lascia egli andare l'archibugiata contro il Daino, che con un salto attraversar volea l'altra strada men larga tenuta dall'amica mia nella sua cacciatrice carriera. Ad un medesimo istante sel vide ella passar davanti, tronar lampeggiando intende il colpo di fuoco, e si sente, ahimè! in una coscia ferita, mancandole sotto insieme il cavallo insanguinato, e spirante (SI 113).

Le forme sintetiche dei verbi – infinito, gerundio e participio – rispondono all'intenzione di riprodurre nell'ampiezza del resoconto la durata dell'episodio, ma la rapidità della situazione evidenzia l'incommensurabilità fra accadimenti e loro riproduzione verbale.

Anche la rappresentazione di più azioni simultanee crea a Chiari non poche difficoltà. La soluzione consiste nel ripercorrere il singolo momento in racconti multipli di diversi testimoni. Così, la scena della caduta in acqua di Rosaura è raccontata prima dalla narratrice, poi dal Conte e dal suo lacchè che l'hanno salvata, due figure secondarie. Più semplicemente, il medesimo effetto è ottenuto tramite l'inserimento di notizie riportate: «riseppi, che Milord, e la sorella sua, quando non erano meco, tenevano insieme de' lunghi, e segreti congressi. Riseppi, che [...]» (AI 67).

In questi romanzi la parola del narratore ha un portata particolarmente estesa. «Sigillata la lettera [...] mi coricai così vestita com'ero, aspettando ad occhi aperti, e colle orecchie tese ad ogni mormorio, che mi fosse dato il segno della partenza» (AI 69): ad essere fissato qui è l'istante. Al polo opposto, ecco le affermazioni di carattere definitivo: «io posso dire con verità, che né allora, né mai in appresso fece egli impressione alcuna sopra il mio cuore» (VS 14). Portata ancora più generale hanno le valutazioni apodittiche del discorso commentativo: «non v'ha disgrazia o felicità sulla terra, che non dipenda da noi d'incontrarla se giova, o se nuoce di scemarne almeno l'affanno» (Z 64). La differenza tra l'istante contingente e la transtemporalità della massima, tra l'ora e il sempre, mostra che il tempo romanzesco non è soltanto discontinuo ma anche, per così dire, a scala variabile. Avventura e commento afferiscono infatti a temporalità diverse. È un'impostazione a vocazione separativa che valorizza non il divenire ma l'alternanza, non lo sviluppo di una situazione in quella successiva ma l'avvicendarsi di situazioni diverse: «queste antiche lor glorie [degli zingani], poste al confronto delle recenti lor vergogne» (Z 4). L'interesse per gli esiti e non per i processi consente di condensare i tempi fra avvio e compimento di una situazione: «in men di due giorni io divenni l'idolo di tutti quegli Arabi, e l'odio di quante donne avean essi nelle loro famiglie» (Z 58).

Alla base, un'idea progressiva e sequenziale del tempo rispetto alla quale fatti e pensieri, «riflessi» e sentimenti si dispongono l'uno appresso agli altri, affabulati dal narratore nell'ordine in cui si alternarono all'epoca del loro accadere, un ordine perciò naturale. A conferma della vocazione dicotomica dei romanzi chiariani, e in analogia con la duplice struttura della trama, superficiale e profonda, si potrebbe parlare di un'intemporalità profonda e di un tempo che ordina cronologicamente la superficie della storia. L'intemporalità riguarda anzitutto la situazione anagrafica degli eroi dissimulata dalle loro frenetiche avventure; in secondo luogo, la spazialità atopica degli scenari romanzeschi amplifica le corrispondenze e le ripetizioni. I personaggi non cambiano mai, percorrono tragitti ricorrenti, con un effetto di neutralizzazione del divenire. Il taglio del racconto per nuclei autoconchiusi e cronologicamente concatenati valorizza le situazioni sincroniche a scapito delle componenti di collegamento. Il romanzo si configura non tanto come una concatenazione dinamica di episodi, ma come una serie di situazioni di per sé stabili. Quanto ai personaggi, a prevalere è la stabilità di ruoli. Nel corso del racconto la qualità delle relazioni tende a non cambiare: ogni figura mantiene la medesima disposizione verso gli altri certificata dal narratore l'ultima volta che si è pronunciato su di lei. L'unilinearità della biografia dell'eroe organizzata cronologicamente esclude tanto le linee parallele delle vicende di personaggi secondari, quanto la simultaneità degli incroci delle storie subalterne con quella principale. In questo non-spazio e non-tempo, pazienti, i personaggi minori attendono di rientrare in scena per compiere il loro destino.

In generale, dunque, il contrasto fra stasi e dinamicità del testo, fra cronologismo e intemporalità, fra determinazioni spaziali e vocazione atopica del racconto, favorisce una reciproca valorizzazione di queste componenti testuali antagonistiche, intensificandone la percezione inconsapevole da parte del lettore settecentesco. Alla radice della fissità profonda cui rinviano spazio e tempo si può infine individuare il carattere retorico della formula romanzesca concepita da Chiari, le figure fondanti la sua narrativa, figure di simmetria e di contrasto, di ricorrenza calibrata e di oculata *variatio*, in effetti immediatamente percepibili sulla superficie del suo dettato, a livello di *elocutio* e *dispositio*.

4.

IL NARRATORE, LO STILE E LE FORME

La principale risposta di Chiari al problema della disomogeneità delle soluzioni espressive fin qui mostrate consiste nell'adozione del patto narrativo pseudo-autobiografico: evocare il disegno di una vita non solo induce nel lettore la presupposizione di un'unitarietà organica delle esperienze raccontate, ma postula nella figura del narratore-protagonista il soggetto di gran lunga prioritario che gerarchizza le altre componenti testuali. Le diverse istanze narrative finiscono per sembrare congruenti, omogenee fra loro: la coerenza semantica della biografia riverbera non solo sugli episodi narrati conferendo loro credibilità, ma anche sulle strategie discorsive dell'eroe. La straordinaria forza di tale contratto pseudo-testimoniale riesce a fondere generi di discorso diversi (l'avventuroso e il digressivo) e a riqualificare l'ancora assai spiccata componente fantastica del *romance*, grazie ad una finzione ancorata all'empiricità in quanto autobiografica. L'aspetto ludico dell'avventura imprevedibile assume tutt'altro valore: lungi dall'essere percepito come esercizio di immaginazione, diventa prova a favore della credibilità del romanzesco. Il ricordare fatti incredibili è insomma sintomo di sincerità: proprio perché racconta vicende straordinarie il narratore sa di essere creduto; la sua parola si giustifica per questo. La narrazione necessitata a posteriori riqualifica come «realistiche» persino le caratteristiche tradizionali del *romance* ereditate dal romanzo secentesco: l'unitarietà solidale degli accadimenti della vita finisce così per essere evocata dall'arbitrarietà dello svolgimento della storia. Per quanto bizzarre possano sembrare le situazioni in cui si trova, limitandosi ad una semplice constatazione, Rosaura ha sempre l'ultima parola: «il mio destino voleva così» (BP 184). Con ciò la coerenza della *fabula* rappresenta la compiutezza della vita dell'eroe: la finitezza della biografia è allusa tramite l'enfatizzazione della tenuta logica dell'intreccio, tanto più complicato quanto più conchiuso. In nome di tale coerenza, sottolineata non di rado da chi racconta, si compie un'altra infrazione al romanzesco. «Queste cose mi raccontava Loeb, quando gli lasciava qualche respiro il suo male, *ed era ben necessario*, che io le sapessi per avvisarne chi sente la Storia de' casi miei, onde possa intenderne meglio quelle particolarità, che dovrò raccontare dappoi» (BP 178, c.vo mio): il comportamento di Loeb si giustifica con un richiamo all'intelligibilità dell'intreccio, tanto più efficace quanto più numerosi sono i casi imprevedibili che è in grado di «stringere». Ridurre la loro varietà ad un insieme omogeneo di dati aiuta a creare l'illusione che il narratore si sia limitato a raccontare la sua vita senza inventare nulla. Una sincerità confermata da un fatto: demitizzando drasticamente la pratica artistica del comporre romanzi, tutti i narratori concordano nel presentare le proprie memorie quali opere antiletterarie per eccellenza. Del resto, l'autenticità memoriale del testo rinvia appunto alla dimensione extraletteraria: nessuna eroina si presenta mai nelle vesti di scrittrice laureata.

Si tratta di una scelta connessa a un fatto capitale: Chiari ha in mente un pubblico nuovo, in gran parte diverso da quello consueto, poco numeroso, aristocratico e iperletterato. Un pubblico relativamente eterogeneo, attratto proprio dal patto narrativo pseudo-autobiografico in quanto elemento catalizzatore dei suoi molteplici interessi e delle sue curiosità: le istanze del romanzesco funzionali al polo dell'invenzione fantastica e quelle deputate a rassicurare circa l'autenticità del racconto afferiscono qui. Per lo scrittore, il problema consiste nella mediazione fra queste due spinte: non potendo far coincidere *iuxta propria principia* la finzione e il documentarismo, Chiari appronta una serie di mediazioni che configurano una discreta varietà di patti narrativi autobiografici. E, giusto il loro ruolo capitale, lo fa sempre all'inizio del romanzo.

L'espediente più semplice è impostato nella *Viaggiatrice*:

una donna di merito [...] si risolve di scrivermi, ed a poco a poco ammettendomi alla confidenza sua, farmi partecipe sinceramente de' suoi bizzar-

ri accidenti, ella è un avventura, che non tutti si compiaceranno di credere, quando io non avessi in mano le lettere della medesima, da poterneli
convincere a loro talento. Ecco come mi cadde in pensiero, di tessere il
Romanzo presente (V, *L'Autore a chi leggerà*, 3).

In questo caso, Chiari si limiterebbe a trasmettere dei «documenti», in quanto tali autentici: «io non vi scrivo delle lettere romanzesche; ma lettere veramente istoriche della mia vita, di cui
non ho la menoma difficoltà di farmi malevadrice io medesima,
benché non avessi molto piacere di essere in esse riconosciuta» (V
61). Nell'*Amante incognita*, invece, l'autore si assume maggiori responsabilità, affermando che l'argomento del romanzo gli è stato
comunicato direttamente dalla protagonista; sua cura sarà non
«tradire la verità della Storia», fatto garantito dalla soddisfazione
dell'«autorevole persona degnissima, che m'obbligò mio malgrado
a questa non lieve fatica» (AI II [ma III-IV]). «Mio malgrado»: il
disinteresse dell'autore è sottolineato. Dopo *L'abate Pietro Chiari
A chi legge* prende la parola, nel primo «articolo», Cristina: «fo
bene, o fo male ad iscrivere da me stessa le mie più curiose
avventure?» (AI 1). La domanda prepara un discorso sistematico
tutto centrato sull'attività del romaziere: ad una casistica di affermazioni nel merito («alla maggior parte del Mondo son persuasa,
che non daranno esse il menomo pensiero [...] D'altri moltissimi
son sicura, che [...] o [...] o [...] Non mancherà poi più d'uno
[...] Checchè facciano gli altri tutti di quest'Opera mia» AI 1),
segue un argomento polemico contro i detrattori del romanzo
accusati moralisticamente («invidiosi detrattori maligni di tutte le
persone dabbene» AI 2), fino all'epilogo paradossale, il desiderio
di stampare tanti romanzi quanti bastino a farli morire di bile per
non saper più cosa dire di peggio di quanto hanno già scritto.
Dopo lo sfogo, la storia può iniziare. Il passaggio di parola dal-
l'autore al narratore è sottolineato non solo dalla diversa collocazione tipografica – Chiari parla nel paratesto, con le parole di Cristina ha inizio il romanzo –, ma pure dalle argomentazioni estrinseche dell'eroina, che comincia a discorrere non da protagonista
ma da scrittrice consumata: dietro al suo discorso, si intravvedono
le ragioni dell'autore implicito, la proiezione dello scrittore nel-
l'opera.
A questo tentativo abbastanza rozzo di aggirare l'impossibile «coesistenza dell'identità del nome [di autore, narratore e protagonista]

e del patto romanzesco»[1] facendo sostenere all'eroe un'argomentazione propria dell'autore affinché sia meno patente il passaggio di parola dallo scrittore al «testimone», Chiari ne affianca altri. In *Le Due Gemelle* il rapporto autore-narratore è tematizzato dall'eroina sul piano del racconto, in forma di annotazioni autobiografiche. Prima Ninna si presenta, quindi chiarisce la genesi del romanzo:

si sappia prima di tutto, che son io presentemente nell'età di soli trent'anni; che ritirata mi trovo a vivere tranquillamente a me stessa entro una deliziosa solitudine sul littorale più colto della Sicilia [...] [in] pochissima compagnia [...] ma sotto degli occhi continuamente di quel mio benefattore amoroso, a cui tutto deggio il merito della mia educazione passata, e della mia presente fortuna. Da lui si legge ogni sera quanto io scrivo ogni giorno, se non li rischiara egli stesso [a lui] servirà d'un dolce trattenimento il vedermi imitare le cose sue, quando non ha egli occupazione più dilettevole che quella di filosofare, e di scrivere (DG 5-6).

L'allusione a Chiari è patente: se prima il rapporto autore-protagonista-testimone coinvolgeva sia il paratesto sia il commento, in questo caso è delegato alla finzione, tanto che l'argomento è ripreso nel corso del romanzo:

mi posi a scrivere le Memorie presenti [...] L'ho detto fin da principio, ch'ero nata ciarliera; ma volendo ancora in progresso restringermi, non mai mel permise chi mi stimolò a questa impresa, e ripassando gli scritti miei sotto degli occhi suoi, m'incoraggiva ogni giorno a non abbandonarla, finch'è non la vedessi finita (DG, II 138).

Dopo l'immagine di un Chiari consulente alla stesura, corresponsabile con l'eroina della paternità di quanto sta leggendo, un'altra formula consiste nell'individuazione di una figura depositaria dell'autenticità del racconto non corrispondente né all'autore né alla protagonista. Una tecnica antica[2]. Anche qui, il confine fra

---

[1] P. Lejeune, *Il patto autobiografico* (1975), trad. di F. Santini, Bologna, Il Mulino, 1986, p. 28.

[2] «Persino la pratica di rinviare ad un testimonio, a un'autorità, a garanzia del proprio racconto (una pratica che giungerà ad essere costitutiva del discorso storico) è comune a queste varie forme del raccontare»: a notizie storiche, novelle e cantafavole. Proprio nel Settecento «la preoccupazione di dare al discorso storico un adeguato strumentario di garanzia aveva prodotto un'adeguata problematizzazione del principio della "fonte documentaria"» (A. Biondi, *Tempi e forme della storiografia*, in *Letteratura italiana*, direzione di A. Asor Rosa, vol. III, *Le forme del testo*, t. II, *La prosa*, cit., pp. 1079 e 1099).

le istanze dell'autore e quelle del testimone porta parola si possono collocare in ambito sia narrativo, sia extranarrativo. *L'Uomo d'un altro mondo* parte da una reticenza: «del titolo, dell'Autore e dell'argomento di queste curiose memorie non si cerchi qui [...] e non si aspetti ragione da chi le scrive, poiché darla io non posso con quella verità, che vorrei, e darla non voglio, come far si potrebbe con qualche impostura» (UM 211). Bilancia questa indeterminatezza la moltiplicazione delle mediazioni cui è sottoposta la storia: «io m'occupai scrivendo queste memorie in dialetto russiano, che poi trasportai in linguaggio chinese, per occuparmi più lungamente, e nelle mani lasciai dell'amico Noldam, perché veder facesse all'Europa col tempo cosa avessi imparato da lei» (UM 347). Il passaggio ulteriore del manoscritto dalle mani di Noldan a quelle di Chiari è omesso; depositario della verità del patto narrativo è un testimone inafferrabile. L'autenticità del racconto non si può verificare.

Medesima tecnica Chiari utilizza nel *Serraglio indiano*, ma questa volta nell'ambito del discorso didascalico. Intanto, il testo è inserito organicamente nei *Trattenimenti dello spirito umano*, una compilazione storico-geografica d'impianto trattatistico: la parte geografica dei *Trattenimenti* inizia con *Delle divisioni principali del mondo, e delle distinzioni naturali d'ogni sua parte*, e termina con *Della Vaniglia, Canella, Garofano, Noce moscata, tutte Spezie, Indaco, e Tabacco*. A metà strada fra questioni generali e argomenti particolari, ecco *Il Serraglio*, ispirato come l'intera opera all'intento «di dare quell'idea generale, che mi sono proposto, de' costumi differenti del mondo»[3]. Ma il romanzo partecipa pure della componente storica dei *Trattenimenti*. Infatti, prima di passare alla ricostruzione delle «vicende più strepitose delle quattro parti del mondo generalmente accennate gli avvenimenti io prometto d'un Serraglio orientale; perché non ne feci fin ora parola, e troppo ne dissero, senza principio di storica verità, quanti viaggiatori oltramontani scriver ne vollero nel nostro secolo, prima d'averli veduti giammai, che al di fuori del loro recinto» (SI 5). Ad accreditare l'autenticità del romanzo c'è anzitutto la sua consustanzialità con i *Trattenimenti*, opera non d'invenzione. In rinforzo lo scrittore introduce il solito chiarimento, che mobilita un'irraggiungibile figura anonima: «non gli ho nemmeno io veduti [i serragli], che candida-

---

[3] P. Chiari, *L'autore a chi legge*, in *Trattenimenti dello spirito umano sopra le cose del mondo passate presenti possibili ad avvenire*, cit., vol. II, t. IV, p. 4.

mente nol nego; ma le veraci, e curiose memorie, che qui ne metto sotto gli occhi de miei leggitori, comunicate mi furono da un amico mio non meno erudito, che onesto; il quale come in esse vedrassi, ne fu testimonio di vista, ed è perciò meritevole d'ogni migliore credenza» (SI 5). È inserita qui un'ulteriore specificazione. «Ho io per ultimo, nello stendere le orientali memorie presenti, seguito l'usato mio stile a tutti notissimo di supporle scritte da chi ne sperimentò le vicende, perché somiglianti operette mi riuscirono sempre a tal foggia più facili da intendersi, e più compendiose non poco» (SI 5-6). Questa volta la finzione è dichiarata in modo esplicito; le istruzioni istitutive il patto di lettura sono propriamente metanarrative.

Riepilogando, Chiari cerca di dissimulare la differenza fra autore e narratore introducendo una serie di passaggi intermedi volti a sfumare l'alterità di queste due istanze fondamentali, lo scrittore e il testimone della storia raccontata. Lo fa sul piano narrativo oppure su quello saggistico, non di rado individuando un personaggio irraggiungibile cui demanda la verità (e l'insopprimibile contraddizione) del patto narrativo pseudo-autobiografico. In tutti i casi lo scrittore moltiplica quelle che si potrebbero chiamare «soglie dell'illusione»: a variare è il grado di consapevolezza del destinatario prefigurato dal patto narrativo, la cui semplicità-complessità determina una soglia sotto la quale si crea l'illusione di avere a che fare davvero con un testo autenticamente autobiografico. Tale illusione sarà tanto più efficace quanto maggiori saranno le mediazioni introdotte; al contrario, l'indole finzionale del testo è tanto più palese quanto meno indirettamente autore e narratore sono affiancati nella loro evidente incommensurabilità.

In questa prospettiva, il testo più significativo è *La Bella Pellegrina*, poiché i filtri inseriti nel romanzo fra scrittore e testimone sono anche intertestuali:

alla mia *Viaggiatrice* assai conosciuta per le lettere, che ne pubblicai l'anno scorso son io debitore di queste Memorie, che sottometto presentemente agli occhi del Pubblico. Ella me le inviò dalla Germania, dove allora trovavasi col titolo di *Bella Pellegrina*, che portano in fronte, assicurandomi nella Lettera sua, che contenevano esse le avventure assai strane d'una Giovane Dama Moscovita da lei conosciuta alla Corte di N.N. dove godeva la protezione di quella amabilissima Principessa, in grazia della quale scritte le avea con particolare attenzione. Trovandole io esposte in una lingua di cui non avevo molta esperienza, mi convenne faticar molto per ben intenderle, e quasi da capo a fondo tornare ad iscriverle alla foggia mia, perché dessero a chi le leggeva qualche diletto. Pieno di novità ne trovai l'intreccio, la disposizione, e lo stile; che però mi lusingo di far cosa grata al Pubblico facendone ad esso un regalo, dopo averglielo fatto lungamente aspettare per le difficoltà, che incontrai nel ridurle in istato da meritarsi il suo gradimento (BP, *A' leggitori benevoli Il Pubblicatore di queste Memorie*, c. 6 *recto*).

Ecco come la Viaggiatrice si fa garante dell'autenticità del patto narrativo di *La Bella Pellegrina*, in aggiunta agli espedienti della traduzione e dell'adattamento romanzesco. Qui, però, la figura evocata non è inesistente: riguardo al patto narrativo, l'invito alla lettura (e all'acquisto) di un'altra opera non fa che sommare mediazioni a mediazioni, e ad aumentare la credibilità del testo.

«Io, che d'altre non poche intrecciar deggio queste donnesche memorie, altro merito non ci pretendo, che quello d'averle alla meglio tradotte da più linguaggi orientali in un solo dialetto a me naturale, e presentemente comune a quasi tutta la terra» (SI 7-8): è per la mancanza di un frontespizio specifico (il *Serraglio* è inserito all'interno dei *Trattenimenti*), luogo deputato a rispondere dell'identità dell'autore e dello statuto dell'opera, che qui l'autore glissa sulla traduzione dal francese (il dialetto comune a tutta la terra) all'italiano del testo. Diversa la condotta nei romanzi pubblicati autonomamente, come si evince sin dal titolo. Se il patto autobiografico prevede l'identità del nome di autore, narratore e protagonista, nel patto romanzesco al contrario il primo nome è diverso dagli altri due. Ecco perché anche i titoli dei romanzi di Chiari sono il frutto ambiguo del solito compromesso fra inventività autoriale e autenticità testimoniale. La formulazione è stereotipata: identificazione della protagonista tramite la caratteristica peculiare tematizzata nel romanzo (*La Filosofessa*, *La Ballerina*, *La Cantatrice* ecc.) seguita da un qualificativo (*italiana*, *onorata*, *per disgrazia* ecc.); specificazione dello statuto testuale (*o sia le Avventure*, *o sia memorie*) e indicazione del nome proprio (nella forma della sigla, garanzia di anonimato e segno dell'effettiva esistenza dell'eroe e del valore testimoniale del suo racconto: *della Marchesa N.N.*, *d'una figlia naturale del Duca N.V.*); specificazione della doppia paternità dell'opera con l'immancabile formula «*scritte da lei medesima e pubblicate dall'abate Chiari*». Così, l'ambigua titolarità del romanzo è esibita sul frontespizio, ferma restando la mistificazione del ruolo dell'autore che non si assume in modo esplicito l'onere dell'invenzione all'interno di un genere ritenuto letterariamente poco degno. Allora, tanto vale nascondersi addirittura dietro una figura femminile, per stimolare la credulità della lettrice disposta a dare fiducia ad un narratore del suo stesso sesso, ma emancipato. La spregiudicatezza stessa di questa scelta ne dissimula l'inautenticità.

Le premesse paratestuali ai romanzi e il loro primo «articolo» si possono dunque considerare la zona deputata al passaggio della parola dallo scrittore al narratore, attraverso l'articolata serie di mediazioni in definitiva non verificabili, compendiate nel titolo stampato sul frontespizio, in cui comunque Chiari non appare mai in modo inequivoco quale autore del romanzo. Un paratesto, perciò, propedeutico alla finzione vera e propria, affacciato da un lato all'«esterno», verso il mondo extratestuale rappresentato dallo scrittore chiamato in causa, e dall'altro all'«interno» dell'opera, tramite il narratore pseudo-autobiografico. Il punto è che si assiste alla moltiplicazione delle mediazioni anche su questo secondo versante: le proiezioni dell'autore nell'opera fanno slittare ancora la verificabilità della verità del racconto; la ricerca della fonte autentica della parola romanzesca si complica.

Ad essere mobilitate sul versante «interno» dei testi sono una serie di istanze narrative. Anzitutto l'autore fittizio (la Bella Pellegrina e le altre pseudo-autrici in quanto alter-ego nel testo dell'autore empirico) e l'autore implicito (l'immagine di Chiari nelle sue componenti non condivise con la fisionomia dell'autore fittizio). Con la narratrice, la protagonista al presente del resoconto (la protagonista «ora») e quella della vicenda narrata (la protagonista «allora») l'interfaccia fra verità e finzione è più interno all'opera. Chiamato in causa da chi racconta non di rado sin dalle prime pagine, il narratario è un personaggio che in quanto tale collega la catena delle mediazioni al mondo fittivo delle figure narrative. A prima vista, il discrimine forte parrebbe separare le istanze legate all'ora e quelle confinate nell'allora, quelle pertinenti al commentativo e quelle afferenti al narrativo: da una parte autore fittizio, autore implicito e protagonista «ora», dall'altro protagonista «allora», narratario e personaggi. Al centro, con un ruolo cardinale, il narratore. Ma le cose non stanno esattamente così. Si verificano infatti parecchi slittamenti soprattutto dal primo settore al secondo: tracce consistenti dell'autore implicito sono disseminate in tutta l'opera[4].

---

[4] I rapporti fra eroe della narrazione ed eroe del narrato sono stati descritti a proposito

Il rapporto fra autore e protagonista offre diverse possibilità di mediazione. Nella *Commediante* il passaggio di parola dallo scrittore alla narratrice è poco evidente grazie all'omogeneità retorica del dettato: il discorso generale e astratto del paratesto diventa narrativo per via di una progressiva aderenza degli argomenti alla specificità della storia, ma anche tramite una conversione delle figure retoriche del discorso in figure modellanti la trama. Nell'*Amante incognita*, il primo capitolo introduce la finzione trattando del romanzo in generale, di questo romanzo in particolare, quindi della protagonista. I suoi compiti sono molteplici: quale personaggio informato pone sull'avviso il lettore circa la caratteristica principale di Cristina, il suo «proteismo» («nel corso intero della mia storia si troverà regnare una novità, che deve sorprendere senza riuscire incredibile» AI 7); l'eroina si assume poi l'onere di raccontare, sottolineando la sua qualifica di autrice («l'età poi, in cui prendo a scrivere» *ibid.*) e infine si propone quale protagonista. I diversi ruoli ben messi a fuoco seguono una progressione didattica: come nella *Pellegrina*, il conformarsi del dire dell'eroe al modello retorico impostato nel paratesto lascia trasparire, dietro alle sue parole, la regia dello scrittore. Nella *Giuocatrice* il pistolotto di Don Valerio sul gioco del lotto è in realtà un ragionamento dell'autore implicito nei panni del personaggio. Altrove, l'autore entra nella storia travestendosi da figura allegorica, oppure incombe sulla vicenda dall'esterno nelle occasioni in cui l'eroina manifesta fiducia nel romanzesco in quanto tale: è l'esempio già ricordato della Viniziana che confonde testualità e metatestualità. Se le svariate proiezioni dell'autore nell'opera costituiscono altrettante mediazioni «interne», lo stesso vale per la non coestensione di eroe e narratore, una discrepanza legata all'esuberanza inventiva di Chiari. Capita infatti che chi racconta faccia riferimento ad esperienze estranee a quelle tematizzate nel suo resoconto autobiografico: «ho praticate delle persone amabilissime, che passavano per impraticabili tra i lor conoscenti, e ne ho trovate delle altre insoffribili, ch'erano in possesso dell'ammirazione, e dell'amore di tutti» (AI 178). Di tali persone, nessun'altra traccia. Nella *Zingana*, invece, il frontespizio accredita una scrittura del testo in francese da parte di Zaida, senza che le sue avventure raccontino donde le venga tale competenza linguistica né testimonino alcuna sua esperienza transalpina. Piutto-

---

dei personaggi e delle loro relazioni; il paragrafo successivo a questo è dedicato al narratore.

sto, la solidarietà fra narratrice e protagonista non viene mai meno se la sua condotta può dare adito a interpretazioni morali fuorvianti: «le ragioni, che avevo di diffidarne [di Keit], ho fatto altrove vedere quale, e quanta impressione facessero sull'animo mio per esserne giustificata abbastanza» (AI, II 135-136).

Un caso interessante di mediazione del narratario è quello della *Bella Pellegrina*. Si tratta di un romanzo dialogico organizzato in giornate in cui la narratrice racconta la sua vita ad una Principessa. In quanto rivolte alla nobildonna, le sue parole sono vincolate ad un alto decoro, che ne limita la libertà. Per recuperare le modalità espressive tradizionali del narratore Chiari introduce un altro narratario, la serva Euffemia. Nella seconda parte del romanzo, però, la situazione si complica: non solo compare un terzo narratario, la Duchessa N.N., ma la Principessa diventa una figura importante della storia di Eugenia, un personaggio della sua biografia. «Giacchè l'occasione n'era opportuna, volle ella quindi in poi trovarsi presente per terza a' nostri segreti congressi, e per meglio intenderne la materia volle leggere a parte quanto fin ora scrissi, e raccontai di me stessa» (AI, II 80): conoscendo la prima parte del romanzo, la Duchessa N.N. ha il vantaggio di poter esprimere delle valutazioni sull'opera: «Madama Duchessa divorò in pochi giorni il primo volume di queste Memorie, e cominciò a lodarmene tanto questa mattina, che desideravo d'aver l'ali alla mano, siccome le abbiamo al nostro pensiero per iscriverne dentro d'un giorno solo tutto il restante, ed appagare al più presto la di lei curiosa impazienza» (AI, II 88). In perfetta simmetria con la diversificazione delle istanze afferenti all'autore e al narratore, la *Bella Pellegrina* mostra dunque la proliferazione delle mediazioni sul versante del narratario. In un romanzo dialogato, in fondo, garante del patto narrativo autobiografico è in buona misura anche l'interlocutore di chi racconta.

AUTOREVOLEZZA E CREDIBILITÀ: IL MONOLOGISMO DEL NARRATORE

«È l'appropriazione narrativa della nuova pratica romanzesca da parte di un soggetto, che fonda un effetto di verità. È perché parla un soggetto, con una voce che è la sua, che quello che ci racconta del suo destino è sentito come vero»[5]: è dunque in virtù

---

[5] J. M. Goulemot, *Le pratiche letterarie o la pubblicità del privato*, in *La vita privata dal*

del patto narrativo autobiografico stipulato nelle primissime pagine del testo che il lettore è portato a prestare fiducia alle parole del narratore-testimone. Ma oltre all'effetto mimetico indotto dall'impostazione del romanzo in prima persona, vi sono altre tecniche di accreditamento *implicito* dell'autenticità del racconto. «A Questo passo arrivando della infelice mia vita, mi trema ancora la mano nello scriverlo, mi si offusca la mente al sol ricordarlo, e non farei che piangerlo amaramente, in vece di colorirlo quanto so agli occhi miei, e a quelli degli altri, onde in qualche foggia lo trovino meno luttuoso, ed orribile. In qualunque figura siami per uscir dalla penna, avrà il merito almeno d'essere veritiero» (DG 186). Mobilitare la commozione in questo modo significa affermare la verità tramite un appello al vissuto del narratore: solo quando l'episodio è autentico può ancora commuovere chi lo rivive nel ricordo. «Chi mai detto avrebbe, che sarebbero vane queste mie diligenze, e che sarei caduta da me nella rete tesa colle mie mani medesime»? (CF, II 64): se le non numerose anticipazioni proferite dall'io narrante accreditano la natura *biografica* della storia, l'invito di Rosnì rinvia indirettamente alla deriva delle mediazioni costitutive il patto narrativo: «di me si fidi chi legge, quanto se ne fidano quelle medesime, di cui prendo a scrivere loro buon grado, dopo che assai più della loro fu lungo tempo ostinata la mia ripugnanza» (SI 8). «Non saprei dirne il perché; ma a dir mi sforza la candidezza mia, che mi diede tal quale piacere questa notizia» (DG 175): le reticenze tanto frequenti soprattutto a ridosso di significati attinenti alla psicologia del protagonista testimoniano la franchezza di chi prende atto dell'inspiegabilità delle dinamiche interiori.

Per consolidare la posizione dominante del narratore e per rinforzare l'illusione di autenticità del racconto, le aspettative predisposte dal patto narrativo autobiografico sono ribadite a posteriori da apposite affermazioni dell'eroe. Si tratta di un'articolata serie di segnali che accreditano in modo *esplicito* la veridicità del racconto, anzitutto tramite «pegni di sincerità» sparsi ad arte nei romanzi. Segnali sia positivi sia negativi. In positivo,

Rinascimento all'illuminismo (1986), a cura di P. Ariès e R. Chartier, Roma-Bari, Laterza, 1987, p. 308. Quelli chiamati da Goulemot «nuovi sistemi di credibilità della scrittura romanzesca» (*ibid.*, p. 307) si fondano inoltre sulla definizione di autore come «semplice scrivano», e sulla negazione del carattere di romanzo del libro, due aspetti comuni a tutti i testi narrativi chiariani.

l'eroina di turno afferma di raccontare senza nessuna omissione: «ogni Commedia ha il suo scioglimento, e lo doveva avere ancora la mia [...] Questo scioglimento non fu meno bizzarro del suo principio, e mi piace raccontarlo a disteso, come una pruova sicura di quella sincerità che mi resse la mano nello scrivere queste memorie» (CF, II 154). Sa mantenere la parola («ho promesso di dar qualche lume maggiore delle regole mie per quelli, che se ne dilettassero, ed eccomi al caso di mantener la parola, accennando brevemente il metodo, che da me si teneva per metterle in pratica» GL 194) e mostra equilibrio nel giudicare l'attendibilità di quel che riferisce: «non ne diciamo più di così, che io non amo dar corpo all'ombre, né voglio in queste Memorie mie immortalare delle reità, delle quali non sono convinta abbastanza» (BP, II 228).

Più efficace si dimostra però il richiamo agli aspetti negativi e non edificanti dell'eroe: registrare queste qualità fa presupporre buona fede. A partire dall'ammissione delle sue incerte origini, e dal fatto che la protagonista è una donna, cioè una figura socialmente marginale, il ritratto del narratore non è affatto idealizzato, come è facile constatare considerando la compresenza di tratti incongrui nel bagaglio caratteriale dell'eroe. La situazione confidenziale di gran lunga più evocata, con quel tanto di complicità che stabilisce fra gli interlocutori, è la confessione, che può configurarsi come una vera e propria ammissione di responsabilità: «e confesso la verità, che mi corsero agli occhi le lagrime per il vivo rammarico di aver io contribuito cotanto, come dicevasi, alla sua presente disgrazia [l'arresto di Meltz]» (AI, II 152). «Ne feci per verità quel giorno non poche in presenza della vecchia Principessa mia persecutrice, e sì pazza non sono di farmene onore; ma deggio ciononostante qui registrarle per esser sincera» (DG, II 29-30): la sincerità può addirittura ledere l'«immagine» del protagonista, e toccare il limite del decoro. Ad esempio quando Ninna ammette d'aver alzato un po' il gomito in compagnia del Capitano: «non arrossirò di dirlo a mia confusione» (DG 72). La sincerità della testimone è comprovata infine dalle ammissioni relative alle difficoltà del racconto: «la conversazione fu lunga [...] e molte altre cose si dissero sullo stesso argomento; ma io le tralascio, perché non me le ricordo» (GL 114). Del resto, «le autobiografe chiaresche non dimenticano neppure la propria inesperienza di scrittrici, e registrano a un livello, per dir così, metanarrativo, i problemi e le progressive conquiste del loro nuovo mestiere»[6].

I limiti opportunisticamente dichiarati della narratrice costituiscono un contrappeso, seppur modesto, al suo autoritarismo monologico. A movimentare l'onnipervasiva parola del narratore è il gioco di prospettiva fra il punto di vista dell'eroe-allora e quello dell'io narrante-ora. Ma l'*escamotage* utilizzato da Chiari per rendere la differenza fra lo sguardo di un giovane personaggio inesperto e quello del medesimo personaggio maturo non è, propriamente, un salto prospettico. L'allineamento del punto di vista di chi racconta con quello più limitato dell'eroe in azione si configura piuttosto come una riduzione delle conoscenze del narratore a livello di quelle del personaggio, e non come l'assunzione di una diversa prospettiva. L'espediente consiste perciò in un'autolimitazione dell'onniscienza del narratore, esercitata soprattutto sul piano delle conoscenze relative all'azione: «può darsi che io mi ingannassi ne' miei sospetti; ma erano dessi sostenuti da molte apparenze innegabili» (CF 77). Di lì a poco la vicenda si incarica di dissipare il dubbio: per un momento il narratore fa finta di non sapere.

L'inattaccabile sicurezza di chi racconta si esercita all'interno di un dominio delimitato con franca precisione; fra i sintagmi correlativi impiegati da Chiari, la formula a struttura chiastica «non so [...] so bene» (DG, II 105) è addirittura abusata: l'universo della competenza testimoniale risulta sempre ben perimetrato. Il racconto si muove nelle geografie della certezza, come dimostrano le perentorie ellissi del narratore: «non dirò che avvenisse allora de' Parenti miei» (Z 29). In questo senso, le frequenti avversative («io son d'opinione però» VS, II 179) e concessive («sebbene due giorni appresso» DG 10) molto diffuse nell'ambito del commento, introducono una componente pseudo-dialettica piacevolmente conversevole, un modo per simulare una plurivocità romanzesca del tutto estranea ai romanzi di Chiari.

La credibilità di cui gode l'autobiografa le permette di raccontare fatti inusitati: «ed oh! qual fu mai la mia sorpresa incredibile, ravvisando infra di loro il mio fedelissimo Romer» (BP, II 89). Di norma, quanto più l'episodio supera i margini del prevedibile, tanto più la sua eccezionalità è anticipata da chi racconta. Oppure, l'argomento impiegato consiste nella sottolineatura del-

---

[6] F. Fido, *I romanzi: temi, ideologia, scrittura*, in *Pietro Chiari e il teatro europeo del Settecento*, cit., p. 293.

l'anormalità dell'episodio: la verità del fatto costituisce il presupposto necessario affinché il narratore corra il rischio di non essere creduto. Grazie alla fiducia accordatagli, in certi casi la plausibilità di opinioni, accadimenti, vicende in effetti del tutto implausibili è affermata direttamente da chi nel romanzo detiene la parola. Le sue affermazioni sull'aderenza del resoconto all'ordine effettivo degli accadimenti sono reiterate: «queste riflessioni non erano per verità né chimeriche né stravaganti» (UM 273); «incredibil non era» (UM 282). Allo scopo ecco ancora il ricorso all'allusione metanarrativa: poiché Eugenia scopre la verità circa i suoi genitori leggendo le «*Memorie del Conte di Renolf scritte da lui medesimo nella sua Solitudine*» (BP 74), e a Bellifeld capita lo stesso con un «certo Manoscritto francese [...] le memorie cadute in mia mano» (BP 38-39), la lettrice della *Bella Pellegrina* non deve aspettarsi niente di diverso circa l'autenticità del racconto, visto che tiene in mano anche lei lo stesso genere di libro. «Creda, o non creda chi legge, se ne compiacerà almeno, sentendone il racconto, quando io mi compiaccio di essermici trovata presente, senza che l'incredulità altrui pregiudichi né punto, né poco alla verità d'un sì meraviglioso accidente» (AI, II 44-45): il ragionamento, un po' capziosamente contorto, rinvia alla parola del narratore quale fonte di verità. Un rinvio altrove esplicito, nella forma della petizione di principio:

il fatto avrebbe dell'incredibile, se non ne fossi stata alla prova io medesima, e non l'avesse autenticato nel mondo qualche altra esperienza. Di meno non ci voleva per intrecciare la storia della mia vita, cominciando dalla mia sì tenera età, ed abbia chi legge la benignità di crederlo, benchè paja assai stravagante; riflettendo, che su tal perno si aggira tutta la ruota de' giorni miei, che questi tessuti furono di sole stravaganze continue (BP 17).

Non c'è scampo: il lettore dei romanzi di Chiari deve assumere un atteggiamento di passiva credulità, come confermano certi pseudo-ragionamenti puramente asseverativi: «i Poeti si fanno applauso di somiglianti invenzioni [la prigionia dell'eroe in un castello], ma per renderle verisimili, bisogna che ricorrano alle divinità, o agli incantesimi. La mia non è invenzione poetica; ma verità storica in cui tutto è naturale benché sia sorprendente ed insolito» (V 140).

«A ritratti, che si cercano dalla poesia, o dalla pittura, è permesso d'essere in qualche parte bugiardi. Quello che il mondo aspetta da me, poichè presentarglielo io voglio, deve essere in ogni sua parte sincero» (GL 4). Se declinato, il ragionamento sottostante alla richiesta di fiducia rivolta al lettore è tautologico: io, Zaida (o Rosnì, Cristina, Eugenia ecc.), chiedo fiducia perché sono sincera; sono sincera perché racconto solo quello che mi è davvero capitato; ciò che narro in queste pagine è vero perché sono sincera. Avete la mia parola. «Rosalba, che tale era il nome della mia suddetta *avversaria*» (GL 9, c.vo mio): visto che la verità dell'enunciato risiede nel principio d'autorità incarnato nel narratore, basta un aggettivo a modificare bruscamente gli ottimi rapporti intercorsi finora fra Rosalba e Madama Tolot. In definitiva, nei romanzi di Chiari è la voce che racconta a conferire verità ai fatti narrati, non sono gli episodi in quanto davvero accaduti al testimone-relatore ad inverare le sue parole, come il patto di lettura indurrebbe a credere. Si rispecchia qui, nella disomogeneità fra attributi del narratore e fisionomia del patto narrativo, la contraddizione insanabile evidente nel frontespizio e nei paratesti, luoghi di mediazione fra gratuita invenzione narrativa e autenticità documentaria.

Elemento determinante nel favorire l'«apertura di credito» del pubblico settecentesco nei confronti di chi lo intratteneva con il suo racconto è senza dubbio l'ostentata moralità del narratore. Anche se la storia autobiografica è credibile solamente in quanto esposta da una voce non menzognera, la sua sincerità è solamente uno dei valori di riferimento dell'eroe. Fondamentale è pure la salvaguardia del decoro: «seguirono [...] i nostri sponsali, dopo esser vissuti insieme per ben dieci giorni *come fratelli*» (AI, II 55, c.vo mio). Se la «sincerità» dell'autobiografa impone a volte ammissioni imbarazzanti, nei momenti delicati l'integrità morale dell'eroe non si mette in dubbio: «*senza desiderargli la morte*, io mi lusingai» (AI, II 197, c.vo mio). Rarissimi sono invece i conflitti fra l'ostentazione di moralità e il rispetto dovuto al genitore:

il Cielo [...] m'è buon testimonio che dipingendolo [il padre] agli occhi del Mondo come ho fatto fin qui con colori poco a lui favorevoli, e svantaggiosi a me stessa, ne sento tutto quel ribrezzo che ne può sentire una figlia; ma non ho potuto dispensarmi dal far comparire lui colpevole per giustificare me stessa (CF 21).

Del resto, la Viaggiatrice si astiene dal sottolineare troppo esplicitamente i difetti del padre: «il dirne di più pregiudicherebbe all'onestà di chi scrive» (V 13). Addirittura, comportamenti troppo riprovevoli verranno banditi dalla rappresentazione: «comunque ciò fosse, mi si pemetta, che d'un tal fatto parlando in queste Memorie, io non voglia saperne l'autore, e non ne cerchi l'origine, a solo fine di non mettere sulla gran scena del mondo un carattere troppo esecrando» (BP, II 207). La narratrice protagonista è a tal punto preoccupata di difendere la sua esemplarità etica, da dissipare qualunque dubbio non solo circa l'assoluta e disinteressata onestà dei suoi comportamenti, ma persino dei suoi pensieri. La morte del Duca spiana il destino di Cristina, ma l'eroina non ne gioisce apertamente: «non dirò, che mi piacesse tal nuova [...] Vedevo bensì, che la morte sua sarebbe stato il gran colpo riservato alla provvidenza del Cielo che solo scioglier potea l'intricatissimo nodo delle presenti mie circostanze, ma nemmeno per tutto questo a desiderarla io giunsi» (AI, II 210). A fondamento della credibilità della narratrice, dunque, Chiari pone la qualità etica dei suoi comportamenti e dei suoi ideali, perché in grado di influenzare positivamente la fiducia del lettore. A riprova, lo stesso atto del raccontare è un atto di generosità nei confronti del narratario di turno: «io che tanto soffersi fino da' primi anni della mia gioventù, non vorrei mai aver a parlare delle cose mie, perocchè mi da pena il sol ricordarmene, e tutta ci vuole, Madama, l'autorità che avete voi sopra di me, per ottenere il sagrificio giornaliero di somiglianti racconti» (BP 174).

Ecco come, in definitiva, un congegno romanzesco fortemente impositivo si traveste da racconto che sollecita la collaborazione attiva del pubblico. Nei fatti, le possibilità lasciate al lettore di integrare il dettato autoriale sono alquanto modeste: in assenza di una coerenza spazio-temporale del contesto e di un'unitarietà dinamica del soggetto, assi portanti delle previsioni del destinatario, le inferenze sollecitate dal testo sono assai ridotte, in misura inversamente proporzionale alla pervasività della parola di chi racconta, la cui libertà a tratti arbitraria dipende proprio dalle caratteristiche che inibiscono la collaborazione di chi legge. Nell'ambito di una finzione autoreferenziale è la parola del narratore a garantire la coerenza della vicenda, un narratore motore della trama in quanto personaggio principale, e insieme unico testimone autorizzato a rendere conto del suo articolarsi.

RACCONTARE STORIE AVVENTUROSE E FARE CONVERSAZIONE

«Non mi perderò d'avvantaggio in somiglianti riflessi; perocchè so, che taluno li trova soverchj, e increscevoli a chi ama, leggendo, più ricrearsi, che d'imparare, e far vuole speditamente su' libri in poche occhiate non poco cammino» (AI 184): tutti i romanzi di Chiari sono costruiti mischiando ai «riflessi» il «non poco cammino» sempre incalzante dell'avventura; il loro aspetto più caratteristico è proprio l'alternarsi di storia e discorso. Fra i compiti assolti dal commentativo, alcuni sono già stati individuati. La digressione può amplificare o ridimensionare gli episodi avventurosi conferendo ai segmenti della trama una maggiore o minore rilevanza; con la libertà di movimento della sua voce il narratore supplisce ai limiti imposti dall'unilinearità della vicenda, offrendo al lettore divagazioni o informazioni integrative. Non di rado, scopo delle sue parole è ribadire sul versante del discorso quanto ha rappresentato con l'azione del protagonista: al racconto circostanziato dell'educazione «filosofica» di Ninna, segue perciò la *deprecatio* del modello pedagogico tradizionale descritto per sommi capi: «s'allevano a questa maniera ciechi i figliuoli» (DG 24). Ancora, il discorso digressivo problematizza il piglio autoritario del racconto, configurando fra i due piani del romanzo un rapporto interattivo.

Nello specifico, gli interventi digressivi del narratore sono di due tipi, informativi e commentativi, e possono riguardare direttamente la vicenda, oppure essere divaganti. Nel primo caso si può parlare di digressioni «concrete», nel secondo di digressioni «astratte», anche se in molti casi i confini fra digressioni informative astratte e digressioni commentative concrete sono labili. Nell'ambito delle digressioni informative, il modo più concreto e cioè più aderente alla vicenda di fornire da parte del narratore informazioni sull'avventura consiste nell'elaborazione di riassunti. «Lungo sarebbe, ed oltremodo nojoso il voler qui raccontare a minuto tutte le mie debolezze in questa materia» (GL 85): lo scopo consiste nell'evitare lungaggini eccessive, oppure nel richiamare alla memoria del lettore precisi segmenti di *plot*. L'ampiezza di questi inserti informativi concreti è variabile: se in fondo i romanzi di Chiari sono propriamente riassunti di biografie, gli indici risultano tavole di brevissimi promemoria del contenuto degli «articoli»: *Litigio domestico, che mi fa scoprire innamorato il nostro Capo fino ad esibirmi le sue nozze* (CF 67).

Le registrazioni di comportamenti quotidiani, di oggetti d'uso, di reazioni prevedibili, insomma di tutto quanto di solito il romanzesco chiariano lascia presupporre al lettore omettendo ogni riferimento nel merito, si configurano anch'esse quali digressioni informative concrete funzionali alla sceneggiatura avventurosa, ma poste in secondo piano rispetto ai dati della pura azione. Di tipo analogo sono alcuni episodi abbastanza extravaganti caratteristici per il loro andamento non narrativamente ritmato ma blandamente resocontistico; nel *Serraglio indiano* le visite delle orientali residenti nell'harem a Rosnì e Rosbelle appena arrivate si confermano come momenti periferici rispetto alla vicenda principale. Anche «informare preventivamente chi legge dello stato interno dell'animo mio, da cui ne derivò allora l'alterazione bizzarra delle mie circostanze» (GL 9) è compito prioritario del digressivo informativo. «Per avverare il titolo, che ho posto alle medesime in fronte, sembrerà forse, che troppo poco abbia io detto di mia sorella» (DG, II 218): allo scopo di colmare le lacune di cui Chiari teme di essere accusato, nelle *Due Gemelle* lo scrittore corre ai ripari nell'ultimo capitolo, con un surplus di informazioni sulla gemella di Ninna. In modo analogo, per spiegare il sonnambulismo di Rosaura, l'integrazione di notizie è addirittura ricorrente.

Ma l'informare è indispensabile tanto all'avventura quanto al didascalico. La presentazione di Madama Tolot è un ottimo esempio di compresenza di avventura e divagazione in una digressione informativa che inizia dall'«astratto» e finisce nel «concreto» dello specifico narrativo. Prendendo le mosse da considerazioni «universali» e giungendo al soggetto dell'enunciato, Chiari collega avventura e commento sul piano della digressione informativa: «giacchè il Cielo m'ha posta per sua mercè sul gran teatro del mondo [...] Se la vita nostra è una scena, gli attori ne sono innumerabili [...] La maggior parte de' personaggi son mutoli, taciturni ed oziosi [...] Il numero più limitato è di coloro [...] Se nel numero di questi ultimi temerariamente io m'ascrivo non sia chi me ne faccia un delitto» (GL 2). Al contrario, il polo della vicenda e il polo della divagazione sono in netto contrasto quando il *climax* avventuroso è seguito da una sentenza esplicativa: l'episodio trova compimento su un diverso piano espressivo. Analogo diretto contrasto concreto-astratto si verifica ogni qualvolta la ragione del comportamento dell'eroe risiede nel valore morale che illustra. Nei romanzi di Chiari hanno molto spazio pure le generalizzazioni informative, tipologicamente collocabili a mezza via fra le divagazioni informative concrete e le divagazioni informative astratte: «non c'è virtuoso di ballo, o di musica che si esponga sopra una Scena al giudizio del Mondo, il quale se venga applaudito, non porti alle stelle il buon gusto de' suoi Spettatori, e non li tratti al contrario da stolidi, o da ignoranti se non ha la fortuna di meritarne gli applausi» (CF 30). Il valore emblematico del destino dell'eroe è sottolineato anche così.

Gli interventi commentativi del narratore mostrano le medesime caratteristiche degli interventi informativi. Se comunicano significati pertinenti alla vicenda sono tendenzialmente «concreti»; se divagano rispetto alla storia sono «astratti». A variare è ancora una volta il legame fra *plot* e commento: si va dall'integrazione all'indipendenza reciproca. In analogia alle digressioni informative, l'estensione degli interventi commentativi varia a seconda dell'impostazione analitica o sintetica. Quanto ai contenuti, prevalgono gli interventi ipotetici funzionali a indurre presupposizioni sulla psicologia del personaggio, i commenti critici, le considerazioni «filosofiche» e le interpretazioni. Nel terzo capitolo delle *Due Gemelle* è un commento analitico concreto a completare l'episodio dell'adozione di Ninna da parte dei due benefattori. Direttamente riferita all'esperienza raccontata, ecco la considerazione conclusiva: «ci vuol altro che spauracchi ridicoli di cose non mai vedute, e impossibili per allevare ubbidienti i fanciulli, come s'usa malamente tra noi» (DG 19). Il commento aderisce al *plot*. Al contrario, altrove il narratore sentenzia in modo disteso e con piglio assiomatico; in queste occasioni, il suo discorso è analitico ma astratto, indipendente da specifici agganci narrativi:

il merito personale è ordinariamente il nostro più terribile nemico, perocchè ognuno ne presume in se stesso, non lo conosce negli altri. Beato il Mondo, se bastasse di non dar molestia altrui per non averne dagli altri; ma le prave disposizioni degli uomini sono tali che vogliono oppressi gli altri per il solo timore di quella oppressione che ad essi minaccia l'altrui invidiata grandezza (CF 147).

Naturalmente, esistono delle vie di mezzo: molto spesso il commento è il luogo testuale in cui storia avventurosa e discorso divagante confluiscono, «concreto» e «astratto» finiscono per confondersi. Nella *Bella Pellegrina* una lunga digressione filosofica circa la vera natura dell'altruismo culmina nella considerazione di una situazione specifica, quella di Eugenia. L'esempio narrativo posposto illustra così la premessa generale: «con questo preambolo io m'accosto al gran passo, che tutta mi guadagnò la benevolenza della mia Principessa, e diede sua sola mercè un fine più lieto alle mie lugubri vicende» (BP, II 106).

La disposizione di commento e vicenda può essere invertita; la valutazione delle ragioni per cui Rosaura è licenziata dalla sua «truppa» conducono ad una riflessione analitica e astratta, collegata attraverso una catena di osservazioni ad un episodio ben preciso: «quanto è mai vero nel mondo, che di noi si prende giuoco la sorte, fuggendo quando le corriam dietro, e correndoci dietro quando fuggiamo. Cosa non avrei dato pochi momenti prima per impetrare questo congedo; e una bizzarria del destino me lo faceva adesso avere senza cercarlo» (CF 113). La massima libertà della parola del narratore si esplica nelle dissertazioni a tema (nella *Commediante* il *topos* del destino individuale come alternanza di felicità e dolori, di bene e di male), considerazioni avulse dal contesto, pause del suo dire avventurosamente orientato.

Ad un diverso tipo di generalità, invece, rinviano i passi metanarrativi. «Non spiacciano a chiunque legge queste sottili mie conghietture, perché troppo erano allora a me necessarie, e troppo sono ora giovevoli al leggitore per allettare, ed interessare maggiormente la curiosità sua col tenerla sospesa» (DG 144): con un momentaneo effetto di straniamento, ad essere tematizzato è proprio il rapporto del commento con il *plot*. Indicando al lettore l'atteggiamento appropriato rispetto all'avventura, i qualificatori sintagmatici del tipo: «*tragica* storia» (BP, II 180, c.vo mio) si possono considerare sintetici commenti concreti con una funzione metanarrativa, micro-commenti intessuti nella storia tramite sintagmi informativi. Quando il narratore racconta, identifica gli elementi del suo discorso (informando il lettore), e li qualifica valutandoli (li commenta per il lettore). Se gli esempi di commenti sintetici concreti sono frequentissimi, quelli sintetici astratti sono quasi altrettanto numerosi, nella forma dell'opinione lapidaria, della sentenza, del conciso ragionamento esemplare: «non ebbi di bisogno di estendermi lungamente su questo proposito; perocchè la verità ha un linguaggio, che convince senza argomenti; e chi ben ama è facile ad esser persuaso» (CF, II 12).

Le due componenti del romanzesco chiariano unificate nella figura del detentore del sapere affiorano dunque molto spesso nelle sue parole. Pur essendo ispirato alle due polarità in fondo alternative del concreto e dell'astratto, il discorso procede con strategie espressive a volte analitiche a volte sintetiche, conciliando vocazione al racconto e vocazione al commento. La mediazione avviene tra due spinte contrarie, la generalizzazione astrattizzante del racconto e l'individuazione soggettivistica del commento: in tal modo il narrativo confluisce nel saggistico e viceversa. Non senza residui: all'origine della disorganicità di queste opere si intravedono le istanze alternative del *docere* e del *delectare*; nei romanzi di Chiari i due piani espressivi privilegiati mantengono un margine di indipendenza, un fatto non privo di conseguenze. Anzitutto, il ritmo del testo è determinato non solo da quello tendenzialmente veloce dell'avventura e da quello assai più lento del discorsivo, ma dal gioco della loro variabile alternanza. La dicotomia storia-discorso influenza in secondo luogo la costituzione delle figure narrative: fra la fisionomia di un certo personaggio per quanto è desumibile dalle sue azioni avventurose testimoniate dalle affermazioni «concrete» del narratore, e il profilo che di quel personaggio è accreditato nei commenti astratti della divagazione, ci può essere uno scollamento. A scapito della sua integrità individuale, la nutrice di Eugenia manifesta una doppia coerenza, con gli attributi conferitele dall'avventura e con quelli predicati nel commentativo. Donna fedele e discreta, in una divagazione sul tema «le donne (in negativo) e la donna di spirito (in positivo)», mostra ben altra indole: «non so veramente in qual numero di queste tali, mettersi dovesse la mia Nodrice, perocchè donna non era di molta cultura, e peccava del pari in tutti gli estremi» (BP, II 27). Siffatta contraddittoria complementarietà fra strategie discorsive e narrative non è però soltanto un limite, anzi. I diversi richiami alla fisionomia del personaggio ne completano senz'altro l'immagine perciò meglio caratterizzata nonostante la disomogeneità assiologica di quei riferimenti.

La costituzione bicipite di questi romanzi comporta poi la non necessaria coincidenza dei temi dell'avventura e dei temi del discorsivo, un modo per arricchire non di poco l'universo della parola del narratore a scapito della sua coerenza. Se parecchi argomenti del didascalico sono estranei alla *fiction*, molti accadimenti rocamboleschi non richiedono alcun commento. Così, l'affermazione della necessità di attenersi al «giusto mezzo» si accompagna ad azioni spericolate; sottolineare il peso del passato personale sul presente non impedisce che il protagonista sia del tutto immemore delle sue esperienze pregresse. «Chi non viaggia per godere delle occasioni favorevoli, che gli si presentano, può starsene a casa sua, o viaggiare per minor suo dispendio, dentro un forziero» (GL 202): le esortazioni a viaggiare si sprecano (giova l'osservazione delle culture altrui, delle istituzioni politiche, degli usi e dei costumi) ma come Tolot tutte le eroine viaggiano sempre «dentro un forziero». Addirittura, la Viaggiatrice confessa: «eccomi quando men lo pensavo in necessità di passare a Parigi per sostenere sino alla morte il carattere di Viaggiatrice, che poco si adatta al genio mio, benché sia indispensabile alle mie circostanze» (V 75).

Avventura e commento possono naturalmente integrarsi in modo più funzionale. Richiamare in sede di commento fatti passati evita di dover operare delle inversioni temporali sul piano del racconto: «s'è già altrove accennato, che quasi subito casualmente chiamato [Brinville] alla cura del vecchio Imperadore indisposto, gli riuscì con somma facilità di sanarlo» (SI, II 160). La relativa indipendenza fra storia e discorso permette anche di posticipare informazioni capitali: solo nella seconda parte del *Serraglio indiano* si dice che «gli antichi fondamentali statuti della corona, e della famiglia [...] divietavano d'alzar al trono del gran Mogol qualunque straniera non fosse almeno indiana d'origine» (SI, II 74). Una consuetudine di non poco conto, narrando sostanzialmente il romanzo della concorrenza delle europee per ottenere la mano del Sultano, ben disposto di volta in volta verso ognuna di loro. Ma l'avventura e il commento vengono impiegati da Chiari anche per ragioni strutturali. Essendo rarissimo l'inizio del capitolo *in medias res*, quasi sempre la digressione funziona da collegamento retorico fra gli «articoli». D'altronde, l'avventura «ha una funzione ineliminabile in quanto prepara uno spazio adatto allo svolgimento dei diversi argomenti e costituisce il raccordo formale tra questi ultimi»[7]. Mancando la concorrenza funzionale di vicenda e commento, la divagazione diventa avulsa dalla storia e non di rado dilaga. Il racconto può invece configurarsi come una concatenazione di aneddoti divertenti, brevi ritratti collegati a singoli episodi, come l'«articolo» del *Serraglio* intitolato *Altra visita con altre avventure più dilettevoli delle precedenti* (SI 55). Allora, il «vuoto» lasciato dal

---

[7] D. Ortolani, *Note ad alcuni romanzi di Pietro Chiari*, in *Studi di filologia e letteratura II-III Dedicati a Vincenzo Pernicone*, Università degli Studi di Genova Istituto di Letteratura Italiana, Genova, Tilgher, 1975, p. 308.

commento comporta un sensibile incremento del ritmo dei fatti raccontati, l'introduzione di narratori di secondo grado, la moltiplicazione delle comparse e degli spostamenti: il narrativo senza il contrappeso del divagare commentativo subisce un'accelerazione rivelatrice. Senza il commento il romanzo è sbilanciato.

Nel complesso, storia e discorso veicolano istanze culturali ben diverse. Il polo dell'idealità e quello della concretezza avventurosa si contrappongono in modo evidente anche sul piano della definizione dei personaggi, i cui comportamenti sono a volte illustrativi di valori morali e a volte pragmaticamente utilitaristici; la concretezza delle azioni dell'eroe si oppone inoltre all'allusione alle sue oscure dinamiche psicologiche. Del resto, molte componenti caratteristiche dei romanzi di Chiari sono immediatamente percepibili in quanto discrepanti se non addirittura incongrue.

Nonostante tutto, però, si rimane colpiti dalla notevole uniformità di queste opere. Il punto è che l'universo romanzesco è impostato anzitutto tramite una serie di *input* microtestuali, qualcosa di simile a quello che accade nelle opere teatrali, in cui «il Mondo entr[a] in scena nella forma di *notizie*»[8]. Si tratta di segnali che richiedono di essere apprezzati nei termini della constatazione acritica, della presa d'atto: il racconto chiariano trova qui le sue fondamenta, come asserzione autoritaria in forma di notizia, di indiscutibile informazione parcellizzata. Il trattamento di questi segmenti testuali è uniforme, e li omologa conferendo loro la medesima perentorietà, si tratti dell'affermazione dell'esistenza di un dettaglio materiale, di una valutazione circa un personaggio o una situazione, dell'enunciazione di un principio. Poco conta che ad essere introdotto sia un ingrediente che non quadra con quelli già disponibili nel testo. Stupisce, ad esempio, l'improvvisa decisone della Viniziana di spirito di accettare di sposarsi per favorire il padre, pur non avendo mai manifestato il benché minimo interesse per il matrimonio e non amando affatto chi le chiede la mano. Non è meno sorprendente venire a sapere che il travestimento di Zaida da uomo non solo inganna i suoi interlocutori, ma porta la stessa Zingana a non sentirsi più «d'esser donna» (Z, II 206). Cosa dire poi della cinica perorazione di Tolot a favore del matrimonio di Raimondo e Felicita, i cui argomenti intrisi di opportunismo non

---

[8] A. Momo, «*Voi già sapete il resto». Appunti per una poetica del Chiari*, in «Problemi», n. 76, 1986, p. 78.

tengono in nessun conto il rapporto d'amicizia fra la Giuocatrice di lotto e la coppia, un discorso senza la minima considerazione per le loro personali ragioni?

Si tratta di casi diversi. L'episodio della *Viniziana* sorprende perché un nodo ad alta intensità drammatica non è sviluppato con lo spazio consono alla sua importanza: è un problema di proporzioni. Quanto alla Zingana, colpisce che il personaggio faccia sue le reazioni altrui, annullando così inopinatamente la coscienza di un'identità propria e autonoma: Zaida si dimentica di se stessa. Tolot, per parte sua, sacrifica la coerenza dei suoi rapporti interpersonali. La sproporzione fra gravità della decisione e leggerezza nel prenderla, il difetto di coerenza psicologica del personaggio e la mancanza di continuità delle relazioni interpersonali sono tutti aspetti tipici della particolare fisionomia del romanzesco chiariano, un paradigma organizzato secondo convenzioni diverse da quelle destinate a fondare la grande tradizione del romanzo moderno. Il narratore può introdurre modificazioni e nuovi elementi senza curarsi affatto della loro congruenza contestuale perché ciò che giova alla trama non deve allo stesso tempo fare i conti con l'indole dell'eroe, né le sue decisioni avranno ricadute specifiche su tutte le relazioni intrattenute con i personaggi interessati da quella decisione, e così via. Chiari supplisce a discontinuità come queste con una sottolineatura dell'autorevolezza del narratore e insieme con l'omologazione di molte fra le sue affermazioni, di merito assai diverso, ad omogenea serie di *input*. Un'autorevolezza indiscutibile, visto che le informazioni di chi racconta sono ben poche volte desumibili dai loro contesti di pertinenza.

Gli elementi minimali posti da Chiari alla base della sua strategia fabulatoria non riguardano solo il versante informativo dell'opera. All'atto di registrare gli eventi la parola di chi dice io molto spesso li qualifica: «tra la speranza, e il timore sbalordito, titubante, e confuso» (UM 309). Gli *input* sono allora valutativi: «tutti questi, e mille altri più *dolorosi* riflessi» (AI, II 117, c.vo mio). Naturalmente, la qualificazione può estendersi ben oltre la misura del commento sintetico concreto. «Misera me! che notte orrenda fu quella, e quanto forse ancora peggiori ne doveano per tutte due seguitare dappoi!» (SI 157): dato il peso della parola di chi racconta, l'esclamazione si configura come una vera e propria anticipazione.

Altrove, i segnali del narratore riguardano la qualità del testo. Senza l'opportuna specificazione, l'episodio del rapimento di Cristina dal convento assumerebbe una coloritura seria: «eccolo in breve, e ne rida chi legge, senza tenerlo più lungamente sospeso» (AI 173). La parola narrativa modifica l'effettivo tenore del passo accreditandone un'indole diversa. «La nuova mi rincrebbe [...] ma nello stesso tempo mi fece da ridere per la stravagante combinazione d'un tal contrattempo» (GL 187), confessa Tolot, ma del furto di denaro cui si riferisce ci sarebbe ben poco da ridere. La tonalità della pagina è segnalata al lettore anche indirettamente: «lo dico colle lagrime agli occhi [...] che la buona educazione della gioventù si trascura del tutto dentro l'Italia nostra, o non si conosce nemmeno» (DG 3). A fornire indicazioni circa la corretta disposizione sentimentale con cui guardare alla scena bastano quelle lacrime inattese.

NARRARE E DESCRIVERE

Nonostante i numerosi espedienti già inventariati di integrazione delle componenti fabulatorie, la contrapposizione fra il raccontare storie e il «fare discorsi» rimane una delle principali caratteristiche della grammatica narrativa chiariana, perciò ancora lontana dalla compiuta funzionalità del romanzo moderno. Una disorganicità rappresentativa evidente ogni qual volta si osservi la compagine testuale dalla prospettiva del personaggio, del narratore, dello spazio, del tempo. Invece, altre tecniche di compenetrazione fra narrazione e digressione sono «trasversali» rispetto a queste categorie fondamentali, poiché concernono l'istanza descrittiva, variamente compromessa sia con il *delectare* avventuroso, sia con il *docere* didascalico.

«Serbiamo l'esecuzione del nostro temerario progetto all'articolo seguente, onde poterlo più esattamente descrivere» (SI 22): nei romanzi di Chiari di descrizioni se ne trovano pochissime, ma il verbo «descrivere» compare infinite volte, ben più spesso di «raccontare» e «narrare». A giudicare dalle occorrenze e dal significato, si tratta di tre sinonimi, anche se allo scrittore non sfugge la diversa specificità della descrizione sia rispetto al narrare sia al divagare. «Scavalcarsi dovea nottetempo l'estremità di quel muro, al cui angolo di comunicazione cogli appartamenti nostri più bassi c'era una larga fessura dal tempo ingombrata d'erba, e di spine [...] Tra la muraglia suddetta ben alta, e le nostre più basse s'apriva un cortile non molto spazioso, il quale non ad altro serviva, che a dare del lume [...] *Senza di tutte queste particolarità non s'intenderebbe appena uno strano, e terribile avvenimento*» (SI 125, c.vo mio): la giustificazione è sintomatica non solo della coscienza dell'alterità della descrizione rispetto al narrativo. Il punto è che a rendere necessarie queste digressioni descrittive sono gli eventi: nell'avventura la descrizione non ha alcuna autonomia funzionale. «Ne darò in appresso una descrizione [del castello] meglio circostanziata, e precisa, troppo necessaria essendo a ben intendere le cose avvenute colà» (SI 174): gli aspetti dell'edificio messi a fuoco sono esclusivamente quelli connessi all'azione, gli sbarramenti e le vie di fuga: «muraglia [...] alta fossa [...] e delle porte del recinto esteriore stavano bensì giorno e notte guardate da sentinelle, e da corpi di guardia, ma aperte» (SI 175). Eventi ed esistenti non interagiscono fittiamente nell'*hic et nunc* dell'episodio romanzesco: spazio e tempo sono due categorie indipendenti, e infatti i pochi scenari descritti sono legati all'azione in termini di connessioni logico-causali.

In questi romanzi le pause descrittive più dettagliate riguardano scene statiche in cui i personaggi sono in posa, affreschi che impreziosiscono il testo, illustrandone visivamente alcune parti. Dedicate a scene di caccia, a regali abitazioni lussuosamente arredate, non solo per il tema richiamano l'*ekphrasis*, il genere classico concepito come esercitazione illustrativa e non come sussidio immaginativo, né quale supporto alla visualizzazione: «Tappezzate erano queste [quattro piazze] persino nel pavimento d'arazzi di seta col fondo d'oro filato, e rabescati in ciascun cortile a colori dall'altro diversi»; il trono era «alto quattro gradini da terra, tutti d'oro anch'essi, e circondati da una balaustrata sostenuta sul capo da ventiquattro leoni a sedere dell'altezza d'un piede e mezzo dello stesso prezioso metallo»; al culmine della scena

un largo soffà di drappo d'argento rabescato a fogliami pur d'oro, disseminato di brillanti, e smeraldi di varie grossezze considerabili, che brillavano come stelle. Da questo cielo scendeane un largo padiglione di stoffa d'argento ricamata a finissime perle, e sorgeane non meno all'alto [sic] un cimiero di vaghissime piume mescolate a grossi fiocchi cascanti di perle altresì, che prezzo non aveano, né paragone. Non altro in somma in tutta quella stanza vedeasi, che delle più rare pietre, e de' più preziosi metalli con tale profusione e, tanta, che facile non è da trovarsi unita presso d'un solo Monarca (per tutte le citazioni, SI, II 37-39).

116

Se nel caso dell'*ekphrasis* l'autonomia delle descrizioni dal circostante tessuto narrativo è relativa, tutte le volte in cui la descrizione risponde ad esigenze di carattere didascalico la sua indipendenza aumenta. Nell'*Amante incognita* l'articolata descrizione dell'abitazione della famiglia di Cristina procede dall'esterno all'interno, disegnando soprattutto le proporzioni geometriche del complesso: il perimetro costituito dal fossato, i due ponti levatoi, le quattro strade d'accesso alla collina, quindi l'abitazione, stanza per stanza. «Non s'intenderà troppo facilmente alla prima come fosse mio padre per sì gran modo amante delle figure circolari, o rotonde» (AI 13): la ragione di tanta geometricità è ben presto chiarita. L'abitazione è stata progettata come *imago mundi*: «essendo pertanto l'abitazione nostra una breve, ma fedele immagine del mondo tutto, quello era il libro, su cui m'erudiva con tanto diletto mio» (AI 14). Segue una puntigliosa rassegna degli affreschi allegorici a contenuto scientifico, astronomico, geografico, etnologico, indispensabili all'apprendistato culturale dell'eroe. «Ecco gli oggetti, che mi si presentavano in ogni angolo della casa, e mi facevano in essa aver cognizione, e goder del Mondo tutto, senza uscirne giammai» (AI 16): l'architettura della casa e i suoi arredi interessano solo in quanto rappresentazione metaforica del sapere contemporaneo. Ma il significato della descrizione può rimandare anche all'etica: «e d'uno spettacolo ci godemmo, che mi restò lungo tempo alla memoria presente. Dall'una, e dall'altra riva di quel vastissimo fiume non si vedeano, che maestose foreste, e sulle annose loro grossissime piante pareano un formicajo le scimie» (SI, II 126). Lo spettacolo offerto dalle scimmie ai naufraghi è degno di nota per il suo insegnamento morale: «a forza sclamai: quanti uomini, e donne non conosco io nell'Europa più bestie insensate, o furiose, che non lo sono queste umane figure abitatrici delle boscaglie dell'Africa» (SI, II 127).

Dunque, Chiari non percepisce l'importanza della descrizione anzitutto perché i suoi racconti prescindono da una contestualizzazione spazio-temporale. A riprova, nell'avventura la geografia è ridotta alla menzione del nome dei paesi, presentati invece con notizie geografiche, naturalistiche ed etnologiche anche piuttosto dettagliate in ambito saggistico. La solidarietà fra scenario e sua descrizione non è dunque intrinsecamente finzionale, ma *tematica*: l'appello è rivolto al desiderio riflesso di conoscenza del lettore e non alle sue spontanee esigenze immaginative. È una divaricazione che conferma la caratteristica *discontinuità* di questi romanzi, visibile pure nella frammentazione in segmenti autonomi dell'esistenza passata-presente-futura dell'eroe e nella mancanza di percezione unitaria di sé nel divenire da parte del personaggio. Le pause descrittive inserite nella narrazione, lungi dall'integrarla funzionalmente, *annoiano*: la loro collocazione ideale è nel discorso didascalico. Ma il descrittivo non si esaurisce in questi passi dislocati nel commento: l'avventura accoglie infatti elementi parcellizzati e disseminati, *input* microtestuali di carattere descrittivo di cui è intessuto il dire del narratore autobiografico: «un fuoco, *che mi divampò sulle guancie*; un gelo, *che mi corse insieme per tutte l'ossa*; un tremore *da capo a piede della persona tutta*, che solo mi distingueva da una statua di sasso, sono tutti effetti troppo credibili, ma non abbastanza espressivi di quella mia stravagante sorpresa» (AI 74, c.vi miei). Qui la narrazione si fa *qualificativa* e il discorso mostra un'indole descrittiva. All'assenza di un descrittivismo moderno collocato in sedi appropriate fa dunque riscontro un resocontismo onnipervasivo.

Come surrogato della descrizione, Chiari utilizza certe forme narrative ad alto tasso di informazione: rassegne analitiche delle intenzioni dei protagonisti, correlazioni esplicative del nesso fra obiettivi del personaggio e mezzi per conseguirli, argomentazioni circa quel che potrà accadere. In fondo, l'obiettivo consiste nell'ottenere l'identificazione dell'oggetto avventuroso e nel perseguire la maggiore precisione possibile, da intendersi come surrogato del descrivere. Quanto più l'identificazione è circostanziata, tanto più l'effetto è evidente: la quantità di informazione concorre all'individuazione. Per la stessa ragione Chiari ricorre volentieri a ragionamenti che valorizzino la vocazione descrittiva dell'ipotetico.

Mettendomi ne' panni loro, io trovava una tale separazione sì amara, che voluto avrei poterla impedire al duro costo ancora di qualunque mio sagrifizio. Sebbene la compagnia di Donna Alvida m'era sì opportuna, e sì cara, che non era possibile di trovarne l'eguale, io mi sarei ridotta a farne di meno, perché ne godesse Milord in mia vece quanto era dovere; ma Milord al dover suo sagrificar volle assolutamente la sua tenerezza. L'una cosa coll'altra combinarsi potea, se Milord fosse stato in caso di venire anch'egli di là dal mare con noi, e tenersi in compagnia nostra, o per lo meno in poca distanza (AI, II 109):

chi racconta descrive situazioni, rapporti di forza interpersonali, intenzioni soggettive, desideri e moventi. Un altro sistema per ottenere la presenza e la concretezza proprie delle descrizioni consiste nell'impostare una scena in modo teatrale. Dopo essere svenuta dicendo addio a Dombres nella camera d'albergo, Cristina assiste al discorso magnanimo del padre; «terminando egli di ragionare, m'avea volte immediatamente le spalle, e con tanta celerità era uscito da quella stanza, che nol vidi appena, e disparve come farebbe il baleno» (AI 78). Senza l'impiego di supporti descrittivi, il taglio teatrale dell'episodio conferisce evidenza alla situazione, un effetto conseguito pure con il presente storico e tramite i monologhi recitati dell'eroe, esemplati sull'andamento retoricamente impostato delle prediche:

chi vide mai sette giovani donne più di noi in sì barbaro caso disperate, e stordite? Mezze spogliate, come eravamo, stando per mettersi a letto; senza un quattrino in dosso, non essendo quella l'ora d'averne, senza nemmeno una forbice, che alla onestà nostra servir potesse di qualche difesa. Che tentar può tutto lo spirito della terra quando sia disarmato? Gran perizia in un istante della nostra traditrice fortuna! poc'anzi ricchissime più del bisogno, ed ora ignude, e mendiche! Jeri Principesse, e schiave oggidì della feccia la più villana di tutta la terra! (SI, II 52).

La difficoltà del dare «presenza» ad un oggetto senza descriverlo è poi aggirata da Chiari tramite la sua ostentazione da parte del personaggio. «Vi piace *questo* mio mantiglione? Venuto egli è da Parigi, che non ha molto. Che vi pare sinceramente?» (SI 45, c.vo mio): il dimostrativo accresce l'icasticità del gesto. Particolare risalto acquistano i pochi oggetti concreti non servili registrati nell'azione avventurosa («m'allaccio frettolosamente alla cintura le vesti, mi traggo le calzette, e le scarpe, e con esse parimenti ai fianchi legate salto precipitosamente nel fosso» SI 62), e soprattutto gli elementi corporali, che colpiscono l'immaginazione: «vedendo colà entro un uomo per terra disteso nel proprio sangue, che largamente spargeva per due ferite [...] pallido, palpitante, e sfinito, non dava segno alcuno di vita» (CF 23).

Anche nelle migliori occasioni, si potrebbe dire che il risultato delle descrizioni chiariane non si allontana da quello delle più efficaci ipotiposi: evidenza e non concretezza, presenza e non radicamento in situazione, nitidezza e non plastica icasticità. Comunque, si tratta di effetti unidimensionali, non di immagini stratificate su molteplici piani prospettici. Una tendenza che si spiega con la predilezione per l'astratto, un'altra ragione per cui Chiari non dà importanza alla descrizione. Basta considerare la progressione con cui viene descritta l'isola dell'*Uomo d'un altro mondo*. All'indicazione del suo orientamento cardinale fa seguito il resoconto della forma, le misure principali, la sua orografia, l'elenco degli animali e delle piante locali; si passa quindi dall'ambito del naturale alle opere dei personaggi (i manufatti, l'abitazione), ai loro usi e costumi. La «breve digressione» (UM 248) è condotta con ordine sistematico dal generale allo specifico, dall'astratto al concreto, dal naturale al «culturale», secondo una disposizione propriamente antiromanzesca, ispirata al discorso trattatistico e didattico. Tale ordinamento non fenomenico è caratteristico. La descrizione della stanza di Don Graziano identifica un certo numero di oggetti servili alla vicenda, ed è presentata come occasione per concepire un'immagine astratta, non una realtà materiale concreta e individuata: «chi volesse formarsi in mente l'imagine al naturale del Caos [...] bisognerebbe che veduta avesse la stanza» (GL 176). Molto spesso gli oggetti vengono indicati non in qualità di individui ma di famiglie: il padre adottivo di Ninna la «obbligava a riflettere sopra i fiori del prato, sopra gli insetti, e gli uccelli dell'aria; sopra i gatti, i cani, i cavalli, le pecore, i buoi, e gli altri animali tutti di casa» (DG 21). I segnali rivelatori della tendenza al generale sono anche altri. Incapace di rappresentare personaggi calati in un contesto intersoggettivo, Chiari ne descrive le caratteristiche collettive, si sofferma sugli aspetti del gruppo. Dopo avere presentato sinteticamente i singoli componenti della «Truppa Comica del Signor di Marbele» (CF 126), la descrizione riguarda l'intera compagnia e non gli individui che la costituiscono: «una Truppa di Comici è qualche cosa più, che un'unione di persone» (CF 129). La predilezione per il tipico a scapito del concreto è una tendenza evidente nei resoconti di esperienze complesse:

colà in America [...] non altro pensava che a pascere la curiosità mia col vedere delle regioni non più vedute, ed in esse ammirare le nuove, e non poche meraviglie della natura, che mi presentavano nell'immenso lor giro. Per quanto ne fossero colà incomodi i viaggi, e disastrose le strade, veder io volli i fiumi vastissimi, le ricche montagne, e le selvaggie nazioni immense, che distinguino quella parte del nuovo Mondo, di cui due secoli addietro non s'avea nemmeno notizia (DG, II 149-150).

La messa a fuoco ravvicinata evidenzia l'incapacità di descrivere specifiche individualità localizzate nel tempo e nello spazio: «lo circondavano d'ogni parte de' folti boschetti odorosi [...] C'erano in essi abbondantissimi gli animali terrestri, e volatili, de' più domestici, come lepri, daini, conigli, cigni, pavoni, fagiani, tortore, galli, galline indiane, con altri uccelli, polli, e quadrupedi non conosciuti in Europa, che si moltiplicavano a dismisura» (SI 110). L'antirealistico principio di selezione della realtà rappresentata poggia su una convinzione: tutto ciò che è «normale» non merita alcuna attenzione. Al contrario, vale la pena di proporre a chi legge soltanto ciò che esula dall'ambito esperienziale medio del pubblico: «la strada da Bologna a Firenze è sì nota all'Italia tutta, che soverchio sarebbe, se più del bisogno mi diffondessi a descrivere quanto sia montuosa, stretta, boschereccia, precipitosa, e deserta» (DG 55). In una raffigurazione di questo tipo, il rapporto dialettico fra il testo, le induzioni e le presupposizioni del lettore è ben poco necessitato. A parziale correttivo di un impianto così altamente imprevedibile, lo scrittore bresciano introduce alcuni espedienti.

Anzitutto, i suoi romanzi pullulano di ipotesi eterogenee molto articolate e protratte per più pagine: prefigurazioni di desideri dell'eroe, resoconti dettagliati, piani d'azione e progetti, previsioni analitiche delle condotte altrui. Tali ipotesi previsionali molto strutturate tracciano le linee-guida delle aspettative del lettore. In secondo luogo, Chiari non offre al suo pubblico descrizioni di fatti, oggetti, ambienti, sulle quali il lettore eserciti la sua sintesi valutativa: la pagina presenta direttamente tale concettualizzazione per conto di chi legge. In questi casi la mediazione del narratore è molto forte: «la cerimonia ebbe del magnifico, del popolare, e dello strepitoso incredibile; ma insieme dello stravagante, del barbaro, e del ridicolo» (SI, II 155). Qualificata la categoria di oggetti, sta al lettore figurarsi l'individuo. «La stanza, che mi fu assegnata [...] era per verità piuttosto angusta, mal in ordine, e miserabile» (DG, II 17): nella sua fantasia, ognuno è libero di allestire questa stanza come crede.

LA «MACCHINA DEL DISCORSO»

Sia che il narratore racconti storie avventurose sia che «faccia discorsi», le modalità del suo dire sono sostanzialmente due, due gli atteggiamenti con cui si dispone verso gli eventi e gli esistenti di cui riferisce. L'atteggiamento constatativo (appropriato a chi imposta una *fiction* raccontando storie avventurose autobiografiche) e l'atteggiamento possibilista (tipico invece del discorso saggistico, appropriato alla dissertazione, alla predica). All'indicativo («che designa l'unicità») ecco avvicendarsi il congiuntivo («che designa l'alternativa»[9]). Tramite l'ipotetico è evocata la psicologia dei personaggi, e per mezzo di formule dubitative la strategia narrativa perseguita da Chiari stimola continue interpretazioni provvisorie da parte degli eroi, sempre intenti a razionalizzare comportamenti bizzarri e situazioni incredibili. Al punto che la ricostruzione definitiva dei fatti consiste semplicemente nell'ultima fra le ipotesi interpretative formulate nel testo. La dialettica libertà-necessità impostata nei romanzi si esplica dunque in continue alternative ipotetiche ai vincoli stringenti di una trama in cui *tout se tient* fin nei minimi dettagli. In questo senso, al possibile fa riscontro l'ineluttabile, che il narratore si limita laconicamente a constatare, giusto l'impianto a posteriori, memoriale, del racconto. Quella complessità negata alla vicenda dalla sua conduzione assolutamente monologica e necessitata a priori è invece allusa dalle avventure del possibile, avventure peraltro racchiuse sempre nell'ambito di una molteplicità relativa, finita e chiusa artificiosamente. Rispetto al modo della realtà, a prevalere è quello dell'eventuale: il frequente ricorso al probabile invece che al certo bilancia la perentorietà della parola di chi racconta.

In astratto, l'atteggiamento constatativo dovrebbe riguardare fenomeni passati e presenti rispetto al momento dell'enunciazione, a differenza dell'opzione possibilistica, in grado di proiettarsi anche nel futuro. Nei romanzi chiariani, però, questa asimmetria è disattesa: in un'opera autobiografica in cui il punto di vista oscilla di continuo fra l'«allora» del personaggio in azione e l'«ora» dell'autobiografo, propriamente il futuro non esiste, e tutto ciò di cui si parla appartiene al passato. All'ignoranza dell'eroe si contrappone sempre la sapienza del narratore: «arrivò quel sospirato momento; ma non l'avrei forse sospirato così, se preveduto avessi» (AI 24). L'esperienza di chi racconta è già maturata, e non si ha mai la sensazione di assistere ad una rappresentazione *in fieri* dagli esiti davvero imprevisti.

Incrociando le due componenti fondamentali dei romanzi di

---

[9] S. Ceccato-B. Zonta, *Linguaggio consapevolezza pensiero*, Milano, Feltrinelli, 1980, p. 158 per entrambe le citazioni.

Chiari – la componente narrativa e quella didascalica – ai due atteggiamenti principali di chi racconta, constatativo e possibilista, si ricava un quadro delle combinazioni modali del discorso romanzesco. Se l'ambito del narrativo pertiene soprattutto agli accadimenti, l'ambito del commento fa piuttosto riferimento alle idee. In generale, l'atteggiamento constatativo tematizza oggetti, azioni, fatti, esiti di conflitti psicologici, principi di comportamento, insomma entità finite, discrete. Al contrario, l'ipotetico realizza verbalmente entità continue. Veicola catene di accadimenti prevedibili ma non perciò destinati di sicuro a verificarsi, oppure discorsi riferiti alla psicologia, ai sentimenti, alle motivazioni, allusivi appunto per via ipotetica alla genesi delle azioni costituenti l'avventura di cui il narratore prende invece atto con piglio positivo. D'altra parte, l'atteggiamento di chi si limita a constatare comporta sul piano dell'espressione un andamento dichiarativo e affermativo del discorso, un procedere sintetico inerente all'individualità. Il modo di porsi possibilista, invece, procede come un discorso ragionativo, interpretativo, con un piglio analitico che fa riferimento alla molteplicità. All'asserire si alterna il dubitare. Sul piano della fisionomia espressiva del testo, tutte queste combinazioni di atteggiamenti rappresentativi astratti si esplicano, a prescindere dai contenuti, in un numero piuttosto ristretto di «forme modali» ricorrenti.

Al fine di descrivere con maggiore chiarezza e più nel dettaglio queste forme modali è opportuno rielaborare la tipologia abbozzata, ricavandone un modello ulteriore, da immaginare come una «macchina del discorso». Una macchina produttrice di discorsi romanzeschi all'interno della quale si verificano le combinazioni fra i quattro atteggiamenti rappresentativi individuati, constatativo e ipotetico, narrativo e commentativo. Le principali mediazioni prodotte dalla macchina si possono immaginare come tre fasi. La prima fase, imprescindibile, è quella *constatativo narrativa*; la seconda, commentativa, si articola in due momenti, quello *commentativo constatativo* e quello *commentativo ipotetico*. Terzo e ultimo passaggio, l'*ipotetico narrativo*. La seconda e la terza fase si esercitano entrambe sui testi prodotti dalla prima, ma ovviamente il discorso romanzesco può fermarsi al primo stadio, o ai primi due, oppure può includere l'intero tragitto testuale, fino alla terza tappa.

Gli elementi informativi pertinenti alla vicenda riportati da un'enunciazione positiva, di «grado zero», insieme ai momenti più schiettamente narrativi e avventurosi, costituiscono il prodotto imprescindibile della «macchina del discorso». Tale base fabulatoria corrisponde al primo stadio della macchina, quello *constatativo narrativo*. Le forme modali tipiche di questa fase sono tre. Anzitutto i frequentissimi *riassunti*:

della morte del principe Muleaffe non s'avevano che degli indizi confusi [...] Era verissimo quanto mi era stato detto da Madama Queville della Sultana Sefira, e della schiava sedotta a supporsi sua figlia [...] Il colpo non era riuscito quale premeditato l'aveano; perocchè Sefira non era assistita soltanto dalle qualità sue personali; ma in favor suo militava contro del Califo medesimo l'autorità di suo padre. Quando fu ella accusata presso d'Arenfeb d'aver avuta dal Principe Zelocuf una figliuola, e trasse avanti questa figliuola medesima a sostenere i suoi diritti, il credito d'Ibraimo padre di Sefira arrivò a segno di far tremare il suo Sovrano, e poco mancò, che una tale accusa non costasse al Califo la vita. Nella Corte ci furono de' torbidi così funesti, che per sedarli senza spargimento di sangue, bisognò allontanare la nuova favorita d'Arenfeb, e guai alla supposta figliuola di Sefira, guai a mia madre medesima se colla fuga dall'Egitto non si mettevano in salvo. La loro evasione dispiacque del pari a Sefira, e ad Ibraimo suo padre (Z 196-197).

In secondo luogo vanno registrati i *riepiloghi*. D'indole commiserativa («eccomi adunque per mia sola colpa rimasta orfana de' parenti miei [...] Eccomi fino a quegli anni allevata quasi per carità da persone straniere» AI 57-8), ottativa («avesse almeno la cieca fortuna [...] Fosse almeno» AI 157-158), oppure interlocutoria: «combinando la venuta della Contessa [...] mi cadde in sospetto, che potesse esser egli lo sposo, a cui mi destinava mio padre. Se ciò non era, perché mai [...] Perché m'aveva detto mio padre d'aver per me pronto uno sposo, quando [...] E perché al fine farmi l'invito [...] di raggiugnere [sic] la Contessa [...]» (AI 50-51). In terzo luogo ecco i *consuntivi* di aggiornamento: «una perpetua separazione dal Principe [...] la Contessa di Keit [...] il Barone di Meltz [...] il Duca N.N. [...] che dirò poi d'un Principe così adorabile» (AI 108), tutti soggetti cui segue una proposizione relativa esplicativa. Ovviamente, per la tipica elasticità che le è propria, ogni forma modale può comunicare contenuti molto diversi: un riepilogo di accadimenti ha una funzionalità ben differente da un riepilogo di pensieri, essendo l'uno d'indole cognitiva, l'altro psicologico, l'uno costituisce un provvisorio riallineamento delle fila narrative, l'altro qualifica lo stato d'animo del personaggio. In ogni caso, l'intento di chiarezza comune a tutte quelle forme modali traspare nelle frequentissime locuzioni connettive del tipo «voglio dire» (VS 201); «vale a dire» (VS 202) che le costellano.

Sia il *commentativo constatativo* sia il *commentativo ipotetico* si realizzano tramite le medesime forme modali: alle vere e proprie *massime* si alternano le *affermazioni lapidarie*: «di tanti insegnamenti era troppo naturale che in un animo giovanile, e focoso si accendesse la voglia di sperimentarne gli effetti. Le passioni del cuore umano si risvegliano non di rado [...] Le voci della natura dentro di noi non tacciono mai» (AI 22). La *glossa* è introdotta non di rado con la funzione moralistica di salvaguardia del decoro: «lo intenerì a segno di farlo uscir di sé stesso per gettarmi al collo le braccia, e stringermi al seno. All'età sua piuttosto avanzata, e al carattere di Padre, che meco aveva sostenuto mai sempre, non erano troppo disdicevoli questi trasporti» (CF 65). Superata una certa misura, dalla glossa si passa al *commento*: «dalle cose udite pocanzi era evidente, che [...] che [...] che [...]» (AI, II 4). Quando sia evidente la sua funzione esplicativa, il commento diventa *traduzione* o addirittura *parafrasi*. Le traduzioni del senso di molti episodi hanno forma ipotetica («se le donne facessero tutte così ne' piccioli affari della loro giurisdizione domestica, avrebbero più sudditi, a cui poter comandare, e con più ragione potrebbero intitolarsi Regine» Z, II 148) e asseverativa. «Ecco in due parole, Madamigella carissima, l'interpretazione delle promesse mie, e de' vostri rifiuti» (CF 93), è la premessa ad un lungo passo. Naturalmente, la parafrasi, la traduzione e il commento assolvono pure il compito di sottolineare, metadiscorsivamente, la funzionalità delle strategie argomentative dell'eroe:

so che non s'aspettava egli una tale proposizione, e non mi sono ingannata. La sospensione sua, e il suo lungo silenzio me ne convinsero assai. Di fatto io aveva posto tra Scilla, e Cariddi, colla necessità, dirò così, d'affogare, o di bere. Quello che gli domandavo era un atto di convenienza da cui dispensarmi non potea tutta la sua autorità. Quello che gli accordavo era un attestato d'ubbidienza, di cui dispensarmi potea il mio solo capriccio. Non c'era mezzo per lui, se voleva essere coerente a sé medesimo, e sostenere su quella Scena che io giudicai da Commedia dal principio fino alla fine lo stesso carattere. Vide ben egli la difficoltà del passo strettissimo a cui l'aveva menato (CF 79-80).

Continuando a procedere dal sintetico all'analitico, va menzionata la *divagazione*, sia constatativa sia ipotetica, forma modale frequentemente adottata da Chiari e quasi del tutto emancipata dal constatativo narrativo. Infine, vere e proprie alternative a intere porzioni di trama sono quelle prodotte dalla terza fase della «macchina», quella *ipotetico narrativa*: «buon per me, che colà non si vedeva nessuno fuorchè i due domestici nostri [...] Le inquietudini mie sarebbero a dismisura cresciute, se veduti avessi degli altri [...]» (AI 23). In questo modo, seppure in via del tutto possibilistica, le avventure dell'eroe si moltiplicano ulteriormente rispetto alle vicende portanti del romanzo, riconducibili al momento *constatativo narrativo*.

Se la prima fase della «macchina del discorso» dei romanzi chiariani, quella *constatativo narrativa*, ha il compito di impostare i dati informativi di base, il *commentativo constatativo* assolve un incarico di inveramento di quei dati all'insegna dell'univocità disambiguante. Invece, sia il momento *commentativo ipotetico*, sia la fase *ipotetico narrativa*, tendendo a problematizzare e a moltiplicare le informazioni narrative di base, introducendo nuovi elementi: «supponiamo per un momento, che ciò non sia» (BP, II 21). Quanto ai rapporti di implicazione fra le tre parti della «macchina», senza la fase *constatativo narrativa* non si danno le due successive, che si esercitano su enunciazioni asseverative. Il commento si occupa sempre di un tema già enunciato, e la fase *ipotetico narrativa* non può prescindere dal piano dell'enunciazione constatativa. Fra loro indipendenti, dunque, possono essere il testo constatativo narrativo rispetto al commento e all'ipotetico narrativo, oppure questi due ultimi momenti l'uno rispetto all'altro. «Io certamente ho fatte dal canto mio tutte le diligenze possibili, per non lasciare oscurità alcuna nelle mie narrative» (Z, II 143): nei romanzi di Chiari l'intento basilare di chiarezza non è mai disgiunto da una volontà di problematizzazione dei dati della storia e di quelli del discorso, anche se tale volontà trova il suo limite invalicabile nell'esclusione sistematica della possibilità di combinare il commento per ipotesi e l'ipotetico narrativo.

Certo, il modello fin qui esposto non contempla alcune ulteriori variabili di non poco conto. Anzitutto, a cambiare è la fonte delle notizie elaborate dalla macchina, il collettore primo del discorso. All'autorevole parola del narratore si aggiunge la narrazione di secondo e terzo grado; il discorso riportato si alterna a quelli diretti e ai recitativi dei personaggi principali. Il fatto è che tutte queste famiglie di parole sono caratterizzate da una forte omogeneità espressiva. Rivolgere l'attenzione alle modalità romanzesche permette di individuare il fondamento di tale uniformità, elemento emblematico dell'infelicità artistica dei romanzi di Chiari secondo la critica; il carattere monocorde del loro linguaggio dipende dalla ricorrenza delle stesse forme modali nei discorsi di chiunque. È qui l'autentica coerenza del dire degli eroi e del narratore, e di tutti i discorsi proferiti nei romanzi, una coerenza strutturale che rimanda ad esigenze extraromanzesche. Il baricentro del dire dell'eroe, analogamente a quello delle parole della comparsa, non sta nella personalità, nel carattere, nella storia culturale e nella biografia dell'individuo, ma rimanda alle opzioni generali del discorso romanzesco impostato a priori dall'autore. Constatare, ipotizzare, interpretare le informazioni che danno vita al testo vuole dire imporre loro una prima forma modale, una forma dei dati costitutivi il romanzo non narrativa ma di carattere «retorico», una *dispositio* organizzata in figure generali sulle quali Chiari imposta poi la sua *elocutio* ispirata alla corrispondenza simmetrica. Così, le figure modali funzionano come categorie appercettive tanto nel racconto quanto nel commento, e danno espressione sia al dettaglio narrativo sia alla *quaestio* d'indole teorica.

A conferire uniformità testuale ai romanzi concorrono anche altri fattori. Se da un lato la pervasiva orditura retorica dell'opera smussa le differenze fra avventuroso e didascalico, in fin dei conti movimenta il testo scandendolo in partiture piuttosto varie. Le perorazioni, i discorsi epidittici, le accuse argomentate sono invece tipi di passi ricorrenti: gli inserti oratori contraddistinguono sia i discorsi dell'eroe sia quelli del narratore. Sono tutti passi molto simili a tanti brani delle prediche, soprattutto quelli deprecativi, quelli ispirati all'*indignatio*, le accorate richieste di perdono. I luoghi insomma di più forte suggestione.

Nel complesso, le tecniche deputate a configurare la compagine testuale sono quelle dell'antica arte del discorso persuasivo, elevata a tecnica principe di organizzazione del racconto. Spetta alla retorica dare forma alla pagina: l'omologazione del narrativo e del discorsivo è ottenuto tramite forme semplici di strutturazione del testo. A fondare la grammatica narrativa chiariana all'insegna della chiarezza, dell'evidenza contrastiva e della semplicità è innanzitutto l'opposizione binaria: «a formarne in due parole il carattere, posso dire con verità che quanto era mio padre capace di tutto, altrettanto non era ella [la madre] buona da nulla» (CF 22). Anche le fisionomie dei personaggi, molte volte presentati in coppia, sono antitetiche, e analogamente la dissimulazione gioca fra «interno» ed «esterno» di un eroe le cui emozioni sono quasi sempre costruite per contrasto. Personaggi sovente alle prese con situazioni dilemmatiche («alternativ[e] funest[e]» GL 33), interpreti di storie che procedono per ribaltamenti paradossali: «il Cielo destinata aveva Bettè ad esser più d'una volta la mia salvezza, ma poco mancò, che io non fossi a questa volta destinata ad essere la sua morte» (VS, II 53). La vicenda si sviluppa per alternative «secche» («se conoscete i pregi d'una vera virtù, o lascierete d'amarmi, o mi metterete in istato di potervi riamare senza rossore» VS 21) e per risoluzioni antitetiche: «se amate vostra Madre, e vederla non volete morir di dolore, o maritatevi a vista della presente, o promettetemi nella risposta di restituirvi a Milano al primo mio cenno» (VS, II 183).

Gli stessi ingredienti di base dei romanzi, del resto, sono organizzati in coppie oppositive, a partire dal binomio narrazione-commento e dall'impostazione manichea del narrativo. La pagina abbonda di figure di alternanza, di ripetizione, di ribaltamento («se rovesciate egli non avesse co' piedi all'insù le costumanze» AI 55) che scandiscono l'uniformità dell'espressione e strutturano l'unilinearità della vicenda. Figure che organizzano per opposizione simmetrica il destino degli eroi: al padre di Milord «non bastava di togliermi al Figlio suo, ma castigarmi inoltre voleva della mia supposta passione con un Matrimonio, che mi facesse altrettanto rossore, quanto io pretendevo con quello di suo Figliuolo di sollevarmi superbamente sopra me stessa» (VS 107). Chiari privilegia il bianco e nero a scapito delle sfumature chiaroscurali, le figure analitiche a quelle sintetiche (le metafore, le metonimie), molto rare. Fra le figure di ripetizione risalta la figura della «casistica», un modo ricorrente di organizzare il discorso del narratore. «Esaminando [...] tra via il progetto del mio abboccamento col Principe [...] lo trovai pericoloso non poco. Se volevo a lui presentarmi in qualità di Milord Dombres» (AI, II 17): la prima ipotesi di Cristina avvia un elenco di eventualità lungo due pagine. Non vale la pena di esemplificare, tanta è la loro frequenza, per quanto riguarda le ripetizioni isocole di parola («il carattere del Duca esser non poteva più violento, più fallace, più instabile, e più interessato, e crudele [...] Per lo contrario il Principe Ernesto era d'un carattere sì dolce, delicato, sincero, virtuoso, e benefico» AI 105) che trovano il loro corrispettivo sul piano della storia nella ripetitività delle esperienze dei protagonisti. Lo stesso vale per i chiasmi («sarà sempre vero, che [...] ma vero sempre non è, che» AI 104), le anafore (l'anafora è la figura principe del discorso riportato: «sappiate, Signora mia, che [...] Sappiate che [...] Sappiate per ultimo, che» BP 13), i frequentissimi parallelismi, i giochi di parole. «L'amare chi non ama è altrettanto impossibile a giudizio mio, quanto lo è il non amare chi ama» (VS, II 10): un significante frastico costruito per analogia nasconde due significati opposti.

A fianco di questa spinta «orizzontale», di questo intento enumerativo, è presente nei romanzi di Chiari una spinta «verticale», nella forma della generalizzazione, la via prediletta per passare dal narrativo al commentativo:

il suo naturale [di Rosalba], che si confaceva poco col mio, mi dava de' frequenti motivi d'altercar seco lei, la dove la mia prevenzione in favor del fratello mi faceva approvare quanto egli facea, e sostenere le sue ragioni a fronte della Sorella medesima. Al cor d'una donna non ci voleva di più per averla contraria. La vanità nostra fa che ci crediamo infallibili, e dove ancora falliamo non soffre di sentirne i rimproveri. Ecco la prima origine de' dissapori (GL 10).

Ma i tropi dell'*elocutio* organizzano pure il destino degli eroi, la retorica governa i contenuti e i significati narrativi. «Colla nascita sua morì, *sto per dire*, ogni mia contentezza» (Z 29, c.vo mio): a modellare qui il destino dell'eroina è un ossimoro. Altrove, un gioco di parole riassume l'indole di un personaggio, svelando il senso altrimenti incomprensibile della sua condotta: «Romer non ha l'eguale per fedeltà, e per amore tra' domestici tutti, perocchè ha saputo esser a voi fedele senza essere infedele a se stesso» (AI 75). Anche i dialoghi e i monologhi sottostanno alle medesime regole di organizzazione del discorso romanzesco. Il procedere dicotomico delle parole di Jago è emblematico («o volete, o non volete Don Alvaro per vostro marito. Se nol volete [...] e se lo volete» AI 201-202), e i discorsi riportati mostrano una trama retorica di carattere partitivo molto evidente: «prima che ella me ne facesse alcun motto, le dissi, ch'era venuta [...] che questo marito suo era un uomo della tale età [...] delle tali [...] e del tale [...] ch'egli era [...] che a me era [...] ma che non [...] che al paro [...]» (Z 160-161). Ma la casistica è più articolata. Se nell'ambito della rappresentazione della psicologia il discorso fra sé e sé funziona in chiave di autoanalisi allusiva («io dissi subito, tra me medesima, ecco» Z 158), il monologo pertiene piuttosto alla dimensione recitativa. Nell'avventura e in concomitanza con i momenti «forti» della vicenda, il discorso dell'eroe tende al tragico. Le scene melodrammatiche di derivazione teatrale utilizzano invece alcuni spunti gnomici: Rosnì, dinnanzi all'Imperatore, «se gli getta a' piedi piangendo, ed a forza da lui sollevata, e fattosela sedere appresso, prende a dirgli così [...]» (SI, II 102), e quindi: «tornava qui la supplichevole ad abbandonarsi alle umiliazioni, ed al pianto: ma rialzolla l'Imperadore commosso: e l'acchetò promettendole, che sarebbe esaudita» (SI 103-104). La differenza fra monologo e dialogo non è però evidente quanto ci si potrebbe aspettare: i dialoghi si presentano spesso come successione di due monologhi fortemente strutturati. Allo scopo di mantenere un legame fra gli argomenti, garantito nel dialogo moderno dall'alternanza di brevi battute, Chiari organizza le ampie perorazioni contrapposte di personaggi in conflitto ordinando i rispettivi argomenti in modo simmetrico. Il discorso di Tolot in «risposta» (GL 29) a quello di Doralice, è costruito in modo speculare, ed è persino scandito dai medesimi gesti di accompagnamento.

Se i discorsi degli eroi, in quanto volti a persuadere, ricorrono alla strumentazione codificata dalla retorica classica, lo stesso vale per le forme dei ragionamenti, logiche solo in apparenza, nella sostanza altrettanto retoriche. Persino le argomentazioni più stringenti non procedono mai per sillogismi ma per entimemi. Sia i ragionamenti del personaggio, sia quelli del narratore utilizzano coppie di argomenti contrapposti: «all'una delle due se ne ha da attribuir la cagione, o perché [...] o perché» (AI 207). Molto frequente è pure il ragionare per analogia [10], come quando Sibilla si rivolge a Tolot: «l'allegrezza, mi disse ella, del vostro ristabilimento felice colla Suocera, col Marito, e colla Cognata, m'ha trasportata per sì gran modo fuor di me stessa, che ho voluto maritarmi anch'io, come suol dirsi, per compagnia, e Don Graziano è lo sposo» (GL 221). Qui come altrove, il movente è *formale*, visto che non c'è nessun'altra spiegazione più convincente di tali comportamenti. Del resto, Tolot fonda la sua richiesta sulla base di un principio di antitesi simmetrica: «date a me, Madamigella, questi vostri denari, che volendoci il Cielo uniti nella felicità nostra dobbiamo portare

---

[10] Di «argomenti quasi-logici» parlano Chaïm Perelman e Lucie Olbrechts-Tyteca (*Trattato dell'argomentazione. La nuova retorica* (1958), trad. di C. Schick e di M. Mayer con la collaborazione di E. Barassi, 2 voll., Torino, Einaudi, 1976, vol. I, pp. 203-274), come pure di «ragionamento per analogia» (*ibid.*, vol. II, pp. 392-432).

scambievolmente il peso delle nostre disgrazie» (GL 54-55). Altre volte, il ragionamento è incompleto. Manca ad esempio una premessa: «il suggerimento era malagevole, e strano; ma il Principe l'approvò, quando eseguirsi potesse sotto degli occhi miei» (SI, II 117). Il bizzarro progetto proposto da Rosnì viene approvato dall'Imperatore grazie al favore di cui gode l'eroina. Un fatto non solo taciuto nel passo, ma del tutto estrinseco rispetto alla concreta fattibilità dell'azione, in effetti quanto meno temeraria. Come qui, dell'argomento non conta la perspicuità, ma la semplice presenza, e perciò il discorso è propriamente paralogico. Una presenza a volte richiesta dalle capricciose svolte della trama, che lo scrittore intende giustificare.

Ma i ragionamenti sono anche d'altro tipo. «Me' venuta la melanconia assai comune di scrivere. Scrivere voglio delle cose mie, giacchè de' fatti altrui non mi sono mai presa pensiero» (BP 1): quando Eugenia, iniziando a narrare le sue avventure, si sofferma sui motivi che la spingono all'impresa, adduce una ragione generale. Le motivazioni personali sono sostituite da un argomento pertinente al senso comune e da una proposizione causale generica. Un'altra strategia prevede che il contenuto del passo d'indole ragionativa sia sostituito da un altro argomento. Pur mantenendo un andamento in apparenza stringente, il ragionamento diventa elusivo:

mi feci adunque coraggio, e presa alle strette mia Madre le domandai chiaramente se vera fosse l'intenzione del mio matrimonio col Castellano, o fosse soltanto una favola. Perchè una favola? mi rispose ella: e quando mai s'è favoleggiato con voi? Che so io? soggiunsi allora, se vedo sempre de' nuovi arcani, e non ne intendo una sillaba. Ora sono nipote vostra, ora divento favoleggiando vostra figliuola. Per tanti anni sono obbligata di credermi la Contessa di Renolf, e recentemente non sono, che la figliuola del Cavalier Solitario. Chi sa, che in queste nozze ancora del Castellano non ci sia qualche nuovo mistero (BP II, 20).

Il «favoleggiare» è con tutta evidenza un argomento sostitutivo di quello erotico, passato sotto silenzio.

Pure il ragionamento si presta bene a condurre il lettore dal piano della vicenda a quello del commento tramite un allontanamento graduale dall'*hic et nunc* della storia verso argomenti generali, e viceversa:

quando si calmarono que' primi tumulti dell'animo mio, cominciai ad esaminare la mia situazione, e la trovai veramente pericolosa e fatale. Si presuppongono sempre, perchè non paja incredibile quanto sono per dire, che io non conoscevo ancora pienamente me stessa: perocchè la mia educazione m'aveva sempre tenuta in un avvilimento grandissimo. Tutte le risoluzioni nostre derivano da due principj contrarj; cioè o dal presumer troppo, o dal non osar nulla sulle più dubbiose nostre occorrenze. Chi troppo presume precipita delle risoluzioni temerarie, che ci fanno comparire imprudenti. Chi non osa a tempo e luogo, si lascia trascinar suo malgrado ad altre risoluzioni, che ci fanno comparire codardi (CF 7).

Con il solito gusto per la simmetria, il passo procede poi in senso inverso, dal generale al particolare, riagganciando in tal modo la divagazione alla vicenda:

la via di mezzo è la più sicura; e per ben regolarsi nel mondo, non è men necessaria la presunzione che l'umiltà. Ci sono nella vita nostra de' passi avanzati da' quali non si può retrocedere, che a forza di sommessione, e di flemma, e ce ne sono degli altri, da' quali non si uscirebbe mai, se non ce ne traesse l'ardire. Per dicidere qual delle due sia migliore al bisogno, ci vuol quella pratica, che fa tutto il fondamento dell'umana prudenza; ma questa pratica io non l'aveva in quel tempo, e però mi trovo a tal segno imbarazzata e confusa. La mia situazione mi consigliava per una parte a tutto soffrire: ma l'amorosa passione mia mi stimolava per l'altra a tutto intraprendere. Temevo all'estremo le collere del nostro Capo (CF 58-59).

L'armamentario retorico organizzato da Chiari modella dunque l'intera compagine romanzesca, compresi i processi mentali dei personaggi. Del resto, fino al XVII secolo è diffuso un pregiudizio sulla natura del pensiero, considerato «semplicemente come discorso privo di suono»[11], un discorso stilizzabile letterariamente come tutti gli altri tramite la precettistica oratoria.

L'alto tasso di retoricità del discorso romanzesco chiariano costituisce forse l'aspetto testuale di più palese legame con la tradizione italiana di genere del secolo precedente, una tradizione contrassegnata appunto da un'esasperata ricercatezza dell'*ornatus*. Ma, a parte l'evidente maggiore artificiosità del romanzo barocco, la differenza decisiva è un'altra: le figure retoriche sono utilizzate in modo radicalmente diverso. Se il romanzo barocco persegue il fine

---

[11] R. Scholes-R. Kellog, *La natura della narrativa*, cit., p. 227.

della ricercatezza peregrina e dell'elaborata artificiosità formale all'insegna dell'inusitato e del sorprendente, Chiari si avvale di procedimenti scelti per la loro valenza esplicativa. A prevalere, nei suoi libri d'avventura, è in primo luogo l'utilizzo in chiave comunicativa e solo in subordine espressiva di tali procedimenti, mai esibiti quali contrassegni di virtuosismo d'autore, quali attributi di letterarietà. In questo senso, perciò, se il legame con il passato è garantito dall'utilizzo di espedienti retorici tradizionali, il tipo di selezione di tali espedienti messa in opera e il fine di leggibilità in vista del quale sono impiegati, permettono di qualificare l'*elocutio* romanzesca di Chiari «classicistico-popolare».

LO STILE

Sin dai primi romanzi, Chiari impostò un circuito comunicativo extra-istituzionale governato dalla legge dell'abbondanza e della rapidità produttiva, che metteva in relazione fasce di pubblico eterogenee dotate di competenze letterarie diseguali o addirittura prive di conoscenze letterarie pregresse. Una situazione adatta all'elaborazione di una prosa di romanzo «dove alla fluvialità del narrare corrisponde un uso più corrente, a volte corrivo, della lingua»[12]. Una lingua composita, aperta a contaminazioni extraletterarie e semiletterarie, riqualificata secondo una concezione abbastanza ingenua di ricercatezza espressiva improntata ad una notevole comunicatività esemplata non solo sui classici ma soprattutto sulle forme di scrittura e di recitazione codificate dalla *Ratio studiorum*. Da un punto di vista tecnico,

la stessa coesistenza di tratti fonomorfologici caratterizzati come iperletterari e di tratti più vicini al parlato, di costruzioni sintattiche latineggianti e di insufficienti progettazioni della frase, di vocaboli aulici e comici, di francesismi alla moda e di regionalismi, di citazioni dotte e di proverbi popolari, andrà valutata senza isolare le singole componenti della compagine linguistica, perché proprio in questa particolare miscela risiede la specifica cifra espressiva dei nostri romanzi[13].

[12] T. Matarrese, *Il Settecento*, in *Storia della lingua italiana*, a cura di F. Bruni, Bologna, Il Mulino, 1993, p. 47.
[13] Antonelli, *Alle radici della letteratura di consumo. La lingua dei romanzi di Pietro Chiari e Antonio Piazza*, cit., p. 64.

Questa esigenza di nobilitazione accompagnata alla tendenza verso il colloquiale è evidente nel lessico e nelle immagini. Abbondano i termini d'uso comune: «parea il buon vecchio rimbambito dall'allegrezza» (DG, II 118); «ne infinocchiò il vecchio Imperatore» (SI 90); «che ne sapea il povero merlotto per difendersi» (DG 88), e si incontra pure qualche parola plebea: «far la figura da stolida, e da scimunita» (DG, II 82). I modi di dire abbondano, sia poco originali: «cui vendere si potessero lucciole per lanterne» (DG, II 82); «liberarsene [...] a buon mercato» (SI, II 24); «così male in arnese, come eravamo» (SI, II 69), sia meno scontati: «la gravità era il carattere naturale di Madama Doralice [...] Sapendo che zoppicava di questo piede, le parole sue non dovevano darmi molta apprensione» (GL 17); «la Dorlei, che [...] fiutava da mane a sera per tutto il Serraglio» (SI 106), nel senso di raccogliere pettegolezzi, ascoltare attentamente. Una vocazione al colloquiale confermata dal ricorso ai proverbi: «se veri sono gli antichi proverbj, dall'alba s'ha da conoscere il giorno, e dall'unghia il Leone» (V 12). Non di rado l'espressione figurata è preannunciata: «non sapea Don Pippo, né Madama Cilene esser questo, dirò così, il dente, che mi dolea» (DG 136); «o di quelle buone mogli, che vanno, dirò così, cercando marito colla lanterna» (DG, II 76).

Quanto al repertorio delle immagini, gli ambiti semantici da cui Chiari attinge sono soprattutto tre. Oltre a quelle frequentissime e tradizionali che rinviano all'universo bellico (le battaglie amorose), a fornire i materiali più cospicui sono il mondo della natura e quello delle attività pratiche: Placidia «facea come il mare, che si lascia portare ora all'una sponda, ora all'altra a discrezione del vento» (CF, II 92). Gli animali entrano a buon diritto nello spoglio: a Fielgh Zilia «piacque di fatto al gran segno d'innamorarsene all'uso suo in pochi giorni da bestia» (SI 201), così come i riferimenti a lavori artigianali e, soprattutto, ad attività marinare. Certi attori sono bravi «nell'adattare i titoli all'Opere loro, che non lo sono que' Ciabattini medesimi, da' quali vuole adattarsi ad ogni piede una scarpa» (CF 12); ci sono donne che «sanno nelle burrasche medesime raccogliersi in porto» (CF 22); «l'amicizia mia era per esso lui uno scoglio che gli faceva ogni momento temere qualche naufragio» (CF 123).

Anche i pochi oggetti nominati non sono affatto preziosi: «è pieno il Mondo di libri, il cui titolo non è punto dissimile dalle insegne delle Osterie, che levar si ponno, e sostituirle un altro a capriccio» (CF 11); «egli [Don Cirillo] che s'intendeva di stile poetico quanto si può intendere di cuffie, e di merletti una donna» (CF 168). Assolutamente ricorrente è l'immagine della rete in cui il protagonista è intrappolato: «e la trascuratezza mia cader mi fece in una rete, che fu per costarmi la riputazione, e la vita» (CF 135). In ogni caso, le similitudini chiariane rinviano sempre ad un sapere pratico, quasi mai a competenze letterarie. A conferma, ogni riferimento mitologico viene subito chiarito. Il Signor Vanesio è «sempre polito quanto un Narciso, sempre pettoruto e gonfio come un pallone, sempre in moto come un Mulino» (CF, II 131): l'immagine è replicata in chiave materiale[14].

Nel complesso, la prosa di questi romanzi colpisce per il basso tasso di figuratività: metafore, similitudini e immagini sono poche e poco originali. Il maggior numero è presente nel contesto argomentativo, non in quello narrativo; in particolare, a rivelarsi più ricche sono le parti iniziali dei romanzi e quelle paratestuali. «Che vi pare di questa immagine? Non avrei io avuto qualche talento per la poesia, se non avessi mancato d'una conveniente coltura?»[15] (V 76): come spiega la Viaggiatrice, il linguaggio figurato è appropriato al testo poetico, non alla prosa di romanzo. Così, la funzione precipua di paragoni e metafore non consiste nell'abbellire la pagina e neppure nel tenere desta l'attenzione del lettore con accostamenti imprevedibili. Scopo di queste raffigurazioni poco originali è favorire l'accesso al testo: proprio l'alto tasso di dominabilità del repertorio metaforico concorre a facilitare la comunicazione letteraria.

Naturalmente, a livello linguistico l'affabilità di un romanzo si misura sia sul piano del lessico sia su quella sintattico. In generale, la sintassi corrisponde al differente modo di porsi dell'autore-narratore rispetto ai fatti raccontati: ad un piglio constatativo (narrativo o commentativo) è consona una maggiore sinteticità paratattica, ad un atteggiamento possibilista (sia commentativo ipotetico sia ipotetico narrativo) conviene un'articolazione maggiore del discorso. La dialettica colloquialità-nobilitazione caratteristica tanto dell'impostazione retorica della pagina quanto del tessuto della lingua caratterizza anche la costruzione del periodo. Nelle parti para-

---

[14] Per uno spoglio analitico della componente figurale cfr. *ibid.*, pp. 273-290.

[15] L'immagine sulla quale la Viaggiatrice chiede al destinatario delle sue missive un parere è quella della ruota della fortuna i cui giri si fermano «quando venga ella ad urtare nel mio sepolcro» (V 76).

testuali canoniche (in primo luogo le dediche), in quelle commentative e nelle zone collocate in posizione «forte» (l'*incipit* e l'*explicit* del romanzo o delle «parti» che lo costituiscono), l'intonazione si innalza con frasi ampollose e sostenute: «se la vita nostra è una scena, gli attori ne sono innumerabili; ma non tutti parlanti; e benchè necessarii egualmente, non tutti d'un ugual merito all'intreccio della gran favola, con cui da tanti, e tanti secoli scherzar si compiace sopra la terra l'impenetrabile provvidenza del Cielo» (GL 1). Qui, una sintassi di impronta latineggiante si accompagna alla retorica delle ampie partizioni ripetitive ed enfatiche. Nelle zone narrative, invece,

nonostante il frequente ricorso ai gerundi all'inizio di frase e nonostante il gusto permanente per l'inversione, lo stile narrativo tende a una struttura paratattica: Chiari di solito non spinge l'organizzazione della frase oltre il primo grado di subordinazione, optando per uno sviluppo orizzontale, contrassegnato da lunghe serie di coordinate e dall'iterazione delle congiunzioni coordinative. L'architettura della pagina, che non richiede un'organizzazione del pensiero molto complessa e articolata, è semplice e monotona [16].

Rispetto al grado di articolazione sintattica, gli estremi sono due. Da una parte l'ingenuo «ciceronismo» delle frequenti divagazioni filosofiche: «per quanto ci ho lungamente pensato, io son d'opinione, che ciò soltanto derivi dalla sazietà continua, e da una continua avidità sempre nuova del nostro cuore, cui resiste intorno lo spirito nostro, anzi dietro se lo trascina, tal che vedendo, ed approvando il migliore, seguita bene spesso, ed abbraccia il suo peggio al duro costo ancora d'aversene a pentire tra poco» (VS 155). Dall'altra, la rapida paratassi segmentata della ripresa «in diretta» dell'azione avventurosa, come quella dell'episodio della battuta di caccia nel *Serraglio*.

Passi stilisticamente «impostati» si alternano a passi trascurati. Le scene-madre e le perorazioni recitate sono sempre molto elaborate: «per le beneficenze usate alla Madre mia può bastarvi la mia gratitudine; e quanto poi a quel molto più che faceste, e volevate fare per me, non mi stimo in debito d'altro, che di ringraziarvene;

---

[16] A. Vecchiutti, *«L'amor del vero». Uno scrittore di successo del XVIII secolo: ideologia e struttura nei romanzi di P. Chiari*, tesi di dottorato in ricerca di italianistica, Università degli Studi di Trieste, Facoltà di Lettere e Filosofia, 1987, pp. 376-377.

perocchè a tutti gli antecedenti benefizj vostri, prevale l'affronto, ch'oggi mi fate per darmi un castigo» (GL 20-30). Nel complesso, i passi d'indole comica sono costruiti con una sintassi meno artefatta di quella riservata alle parti «serie». L'episodio del marito di Barsene ammazzato nottetempo da Don Fabio viene definito «mezzo tragico, e mezzo ridicolo» (SI 130), ma la sintassi del resoconto condotto al presente indicativo è rapida e ben ritmata, come conviene ad una storia che fa ridere l'Imperatore «quanto ne ha voglia per poco meno di un'ora» (SI 131). Sia molti rapidi resoconti di narratori di secondo grado, sia le informazioni fornite da chi racconta circa gli itinerari dell'eroe sono invece luoghi poco curati, né mancano passaggi sintatticamente involuti se non addirittura sconclusionati: «quella stravaganza dell'indole mia l'ho già fin dal principio accennata, onde per renderla più credibile aggiungerò solamente, che quasi tutte le donne di qualche merito in viso la rotondità della gola, se sia falciata, o scoperta, altera notabilmente la rotondità, o la lunghezza del volto fino a dar loro una fisionomia per gran modo diversa» (AI 121). I passaggi involuti si incontrano sia nelle zone commentative, sia in quelle avventurose. Nel primo caso si tratta soprattutto di sentenze in forma di ragionamento in cui l'icasticità della massima contrasta con la sua declinazione logica: non occorre «stupirci di nulla: perocchè la sorte ci fa passare talvolta per certi mezzi totalmente contrarj alle nostre massime, che poi direttamente conducono al fine che ci siamo proposti, ed erano forse a lui necessarj, benchè le apparenze li dimostrassero opposti agli occhi di coloro, che pensano che non abbia il presente relazione alcuna coll'avvenire, perché non si prevede da noi» (CF, II 7). Nel secondo caso la vicenda si attorciglia al punto da renderne complicato il resoconto: «essendo egli [Roberto] mancato quella mattina alla nostra tavola, m'avea detto mia Madre, che pranzava egli da un amico suo, onde non feci gran caso di non averlo veduto nelle prime ore del giorno» (VS, II 96).

Al di fuori dei passi solenni di avvio e conclusione del romanzo e delle sue singole parti, di quelli improntati alla serietà sentenziosa e ai brani che riepilogano le vicende più complicate, la sintassi chiariana è semplice, fin nei casi di maggiore articolazione: «*ci vuol altro* [...] *Ci vuol altro* nel caso vostro per una giovine dama, per la figliuola d'un'uffiziale morto in battaglia, e per un'amante di meriti grandi così villanamente tradita, CHE CEDERE al primo urto dell'umana incostanza, e DARSI per naufraga» (SI 12-13). La struttura del periodo evidenziata è elementare: due duplicazioni incorniciano una triplicazione, un solo percorso logico-sintattico è ripetuto, con nessi subordinanti e coordinanti paralleli e replicati. Analoga funzione assolvono i frequenti deittici correlativi: «la trovammo in un abito da giovinetta, che vada a marito con tanta polvere ne' capegli, che metteva la carestia ad un mulino, con tanti nei sulla faccia, che pareva un antico Mosaico, così stretta nel busto, e strangolata nel collo da suoi attrecci donneschi, che parea le saltassero gli occhi di capo, e volesse scoppiare ad ogni respiro» (GL 211). Costruito come una catena di proposizioni oggettive, il discorso riportato manifesta sempre il medesimo semplice andamento, un procedere rigido ed elementare: «mi disse egli che [...] che [...] che [...] che [...] che [...] che [...]» (AI 24); qui e altrove, le subordinate sono esplicative. Analoga impostazione elementarmente anaforica, che coniuga ad un'articolazione sintattica a tratti notevole la prevedibilità delle subordinazioni e coordinazioni, si ritrova spesso nei riepiloghi.

Se, in effetti, sono i passi pertinenti all'avventuroso a presentare le strutture linguistiche meno complesse e meno elaborate, gli esempi di sintassi paratattica e di costrutti nominali si incontrano soprattutto quando Chiari utilizza il presente storico: «mi metto nella prima carrozza da vettura [...] scendo dalla vettura, la pago, e la congedo [...] m'avanzo poi a quella porta» (AI 239). Alle forme nominali («confusa per l'avvenuto, benchè noto a me sola, trapasso immediatamente, e seguito di loco in loco l'incominciata raccolta» CF 47) si può avvicinare la successione ritmata di soli verbi: «a quel rumore mi volgo, lo vedo, arrosisco, taccio; e coprendomi colle mani il volto corro ridendo ad appiattarmi in un angolo della stanza» (CF 85-6).

Un diverso effetto di vivacità è infine ottenuto «mescolando» constatativo e ipotetico, spostando il punto di vista da quello in situazione dell'eroe a quello a posteriori di chi racconta. Il risultato è una sintassi duttile, dalle movenze familiari al moderno lettore di romanzi:

che vorrà da me questo pazzo? presi a dire infra me stessa. Stà a vedere, che quello ancora ricapitato a Rosbelle sarà scritto da lui. Non m'ingannai, ed era esso a certa maniera giustificato dal mio. Si scusava in questo il mancatore dell'inganno orditomi a Londra [...] È pazzo, io decisi allora, è pazzo il meschino, e mi suppone a lui somigliante. Risaniamolo, se di risanare è capace, o facciamogli conoscere la sua malattia (SI 160-161).

Lo sforzo di Chiari di dominare l'espressione linguistica tramite espedienti grammaticali e retorici piuttosto elementari è evidente anche sul piano della conduzione del periodo. Un intento razionalistico ribadito dall'insieme delle scelte compositive, orientate non sulla mozione degli affetti ma appunto sulla loro razionalizzazione. A bilanciare tale strategia ecco però una tendenza alla drammatizzazione melodrammatica: leggendo questi romanzi ci si imbatte in passi di carattere tragico o d'indole patetica. Secondo la consuetudine dell'alternanza paradossale di opposti, a volte situazioni drammatiche si accompagnano a situazioni comiche: «quante volte veniva da ridere di noi medesime; ma il caso nostro domandava più maturi pensieri; perocchè m'accostavo ad inviluppare sempre più l'intreccio della mia tragedia senza avvedermene» (BP 82). Il melodramma sovente è integrato da lamentazioni patetiche del narratore: «ahimè, che sarebbe stato di noi, se riusciva a colui di spogliarci di que' mediocri capitali, in cui riposte stavano le nostre migliori speranze!» (VS 145). Molto meno frequente è invece la rappresentazione non enfatica ma sintetica di un dramma. «Il vero si è, che perdetti le parole sul fatto, baciai rispettosamente quel foglio, e mettendomelo freddamente in saccoccia, pregai l'amica Dorilla, che mi comunicasse quel di più, che le ordinava mia madre» (DG 188): un biglietto rivela a Ninna d'aver perduto il marito.

Come accade per il «serio», pure la comicità è graduata in una serie di sfumature. Un intento gratuitamente ludico è manifesto quando vengano espresse idee balzane, per esempio quella di far sposare l'Albergatrice con il Marchese N.N. in *La Viniziana di spirito*, un gioco di società. Meno occasionali sono gli episodi che recuperano la tradizione novellistica della beffa e dello scherzo. Quando Madamigella Cattò, in navigazione verso l'Olanda in compagnia della protagonista e della Marchesa di Longhemar, concepisce «di diventar Baronessa, e di farsi sposare dal Barone d'Olain prima d'arrivare a Parigi, tuttochè fosse egli di me così innamorato» (VS, II 150), fornisce «sempre nuovi motivi di ridere, e di divertirci» (VS, II 151). L'intonazione si fa farsesca, e Chiari esercita sulle vittime dello scherzo il suo gusto per il dileggio e la caricatura parodistica: nella *Giuocatrice* Don Graziano è «podagroso e sciancato» (GL 80), «alquanto duro d'orecchia» (GL 81). L'umorismo e l'ironia sono invece molto meno praticate: «presi allora a dir loro con una aria ironica» (Z, II 84); in questi romanzi la consapevolezza sancita dalla complicità fra chi racconta e chi legge è rarissima. Non mancano infine altre tonalità. Scene crude e truculente: «vedendo colà entro un uomo per terra disteso nel proprio sangue, che largamente spargeva per due ferite [...] pallido, palpitante, e sfinito, non dava segno alcuno di vita» (CF 23). Eugenia assiste a diverse «scene lugubri» (BP 131) e allude pure «alle mie lugubri vicende» (BP, ii 106), mentre la Viaggiatrice ha un ricordo macabro: «la compagnia d'un cadavero, non era la cosa più dilettevole della terra, ma poco m'importava d'essere condannata a dormire sul pavimento, per non coricarmi al suo fianco, quando non avessi previsto, che tra pochi giorni l'insoffribile suo fetore, m'avrebbe ridotta alla deplorabile condizione d'abitare dentro un sepolcro» (V 162). A prescindere dalla «qualità» degli episodi, il motivo narrativo e il suo tenore emotivo risultano separati da una discontinuità artificiosa. Fra l'episodio e il relativo registro espressivo accreditato dall'autore vi è infatti un rapporto di predicazione e non una consustanzialità linguistica (retorica, stilistica, formale): si tratta cioè di due momenti espressivi separati, da un lato il racconto, dall'altro la sua qualificazione. Un'antinomia ricorrente a diversi livelli del testo, dagli *input* microtestuali qualificativi, alla tecnica del dialogo condotto per scambio non di battute ma di orazioni, fino alla grande «frattura» fra raccontare storie e «fare discorsi». All'origine di queste scelte espressive c'è una concezione vettoriale del divenire, fondata sull'idea di un tempo quale successione rettilinea di accadimenti concatenati che modella l'andamento unidirezionale della vicenda. Non solo Chiari traduce il mondo rappresentato in termini lineari, di successione e alternanza, ma fonda la sua sceneggiatura espressiva sul principio della *appositio*, ispiratore primo del didascalico.

Non per niente, a fornire informazioni circa il carattere degli episodi è anzitutto il narratore. Le possibilità sono quattro: la qualificazione delle scene può verificarsi a contatto o a distanza dalla scena stessa, può anticipare o seguire il motivo narrativo tematizzato da chi racconta. Centrale, a questo proposito, è l'alternanza ora-allora che sta alla base dei procedimenti «predicativi». Poiché siffatte affermazioni agiscono a livello concettuale e non immaginativo, e visto il loro impatto semantico piuttosto forte, per impostare il tenore di una scena, di un episodio, a volte può bastare un solo qualificatore. Fatta un'affermazione, valga per sempre salvo smentita o correzione. «Siamo ormai alla tragica scena dolente, da cui tante altre ne discesero, che inorridir mi fanno al solo pensarle;

ma per metterla nel vero suo lume non ci vuole né confusione, né fretta» (AI, II 147): ecco un esempio di qualificazione anticipata a contatto. Con un riferimento al tempo presente del narratore, le sue osservazioni definiscono la drammaticità dell'episodio che sta per rievocare. Capita che la qualificazione sia sintetica al punto da limitarsi a segnalare il «genere» di appartenenza dell'aneddoto narrativo: «l'intreccio allora della *Commedia* mia» (BP 130, c.vo mio). Altre volte, la qualificazione a contatto è posticipata rispetto all'episodio rappresentato. «Ahimè! perché non rimasi a Venezia qualche giorno di più, che non gelerei al presente d'orrore nello scrivere solamente quanto mi fece allora inorridire di più! In quella notte fatale, e in tale appunto orribile luogo deserto» (DG 55): il lamento ambientato al presente è successivo alla scena del rapimento.

«Riserbiamo a domani lo scioglimento di questa catastrofe, che può dirsi comica nel giro suo, se non se ne guardi il tragico fine, anzi serbiamolo al rimanente di queste Memorie, che non ponno sbrigarsene così presto, se perder non voglio di vista me stessa, che fo in esse la principale figura» (BP, II 64): il narratore esprime qui una qualificazione anticipata a distanza. «La Storia jeri narrata v'avrà intenerita più dell'usato» (BP 52), dichiara Eugenia alla Principessa che ascolta il suo racconto: la qualificazione è sempre a distanza ma posticipata rispetto al suo referente. Quando l'indole dell'episodio definito dalle parole di chi dice io viene ribadita, la qualificazione posticipata a distanza diventa occasione per ripercorrere la scena glossandone in chiave emotiva i passaggi principali:

nel distaccarmi quella sera da mia Zia, e da suo Marito mi feci una violenza grandissima. Quando mi coricai non ci fu caso, che potessi prender sonno per due ore continue; e seguito appena quell'accidente terribile [...] ma [...] Per quanto mi tenesse sbalordita quel contrattempo, e per quanto mi levasse quasi il respiro, il vedermi rapir dal fianco così barbaramente due Persone a me care, se v'ho da confessare [...] L'arresto di due Persone tanto di me benemerite mi costò quasi subito un mare d'affanni, ed un diluvio di pianto; ma [...] (BP 54).

Del resto, la stessa ripresa in un certo senso pleonastica del motivo narrativo costituisce un'*amplificatio* retorica che concorre al fine di commuovere il lettore. Anche in queste occasioni, sottolineare la centralità di un evento tramite l'estensione della sua verbalizzazione è un criterio quantitativo e non qualitativo, un criterio di derivazione retorica e non romanzesca. Come nell'ambito di un discorso di tipo saggistico è l'ampiezza con cui viene trattato un tema ad indicarne la rilevanza, qui gli elementi capitali della narrazione sono contrassegnati dalla quantità di testo loro riservata.

Ulteriori segnali del tenore di un dato motivo narrativo vengono forniti non solo da chi racconta, ma dalla stessa protagonista: «io, che sapea d'aver sofferto, dissimulato, taciuto per un anno intero anche più del bisogno, mi posi a ridere, rispondendo all'amica, che comandasse cosa desiderasse di più» (DG, II 94). Medesima funzione può avere il comportamento dei personaggi. È ad esempio il vecchio Pellegrino a rivelare con la sua condotta la natura lacrimevole del primo capitolo del romanzo, interpretandone così il carattere patetico fin qui dissimulato nella laconicità della narrazione: «quanto non mi obbligò quel venerabile Vecchio, vedendolo piangere per semplice compassione de' casi miei, che io chiamavo insoffribili» (BP 13-14). A qualificare l'intonazione di un episodio possono anche essere comportamenti e azioni. Soltanto alla fine del dialogo fra le due amiche in viaggio Chiari esplicita il carattere patetico della scena: «lo volesse il cielo, ella allora sclamò, con qualche lagrima agli occhi, e mi voleste voi stessa così libera come siete per compagna del vostro destino [...] Prima di darle altra risposta l'abbracciai allora teneramente, e piangendo d'amore, ricordatevi, le risposi, che me l'avete promesso» (SI 20). Gli abbracci, i pianti, i sospiri non si contano: al valore psicologico che esemplificano, tutti questi gesti convenzionali affiancano un significato qualificativo dell'azione. Al medesimo scopo di rappresentazione della qualità emotiva delle situazioni rispondono alcune pose canoniche, una sorta di iconografia del romanzesco chiariano: «quando ebbe finito mi lasciai cadere ginocchione al suo letto, gli baciai mille volte la mano, me gli gettai colle braccia al collo largamente bagnandolo delle mie lagrime, sempre singhiozzando altamente, e non altro dicendo senonsé, caro Padre mio, perdono, compassione, pietà» (BP, II 152). Sono anche altre le tecniche qualificative rese possibili dallo sdoppiamento narratore-protagonista. «Ahimè qual nuova incertezza del mio nascimento! quali tenebre nel mio destino! Quale orrore, che il povero Padre mio vivo essendo, esposto fosse a tanto pericolo della vita [...] Chi mi consolava in tanto cordoglio? chi mi dava lume del vero in tanta mia confusione? Ma ahimè che qui non era tutto finito; e mi resta ancora a dire qualche cosa di peggio» (AI, II 154). La concitazione del discorso del narratore-ora è posticipata rispetto al resoconto lineare del fatto accaduto al protagonista-allora. La drammatizzazione è affidata al discorso e non alla storia. In modo analogo, è l'alternanza della generalità delle parole di chi racconta, insieme al variare temporale del loro riferimento (ora-allora) a vivacizzare espressivamente l'episodio di cui è stato fornito in precedenza un monotono ragguaglio. Si passa dalla ripresa «in diretta» di un momento della scena già riassunta al commento da parte del narratore-ora, dalla descrizione dello stato emotivo della protagonista-allora alla divagazione filosofica. Ecco come viene conferita drammaticità alla scena.

Si capisce forse meglio, a questo punto, come in questi romanzi la differenza sostanziale passi fra il dire del narratore che tematizza l'allora della storia (le sue parole sono «avventurose») e il dire del narratore che parla dell'ora (le sue parole si fanno «commento»), non certo fra i discorsi dei personaggi, per quanto differenti. Con la singolare somiglianza formale fra le orazioni retoricamente impostate dal porta parola quando divaga, e quelle dei personaggi in azione quando «dialogano» facendo lunghi ed elaborati discorsi esemplati sul modello nobile della tragedia.

Se da una prospettiva attenta a descrivere i modi, le forme, la morfologia e la sintassi dei romanzi chiariani si passa alla valutazione del significato di quelle opzioni espressive, è forse possibile chiarirne meglio la funzionalità. Per quanto riguarda le forme modali, la maggior parte (il riassunto, il riepilogo, il consuntivo, le glosse, i commenti, soprattutto nella forma della traduzione e della parafrasi) contiene una seconda versione di un messaggio già comunicato al lettore in altri termini. Il tipo di integrazione semantica è variabile; la ripetizione può ribadire un enunciato, aiutare ad interpretarlo in modo corretto, arricchirlo con ulteriori informazioni, qualificare la valenza emotiva di un episodio oppure, è il caso delle integrazioni metanarrative, può enfatizzare l'originalità di una situazione peregrina. Lo stesso compito, quello di replicare tramite variazioni un testo già comunicato, è svolto pure dalle principali figure retoriche di ripetizione, parallelismo, *accumulatio*. Se a livello sintattico le subordinate hanno quasi sempre un senso esplicativo, le svariate pratiche linguistiche di carattere «predicativo» tendono ad esplicitare connotazioni non evidenti di passi, situazioni, figure già presentate. In una prospettiva semantica, dunque, si tratta di una serie di espedienti funzionali a disambiguare al massimo il testo, a renderlo chiaro onde evitare equivoci di lettura da parte del pubblico cui è destinato. L'insieme di questi procedimenti e dei significati che veicolano si ispira a quella che si potrebbe chiamare una semantica della chiarezza impostata sulla prassi del ribadire, una scelta che determina un alto livello di ridondanza e che conferisce una notevole saturazione semantica a testi di carattere in fondo tautologico.

Ma, nonostante tutto, fra piano del discorso narrativo e piano del discorso commentativo rimane una sostanziale differenza: l'uno è sintetico e ritmato, essenziale nel trattamento degli oggetti avventurosi, l'altro si caratterizza per la sua ridondanza compensativa. In una prospettiva strutturale, si tratta di un rapporto complementare: non a caso, fra gli elementi di scansione della trama primeggiano gli inserti didascalici che vengono d'altra parte valorizzati proprio per il fatto di essere ritagliati all'interno della vicenda. In definitiva, se l'abbondanza verbosa concorre all'innalzamento del tono, i procedimenti di amplificazione didascalica della vicenda e la logica della ripetizione ridondante conferiscono *pathos*[17]. In tutti i casi, gli indirizzi di fondo della semantica romanzesca chiariana concorrono a quella caratterizzazione «melodrammatica» delle vicende che il narratore tanto spesso si incarica di qualificare apertamente come tale, con un ulteriore esempio di *replicatio* «divulgativa».

---

[17] Secondo la retorica quintilianea le tecniche per disattivare i procedimenti della *suspensio* portano alla drammatizzazione patetica della pagina. Del resto, come osserva Heinrich Lausberg, «La ripetizione dell'uguale [...] serve all'*amplificatio* emozionale» (*Elementi di retorica* (1949), trad. di L. Ritter Santini, Bologna, Il Mulino, 1969, p. 132).

5.

GLI ATTEGGIAMENTI DI LETTURA
E LA VISIONE DEL MONDO

LE CONVENZIONI DEL PATTO NARRATIVO E IL LETTORE IMPLICITO

Dalla prospettiva delle convenzioni rappresentative, leggere i romanzi di Chiari vuol dire confrontarsi con mondi ridondanti di informazioni narrative e didascaliche: di suo, il lettore non deve aggiungere niente; ogni episodio troverà compimento, ogni discorso giungerà ad una conclusione. Il valore morale dei personaggi, il tenore delle loro relazioni, la qualità emotiva delle situazioni cui danno vita saranno esplicitati. Il pubblico si aspetta tutto ciò: i principali caratteri strutturanti il testo si impongono quali convenzioni generali del patto di lettura. In altre parole, la tipica ridondanza di questi romanzi, mentre comunica con chiarezza al lettore i contenuti del testo, mette pure ripetutamente sotto ai suoi occhi le principali strategie rappresentative impostate dall'autore nell'opera, altrettante tacite convenzioni che organizzano il suo sistema di attese, che indirizzano le sue aspettative.

Anzitutto, chi legge si accorge ben presto di poter contare non solo sul racconto delle vicende avventurose, ma anche sulle puntuali spiegazioni del narratore. Oltre alla convenzione che sancisce l'alternanza narrativo-discorsivo, ve ne sono altre di pari e differente portata. La progressione della priorità assiologica dei significati dal generale al particolare e dal particolare al personale rappresenta un'altra importante convenzione, solitamente stipulata nelle zone paratestuali dell'opera, laddove viene impostato il patto pseudo-autobiografico e si passa da un ambito di riflessione extra-narrativo al racconto romanzesco vero e proprio. La natura bicipite degli esordi introduttivi è dichiarata nel titolo del primo capitolo della *Commediante: Ragioni per iscrivere queste Memorie, e notizie spettanti alla mia prima estrazione* (CF 9). Qui Rosaura si presenta prima come autore che disquisisce sul suo manoscritto, poi come narratore e protagonista, avviando solo con ciò una *fiction* non ancora in grado di reperire le proprie ragioni d'essere soltanto in se stessa. Se la progressione della priorità assiologica dei significati dal generale al personale riguarda soprattutto il commentativo, la prevalenza della dimensione cognitiva caratterizza la componente avventurosa dei romanzi: ragione necessaria e a volte sufficiente alla selezione degli avvenimenti è la loro coerenza narrativa. In nome di questa terza convenzione generale, moltissimi accadimenti si giustificano esclusivamente per la loro pertinenza logica con gli altri tasselli del racconto, a prescindere da qualsiasi altra implicazione, per esempio circa la verisimiglianza del fatto in questione, o la sua probabilità di verificarsi rispetto ad altre combinazioni alternative. Il punto è questo: nell'universo dell'avventura, il concetto di probabilità non esiste: semplicemente, un oggetto avventuroso o è possibile o non lo è[1]. In linea con le convinzioni di Leibniz, persino una sola possibilità su infinite basta a rendere ragione di un accadimento, purché non sia in contrasto logico con le altre tessere del *puzzle* narrativo[2]. Sta qui la radice del possibilismo chiariano, di stampo appunto logico-combinatorio e non probabilistico. Innamorata di Milord, avendo avuto notizia certa del suo passaggio «in Francia, o in Olanda» (VS 37), la Viniziana di spirito decide di «viaggiare per terra, dove mi restava qualche speranza di poterlo incontrare» (VS 37). Possibilità e probabilità tendono a coincidere, nonostante la vastità europea dello scenario.

Intorno alla figura del personaggio si accorpano altre e meno astratte convenzioni rappresentative. In primo luogo, lo spazio concesso alla presentazione del personaggio è sempre proporziona-

---

[1] Secondo Stefano Calabrese, nella «complessa fenomenologia storica da cui si genera il romanzo», «il processo di secolarizzazione dei destini individuali e collettivi obbliga a una dilatazione del probabile sino ai limiti del possibile» (*Intrecci italiani. Una teoria e una storia del romanzo (1750-1900)*, cit., pp. 50-51).

[2] «In Leibniz il concetto di possibile ha una doppia valenza, logica e metafisica. Il significato logico è dato dalla proposizione: è possibile tutto ciò che non contiene contraddizione [...] il possibile romanzesco è puramente logico e formale» (R. Gilodi, *Tra seicento e settecento: il romanzo*, in «Sigma», n.s., a. XIII, n. 2-3, 1980, pp. 130-131).

to alla sua importanza: al protagonista è riservato il ritratto più ampio, mentre le comparse non hanno né volto né storia. In secondo luogo, oltre ad essere determinata dal trattamento della fisionomia e della biografia, la caratura del personaggio risente della qualità delle relazioni intrattenute con l'eroe. Altre convenzioni dipendono dallo sfruttamento intensivo dei dati testuali caratteristico di questi romanzi, costruiti tramite la moltiplicazione delle repliche di pochi elementi. Ecco perché ogni personaggio menzionato avrà di certo una parte nella storia. D'altronde, è raro che una figura sia utilizzata una volta sola: il lettore sa di doversi attendere altri interventi finché, per le esigenze di completamento a cui si uniformano i testi, ne verrà segnalata espressamente la morte o la scomparsa, magari per un provvidenziale «male violento» (Z, ii 188). A confermare la regola, i pochissimi personaggi che scompaiono senza lasciare notizie sono anonimi: la Badessa coinvolta nel rapimento di Tolot all'inizio della *Giuocatrice* se ne va così, nel nulla.

Le regole generali elencate in sintesi fin qui disegnano un primo generico profilo di lettore implicito, che si può definire meglio sia tenendo presente le molteplici e a volte contraddittorie strategie espressive impostate da Chiari, sia il pubblico abbastanza variegato dei suoi romanzi. Due aspetti concorrenti: il profilo di lettore impresso nel testo compendia in sé caratteristiche discordanti, adatte a mobilitare interessi e competenze, gusti e atteggiamenti ricettivi di lettori empirici anche molto diversi fra loro. In questo senso, la relativa contraddittorietà di parecchie tecniche rappresentative e strategie testuali rivela un notevole potenziale comunicativo.

La critica ha identificato due tipi di destinatari elettivi di queste opere: da un lato un lettore «filosofo» che si diverte a riconoscere *topoi* classici e a individuare *auctores*, dall'altro un fruitore «mediobasso [...] che nell'opera apprezza soprattutto la dimensione prettamente narrativa»[3]. È lo stesso Chiari, del resto, a sottolineare

---

[3] «Il lettore colto, il philosophe, [è] in grado di cogliere i riferimenti al dibattito intellettuale in corso e la presenza, in filigrana, dei testi fondamentali della cultura contemporanea, da Burke a Voltaire a Prévost» (R. Ricorda, *I romanzi «americani» di Pietro Chiari*, in *L'impatto dell'America nella cultura veneziana* (Atti dell'omonimo Convegno, Venezia, 22-23 ottobre 1987), a cura di A. Caracciolo Aricò, Roma, Bulzoni, 1990, p. 32). Di lettore «filosofo» parla Franco Fido: questi «non potrà non riconoscere *en passant* i vari *topoi* e i vari *auctores* del dotto abate: di volta in volta Pope e Lafitau, Voltaire e D'Argens, Montesquieu e Marivaux, Prévost e Fielding [...] Dall'altra parte abbiamo il lettore sprovveduto o la lettrice ingenua, cui è diretta la dimensione puramente narrativa di queste storie» (*I romanzi: temi, ideologia, scrittura*, in *Pietro Chiari e il teatro europeo del Settecento*, cit., p. 297).

come la duplicità delle componenti dei suoi romanzi corrisponda a diverse immagini di lettori:

fra quante memorie uscite sono negli ultimi tempi, si dà da non pochi la precedenza a quelle della *Viniziana di spirito*, perocché più dell'altre abbondano d'istruttivi riflessi. Ho sentiti per il contrario degli altri attribuirle quest'abbondanza a difetto, e desiderare in simili libri una serie non mai interrotta di cose sorprendenti, e di bizzarre vicende. I gusti del mondo sono diversi: e chi sa dirmi quali tra questi due tra loro contrari debba riputarsi il migliore?[4]

Naturalmente, separare i costituenti «colti» del testo da quelli «popolari» così come distinguere nettamente fra lettore competente e lettore incompetente è un'operazione semplificatrice: se fosse così facile sceverare il *docere* dal *delectare*, l'intento di Tolot e di tutti gli altri eroi-scrittori autobiografi simili a lei sarebbe vano, il proposito cioè di raccontare le «vicende mie» perché «servir ponno a chi vorrà leggerle, d'ammaestramento e diletto» (GL 5).

Alla spinta «centrifuga» esercitata dalla varietà delle componenti testuali, evidente sul piano dei destinatari prefigurati dall'opera nella contrapposizione lettore esperto-lettore inesperto, si oppone in primo luogo quella «centripeta» garantita dall'autoritarismo monologico dell'autore implicito: fra ogni genere di autorità e la «prefigurazione di un certo tipo di pubblico»[5] esiste sempre una relazione di simmetria. È con il suo piglio impositivo che l'autore riesce in prima istanza ad identificare e a coagulare una platea di lettori eterogenea: nei romanzi di Chiari, l'autore implicito prefigura un pubblico acritico e tendenzialmente inconsapevole. In un testo pseudo autobiografico che postula una figura di autore così forte, a veicolare informazioni circa il corretto atteggiamento di lettura sono anzitutto il narratore e il protagonista.

Intanto, chi racconta accredita un'analogia di fondo fra protagonista, personaggi e lettori. Rosaura si propone quale modello non solo per le sue compagne ballerine («ed è però dovere che coll'esempio mio, e colle mie riflessioni ajuti anche l'altre a spogliarsene [dei pregiudizi], se non vogliono farsi ridicole» CF 35), ma anche per chi legge: «i pensieri che sorsero allora [...] furono tali,

---

[4] P. Chiari, *La francese in Italia*, 2 voll., Venezia, Molinari, 1819, vol. I, pp. 20-21.
[5] M. Barenghi, *L'autorità dell'autore*, Lecce, Milella, 1992, p. 59.

e tanti, che per esporli qui nettamente, ho bisogno anche adesso di tutta me stessa, né saranno forse disutili a chi si compiaccia di profittar del mio esempio» (CF 50). Nella *Viniziana* Chiari «parla con tutti» perché «quest'Operetta mia [è] derivata da' vostri domestici esempi» (VS, *Alle Nobilissime, e Rispettabilissime Dame di Brescia*, carta 2, *recto*): narratore, protagonista e lettore sono omologati grazie all'abolizione del confine fra vita e romanzo. Addirittura, modello dichiarato dell'eroina è la lettrice, ed ecco allora il fondamento della domanda (retorica) di Tolot: «chi sa poi, che più d'uno in me non specchi se stesso?» (GL 7). Del resto, la lettrice settecentesca avrebbe potuto incontrare in carne ed ossa la protagonista di una di queste avventure: «non so se il ritratto mio piacerà a chi lo credesse delineato alla meglio dalla mia penna; ma non lascerò per questo di farlo, acciocché riconoscermi possa se mai mi rincontrasse tra via» (VS 11).

La parità assiologica eroina-lettrice viene sottolineata anche quando le protagoniste, confessando di essere lettrici appassionate di romanzi, affermano di far parte del mondo del lettore, condividendone un comportamento tipico. Non basta. Le stesse figure intrattengono chi legge ragionando sul genere romanzo, mettendone in evidenza la diffusione e difendendone la liceità: «il leggere sopra tutto al sommo piacevami, e mi apriva l'intelletto a fare delle riflessioni lunghissime, che tal volta mi rubavano senza avvedermene le intere giornate. Con tutto ciò lontanissima dall'apparire studiosa da nissuna cosa più mi guardavo, che dall'esser colta con un Libro alla mano, o dall'esser trovata scrivendo, quasi ne avessi vergogna» (VS, II 118-119). Il distacco del romanzesco chiariano dall'epopea si misura anche qui, «nel rapporto col destinatario, posto ad un livello di pariteticità o, almeno, di ipotetica verifica rispetto al materiale narrativo»[6]. «Lascio considerare a chi legge» (VS 14): formule come questa impostano una relazione fiduciaria con il pubblico, una pariteticità implicita nell'atto del chiedere un consiglio. L'analogia lettore-eroe viene inoltre suggerita laddove la protagonista diventa destinataria del racconto di un narratore di secondo grado. Il suo ascoltare la qualifica allora quale controfigura di chi legge: «verrò, signore mie, ei replicò, per servirvi [...] Allora sì

---

[6] I. Crotti, *I materiali della finzione. Appunti per una definizione del genere-romanzo nel Settecento italiano*, in A. Piazza, *L'amor tra l'armi*, a cura di I. Crotti, Milano, Angeli, 1987, p. 17.

la donnesca curiosità nostra andò all'estremo dell'impazienza, e dirò ancor d'un tal quale sensibilissimo fanatismo. Quali notizie particolari non ne promettea un uomo di quella età, di quella professione, e di quelle universali attinenze, che ne interessavano per sì fatta maniera, senza indovinarne il perché?» (SI, II 76). Identificando nel personaggio principale una figura non diversa da sé, il lettore può utilizzare le considerazioni in forma ipotetica dell'eroe per orientare le sue aspettative e i suoi sforzi previsionali, soprattutto in ordine alla vicenda. La protagonista funziona da modello percettivo interno all'opera, il suo almanaccare costituisce una specie di «guida di lettura» immanente al testo.

Oltre agli elementi tendenti all'omologazione delle figure dell'eroe, dei personaggi e del lettore, ve ne sono altri che, al contrario, ne sottolineano la distanza, perseguendo piuttosto la loro differenziazione. «Ogni donna, che non si sollevasse due sole dita da' sentimenti del volgo, essendo nel caso mio, fatte avrebbe depositarie de' suoi rammarichi le donnicciuole tutte di sua conoscenza» (AI 207). L'affermazione di Cristina è ripresa in modo più perentorio da Zaida: «non avrei sofferta a patto alcuno la condizione di tante, che nascono e muoiono tra quattro muraglie, senza esser padrone di dar un passo fuori di là, o fuori di là spinger almeno un sospiro» (Z 11). Rispetto all'immagine di chi legge custodita nel testo, la protagonista si differenzia per caratteristiche che rimandano soprattutto alla sua alterità eroico-avventurosa.

Fra narratore e protagonista vi è però uno sdoppiamento: chi racconta mostra infatti un'immagine di sé positiva e consapevole, un profilo ben differente da quello dell'eroina. «Io non ero ancora nell'arte di amare quella maestra che a spese mie mi feci col tempo» (CF 45). Per la precisione, ad essere sollecitate sono allora la sovrapposizione lettore-narratore, e la presa di distanza lettore-protagonista. Proprio il ruolo di affidabile commentatore interpretato dal narratore-ora libera, per così dire, il personaggio-allora, consentendogli una maggiore emancipazione. In tal senso, i romanzi di Chiari non si ispirano al modello dell'edificazione ma piuttosto al paradigma della dissuasione, poiché inscenano una serie di episodi avventurosi esemplari per la loro negatività. Lo sdoppiamento narratore-eroe ha però anche una finalità ludica: messa al sicuro la sua vigile coscienza grazie alla consapevolezza adulta incarnata da chi racconta, la lettrice settecentesca si può tranquillamente godere le strampalate vicende di eroine ben poco avvedute.

LE «APERTURE» DEL TESTO E LE ISTRUZIONI DI LETTURA

Il paradigma di atteggiamenti di lettura inscritti nella compagine romanzesca è uno dei momenti fondamentali in cui il testo si «apre» al pubblico: prefigurando una corretta fruizione, consente l'accesso all'opera. Nello specifico, le «aperture» dei testi narrativi chiariani si possono raggruppare in due grandi categorie. Una prima serie ha una funzione d'uso: si tratta di elementi votati ad un riutilizzo eventualmente autonomo da parte del fruitore. Il lettore fa suo il testo. Una seconda serie favorisce invece l'ingresso del lettore nell'opera grazie all'attività di riconoscimento stimolata nel destinatario. Comprende perciò elementi veicolanti a diverso titolo un rapporto di omologia testo-lettore.

Impegnandosi nella sceneggiatura romanzesca di temi di attualità, dal popolarissimo gioco del lotto la cui passione è incarnata da Madama Tolot, al mondo dello spettacolo sfondo della trilogia teatrale (*La Ballerina onorata*, *La Cantatrice per disgrazia* e *La Commediante in fortuna*), Chiari fornisce al pubblico argomenti d'uso. Anche ambientazioni ed episodi (la bottega del caffè, la villeggiatura) o personaggi (il poeta vanaglorioso, il cicisbeo vanitoso) rinviano all'attualità: ad essere sempre stimolata è la «curiosità» (UM 359) del lettore. Gli argomenti del giorno a volte prendono vita nell'ambito del narrativo *sub specie rei fictae*, altre volte sono discussi nelle parti commentative, presentati direttamente come temi da proporre in società. Un riutilizzo nella conversazione che si riflette nella struttura dialogica della *Bella Pellegrina*: la quinta giornata della seconda parte propone ad esempio la questione «se più fossero al mondo le donne belle, o le donne di spirito; e se queste, o quelle meritassero sopra dell'altre la precedenza» (BP, II 163).

Oltre a fornire svariati argomenti di conversazione alle lettrici, sono gli stessi romanzi a proporsi quali soggetti di dibattito, secondo l'invalsa consuetudine salottiera testimoniata da Pietro Verri, affettuoso consigliere dell'amata Teresa: «la vostra piccola libreria, il vostro studio debbon essere un mistero, e se in piccola società vi accaderà di parlarne fatelo sempre con modestia, senza pretensione, e sarete adorata»[7]. Adeodato Turchi stigmatizza, enfatizzando-

---

[7] P. Verri, *«Manoscritto» per Teresa*, a cura di G. Barbarisi, Milano, Serra e Riva, 1982, p. 155. Anche Giovan Battista Roberti testimonia l'abitudine di discorrere delle proprie letture: «pare oggi una convenienza l'avere una raccolta copiosa di libri; *quorum dominus vix*

la, questa consuetudine: «il tal libro è proibito, dunque si leggerà? Questa è la massima divenuta in oggi di moda [...] Allora tanto più si desidera. Si giunge a leggerlo. Si trova sciocco e insulso, si trova empio anche di un'empietà dozzinale. Non importa. Lo abbiamo letto, e siamo contenti di poter dire in una conversazione di saputelli, che lo abbiamo già letto»[8]. Fra i libri da evitare vi sono naturalmente quelli di Chiari: prendendosela con la diffusione dei romanzi che finiscono in mano alle «dame per fomentarne la vanità e per formarne certe filosofesse alla moda che tratto tratto mostrino al mondo la sperienza funesta de' più vergognosi fenomeni»[9], padre Antonino Valsecchi polemizza con la moda lanciata dal primo romanzo chiariano di attribuzione indiscutibile. Argomenti di conversazione, situazioni attuali, temi del giorno: ecco un primo tipo di «aperture» testuali, di appigli che l'opera offre a chi legge per fare suo il testo, per sfruttarne spunti e riflessioni, per parlare del romanzo stesso in società.

La seconda serie di rimandi, quella giocata sull'omologia testo-lettore, è più articolata. Le somiglianze possono essere implicite, esplicite ed evidenti. Per *omologie evidenti* si intendono le analogie testo-lettore espressamente tematizzate dal narratore, spesso vere e proprie «istruzioni» fornite da Chiari al suo pubblico al fine di garantire una corretta ricezione dell'opera. L'*omologia implicita* è un'analogia che appare tale solo grazie ad un lavoro interpretativo, una somiglianza non verbalizzata nel testo e apprezzata da chi legge quasi sempre inconsapevolmente. *Omologie esplicite* sono infine tutte le analogie non *evidenti* verbalizzate nel testo.

In linea con l'assunto programmatico di leggibilità, le *omologie esplicite* sono le più numerose, a partire dalla mobilitazione di un connotato di quotidianità e dall'appello ad idee convenzionali socialmente condivise. Per esempio, un numero nutrito di «tratti caratteriali» dei personaggi femminili rimanda ad un'idea stereotipa e convenzionale di donna familiare alla lettrice, adatta a produrre autoriconoscimento. Si pensi alla volontà delle eroine di imporre

---

tota sua vita indices perlegit: almeno avere in casa così per ornamento un'elegante piccola libreria di certi libri forestieri, che si nominano in conversazione» (*Buona educazione*, in *Opere*, Venezia, Tip. di Giuseppe Antonelli, 1830, t. II, p. 72).

[8] A. Turchi, *Omelia recitata il giorno di Pentecoste 1791 sopra la lettura de' libri*, in *Raccolta delle orazioni, omelie e lettere*, cit., vol. I, t. II, p. 53.

[9] A. Valsecchi, *Prediche quadragesimali e panegirici*, Venezia, Zatta, 1792, p. 208.

sulle concorrenti la propria avvenenza, all'innato senso di rivalità diffuso nel gentil sesso («ma le mie qualità davano nell'ombra all'altre sue femmine; e molto più ne avrebbero dato a sua moglie» Z 73), all'idea per cui «noi donne siamo strane ed irragionevoli ne' nostri sospetti» (Z, II 82), al condiviso primato della bellezza: «benché possa ognuno agevolmente decidere che voi ne siete la più meritevole, essendo voi la più bella» (Z 94). Ma l'omologia esplicita fondamentale fra la protagonista e il lettore riguarda il sesso dell'eroe: questi romanzi raccontano storie di femmine. Naturalmente, ogni singolo attributo dell'eroina instaura somiglianze con destinatari diversi, ed ecco perché queste figure sono caratterizzate come insiemi di opposti: chi racconta la storia si comporta come se fosse di umili natali salvo scoprire le sue origini nobili alla fine dell'avventura; queste narratrici sono donne maritate, anche se la protagonista non dedica mai il minimo accenno a tale condizione *de facto*, e così via. Sul piano ideologico, le «aperture» del testo propongono sia idee convenzionali sia idee innovative, adatte perciò a soddisfare molteplici lettori: nei romanzi di Chiari non mancano contenuti orientati in direzione illuministica[10]. Comunque, le presentazioni distese delle idee si alternano alle sentenze, una forma di sintetica assolutizzazione del giudizio che se condivisa lascia presupporre una pregressa comunanza di esperienze: «eccomi dove volevo; ma nel passo che stavo per fare mi bisognava almeno salvar le apparenze. Da questo dipende l'opinione del mondo, e chi le trascura, non vive in esso, che per suo disonore» (CF 114). L'omologia testo-lettore è esplicita pure nei punti in cui il narratore si rivolge direttamente a chi legge, tanto più quando utilizza il pronome personale di prima persona plurale: «m'appello agli amanti tutti, se migliore artificio di questo abbiamo *noi* femmine per farcene prestamente tiranne» (AI, II 146, c.vo mio). Analoga sovrapposizione narratore-personaggio-lettore per mezzo dell'uso di forme pronominali si ritrova nei passi di confluenza fra avventura e commento: «arrivò quel momento fatale, ed arrivò purtroppo per disgrazia mia; perocché per molti anni appresso mi costò molto pianto. Quanto è mai invidiabile quella prima età nostra innocente, che ci fa esenti da mille affanni!» (CF 28). Gli indicatori personali

---

[10] Secondo Carlo A. Madrignani, solo tenendo presente «questa oggettiva carica di modernità è possibile cogliere le ragioni di una fortuna fuori dal comune che accompagnò queste opere fino dagli anni della rivoluzione» (*Prime riflessioni su «L'uomo d'un altro mondo» di P. Chiari*, in «Problemi», n. 76, 1986, p. 168).

stabiliscono spesso un fitto reticolato di relazioni narratore → eroe → altri personaggi → lettore:

quell'esser [*noi*] tante persone d'abilità diversa [...] *le* fa amar tanto meno gli altri, quanto più stimolate si sentono dalla natura ad amare *se stesse*. Subito che c'entra questo timore che il bene altrui pregiudichi a' *nostri* vantaggi, bisogna per forza che lo guardiam di mal'occhi [...] Così suol oscurare l'invidia i pregi del *nostro* sesso, e della *mia* professione [...] Così pareva a *me* che tentasse *ella* d'oscurar anche i *miei* (CF 32-33, c.vi miei).

Infine, tanto i numerosi proverbi e i luoghi comuni, quanto le poche immagini quasi tutte domestiche, istituiscono altrettante omologie esplicite che consentono al lettore di fare breccia nell'edificio testuale. In tutti questi casi, chi legge è sottoposto ad una serie di stimoli contraddittori (ideologici, culturali, iconici) rispetto ai quali può reagire sia per attrazione sia per repulsione: a livello di omologie esplicite, ognuno instaura con il testo una dialettica personale di riconoscimento. Da questo punto di vista, la mancata realizzazione di un'organicità romanzesca compiuta favorisce il dialogo con un pubblico variegato, tramite però un tipo di fruizione a connotati ancora fortemente premoderni.

Le *omologie implicite* testo-lettore concernono vari livelli dell'opera: riguardano sia quei significati ideologici pertinenti alla mentalità del lettore medio non espressamente verbalizzati dai personaggi ma allusi nei loro discorsi, sia certe implicazioni presupposte dalla trama ma non dichiarate *apertis verbis*, sia aspetti caratteristici degli eroi.

«Io non volea, né dovea risolutamente tornare in Francia mai più, né rivedere l'Inghilterra col rossore in fronte, e la ripugnanza nell'animo d'aver sì facilmente ascoltato ad istanza sua [di Dorlei] un amante malnoto, e d'essergli corsa addietro fino a Londra in sua compagnia per esserne con tanto disprezzo più solennemente ingannata» (DG 18): il discorso di Ninna si basa su un presupposto non dichiarato. Non volere tornare in Francia e in Inghilterra per non essere svergognata significa considerare due intere nazioni alla stregua di due paesi. Nella pettegola Venezia di Chiari e nelle località di provincia in cui i suoi libri circolavano con notevole successo, le notizie mondane corrono di bocca in bocca: ecco come le parole di Ninna istituiscono un'analogia implicita con l'esperienza quotidiana del lettore contemporaneo. Anche la dinamica parossistica degli avvenimenti narrati finisce per veicolare un'altra analogia implicita testo-lettore. Le storie chiariane procedono per alternanza di tensione-distensione, e culminano con la rappacificazione dei personaggi, in una composizione definitiva delle loro relazioni. Il punto è che la conflittualità destinata a ridursi a rapporti tranquilli riguarda un numero ristretto di figure parentali (genitori, fratelli, sorelle e suocere), definito sin dall'inizio di ogni romanzo: è questa analogia astratta ad avvicinare la situazione familiare della lettrice al cast degli agenti romanzeschi. La lettura va così incontro all'aspirazione che tutti hanno di instaurare rapporti domestici qualitativamente soddisfacenti, e intanto sceneggia situazioni di emancipazione avventurosa.

Nel complesso, le strategie impostate da Chiari per agganciare il lettore puntano sulla generalizzazione delle esperienze e non, come sarà per il romanzo moderno, sulla loro individuazione in caratteri e comportamenti personificati: quante volte un attributo dell'eroe non pertiene al narrativo ma al didascalico, trasformato in tema di una delle innumerevoli divagazioni commentative del narratore? La sua presenza in qualità di voce esplicativa assolve anche ad un'altra importante funzione, quella di operare delle sintesi per conto del lettore. Le massime tanto frequenti non solo spostano su un piano intersoggettivo l'esperienza personale dell'eroe risparmiando così a chi legge la fatica (e la difficoltà) di tradurre l'esperienza altrui nei termini della propria, ma contengono pure un'indicazione morale frutto di un'operazione di sintesi ideologica ugualmente risparmiatagli. Si stabilisce in tal modo un livello di comunicazione narratore-lettore implicitamente metadiscorsivo, in cui l'operazione di decodificazione divulgativa di chi detiene la parola qualifica tutti questi discorsi, in generale, quali discorsi di apertura del testo verso i suoi destinatari elettivi.

Quando ad essere direttamente tematizzate sono delle istruzioni al lettore circa il corretto atteggiamento da adottare rispetto all'opera, si può parlare di *omologie evidenti* testo-lettore. Parecchie affermazioni di chi racconta hanno in comune una caratteristica: il narratore tradisce spesso una preoccupazione «difensiva». Le sue parole sono cioè pronunciate con lo scopo di prevenire eventuali obiezioni da parte di chi legge, o per squalificare interpretazioni alternative rispetto a quelle certificate dal testo.

Bisogna dire però, che Girandola s'aspettasse un tale rimprovero; perocché lo prevenne col soggiungermi, che in quella casa parlavano ancor le muraglie; che il Signor di Marbelle aveva le orecchie lunghe, perocché avea mille esploratori d'ogni nostra parola; e che nel caso presente sapea donde venisse il male; perocché aveva indizj certissimi per credere che Madamigella Felicita intorbidar voleva ad ogni costo una tale faccenda (CF 114-115):

in quanto gioco di annullamento delle presupposizioni di chi legge, è chiaro verso chi sia indirizzata questa serie di affermazioni. Quando Rosaura è accolta nella «truppa di ballerini da corda» (CF 25), la narratrice formula alcune ipotesi: «forse l'indole mia [...] Forse il suo stesso carattere compassionevole [...] Comunque ciò fosse» (*ibid.*). Non si tratta di motivazioni personali focalizzate sul personaggio, ma delle sole ipotesi «autorizzate» dal detentore del sapere romanzesco: prevenire obiezioni e giudizi sbagliati al fine di vincolare al massimo le reazioni di chi legge al tipo di risposta prevista dall'autore è un'altra manifestazione del monologismo totalizzante del porta parola. Il miglior modo per ottenere un'interpretazione conforme alle aspettative consiste però nel richiederla in modo inequivoco. Rosaura non dà adito a dubbi: «i trasporti della mia allegrezza a quell'incontro improvviso furono altrettanto sensibili quanto erano inaspettati, *non perché desiderassi di vedere mia Madre; ma perché la giudicavo necessaria alle mie risoluzioni recenti*» (CF 101, c.vo mio). I rapporti con la madre rimangono pessimi, sia chiaro. E, a volte, conviene replicare: «ho detto, e lo ridico, che un uomo egli era di non ordinarj talenti, onde soffra chi legge di sentirne il restante, e mi confesserà poi, che il padre mio con tutta ragionevolezza pensava [...]» (AI 13). L'obiettivo della corretta fruizione non ispira solo queste precisazioni: se i frequenti riepiloghi forniscono la giusta interpretazione di particolari catene di fatti, la prassi sistematica della qualificazione si potrebbe intendere alla stregua di una precategorizzazione di motivi narrativi effettuata tramite istruzioni semantiche discrete.

Oltre alle *omologie evidenti* testo-lettore, Chiari fornisce ai destinatari dei suoi romanzi anche istruzioni di altro genere. Ad essere anzitutto individuate sono alcune disposizioni mentali. Prima dell'avvio *in re* della sua storia, Cristina spiega con quale atteggiamento i lettori si debbano predisporre: «perché diano ad essi piacere questi primi avvenimenti della mia vita», «suppongano anch'essi, che nata io sia veramente dove nata io credevami quando cominciai ad intendere [...] Suppongano altresì, che padre, e madre mi fossero quelle due persone, che tali io chiamava ne' primi anni miei, e tali seguiterò a chiamarle per qualche capitolo ancora di queste Memorie» (AI 9-10). Di tipo analogo sono le esortazioni a mobilitare le facoltà immaginative: «immagini chi può un Paese vastissimo seminato di folte boscaglie, fiancheggiato, e tagliato da [...]» (BP 183), oppure gli inviti ad opportune pause di riflessione: «pensi [chi legge] quanto d'inaspettato, e di stravagante accadermi poteva in quelle mie circostanze; ma lusingarmi ardisco, che non arriverà a indovinarlo giammai» (AI 72). In altri casi il testo propone un modello conforme alle attese del lettore, salvo squalificarlo: «ognuno crederà che dovesse ella in tal caso struggersi in affetti di tenerezza materna per eccitare la figliale mia gratitudine. Nulla di tutto questo» (CF 101). Per nessun motivo le reazioni del pubblico sono lasciate libere: «se mi sorprese un tal complimento, lo lascio considerare a chi legge, che se fosse stato ne' panni miei, proromper doveva in una solenne risata» (CF 102).

Le istruzioni di lettura si possono pure configurare quali semplici indicazioni operative, richieste esplicite di atteggiamenti appropriati: il lettore deve «sospendere per poco la curiosità sua fin a tanto che io lo metta al chiaro d'un fatto, di cui non gli ho dato fin ora, che una confusa idea» (CF 202-203). Anche un semplice invito a proseguire può contenere accenni sull'atteggiamento ricettivo più adatto: «le prosegua *pazientemente* chi legge [le presenti memorie], che lunga, ed ampla materia gli resta ancora da esercitare la sua compassione» (AI 80, c.vo mio). Addirittura, ad essere focalizzati sono atteggiamenti futuri: «non creda chi legge, se mai ne fosse annojato, che proseguire esse [le cose] deggiano sempre così: Cresceranno anch'elle di passo in passo, e si faranno così interessanti, che meriteranno bene spesso il di lui godimento, e non di rado ancora il suo pianto» (DG 88-89). Per orientare la percezione in modo funzionale alla realizzazione di un'esperienza di lettura soddisfacente, Chiari si serve anche di interventi metanarrativi. Indicando lo scopo ludico che deve prefiggersi chi legge un suo romanzo: «servissero almeno d'esempio alla società umana queste Memorie, come le serviranno di trattenimento e sollazzo» (UM 358). Rassicurando il lettore: «sorpassi chi legge questo gran dubbio ancora senza cercarne ragione; perché non arriverò mai a sapèrlo decidere nel corso di queste memorie» (UM 211).

In prossimità degli snodi narrativi o delle svolte commentative, chi legge viene avvisato: «mi si permetta per ora che io mi scordi di me medesima, per seguire la traccia del mio amorevole Protettore, che s'era da me partito per andare in traccia del barone di Cervia» (CF, II 21). Quando compare il capocomico Signor di Marbele, Rosaura sottolinea il passaggio delle sue parole dal commentativo al narrativo: «si vedrà quanto prima, che la sua non era tutta carità; ma per disgrazia mia una vera passione velata col manto della virtù, che mi costò mille affanni. Presupposte queste necessarie notizie della gente, tra la quale vivevo, torno alla fine a me stessa per interessar gli animi di chi legge nella difficoltà delle mie circostanze. Trovandomi scoperta [...]» (CF 63). A scanso di equivoci, il porta parola indica sempre le eccezioni alla linearità unidirezionale degli eventi raccontati: «per mettere anticipatamente in istato chi legge di compassionare la dolorosa mia situazione, mi bisogna adesso premettere, che alla Baronessa N.N...» (DG 35-36). E segnala persino la ragione del suo avvertimento: ne va dell'«intelligenza di queste Memorie» (CF 17). Si tratta di interventi che costruiscono una rete di rimandi fittamente intessuta di segni di coerenza testuale. Gli inviti a recuperare precise notizie servono a questo: «si risovvenga chi legge» (AI 60). L'intento prescrittivo a volte è tale che non solo Chiari ribadisce la «verisimiglianza» di certe situazioni, ma lo fa mostrando al lettore il percorso inferenziale necessario per giungere a siffatta valutazione. Dopo essersi gettata dalla finestra, Rosaura chiede al Conte suo protettore una valutazione del gesto: «avevo bensì tutte presenti alla memoria le cause che m'aveano indotta a tal passo, ed esattamente esponendole al mio Protettore, ne confessò assai verosimiglianti gli effetti, attesa l'antica mia indisposizione d'operare ancora dormendo» (CF, II 11). Chi legge si comporti fra sé e sé come Rosaura con il Conte.

Gli enunciati metanarrativi riguardano anche i personaggi. Le istruzioni possono essere meramente «di servizio», oppure assumere il rango di presentazione. «Per evitare adunque d'ora in avanti qualunque sia confusione, non darò più il nome di madre mia che alla Marchesa d'Altorf, senza lasciar per questo di conservare al Conte, ed alla Contessa d'Arbella tutta la gratitudine mia, e la mia tenerezza» (DG, II 45): ecco un'indicazione «pratica». Invece, a Don Cirillo, patente proiezione autobiografica dell'autore, è riservato un vero e proprio panegirico:

nel caso mio ne fui debitrice ad una persona, di cui sarò memore mai sempre, e vuol ragione che lo sia quando per me non avesse mai fatto altro che questo. Se potessi mai rendergli altra ricompensa che quella della mia gratitudine, ne abbia egli una pruova in queste memorie e dandogli quel luogo onorevole nelle vicende mie, che si è meritato colla premura da lui sempre mostrata in voce e in iscritto, di rendermele meno spiacenti, ed amare (CF 147).

Naturalmente, l'intervento esplicativo del narratore è necessario soprattutto quando la situazione in cui è collocato il personaggio si presti ad una valutazione scorretta: «senza saperne il perché vedrà quivi ancora chi legge due giovinette oneste, e ben nate abbandonarsi alla discrezione d'una schiava indiana, e per l'ordinario infedele, ma non perciò onorarle voglia col nome di due pazzerelle, perché tempo verrà, che pazientemente tutto leggendo se ne chiamerà mal soddisfatto egli stesso, e noi degnissime troverà della sua compassione» (DG 23).

Un altro mezzo tramite il quale Chiari cerca di garantire una lettura appropriata del testo romanzesco consiste nell'utilizzare la narratrice-protagonista come modello di fruizione, ponendola in situazioni speculari a quelle di chi sta leggendo.

L'Umanità è d'un genere solo, come lo sono del pari gli animali, e le piante, ma quante ne sono le specie, e quanto diverse, piucché non si veggino nelle piante, e negli animali dall'un capo all'altro del mondo! Se poi dalle varie specie degli uomini scender vogliamo a' loro individui, chi può assegnarne il numero innumerabile, o immaginarne almeno le incredibili differenze? Tutti son uomini, ma non ha che fare una nazione coll'altra. Mettendo al paragone un Cinese con un Americano selvaggio chi gli prenderebbe per due rami usciti dalla stessa radice? Quanta diversità nella sola Europa da un francese pieno di fuoco a un uomo statua nato sotterra tra l'orride nevi della Laponia. Oh Natura madre comune sempre ammirabile fino nelle tue stravaganze! (SI 55).

A qualificare il passo come una *mise en abîme* dei ragionamenti di un potenziale lettore è Rosní. «Somiglianti riflessioni io mi andava facendo dentro me stessa con un libro per trattenimento alla mano» (SI 55-56): le sue «riflessioni» sulla varietà del genere umano sono stimolate dalla rassegna delle usanze orientali rappresentate fino alla pagine precedente da diversi personaggi del *Serraglio*, il Principe, Zilia, Alba ecc.

Ad ulteriore sussidio del lettore, certi passi si configurano alla stregua di veri e propri esempi operativi, modelli ai quali conformare la condotta di decodifica e di apprezzamento dell'opera. Diventa così possibile prendere coscienza delle situazioni raccontate, sia godendone appieno l'effetto di lettura, sia ricavando dai romanzi indicazioni di condotta. Un modello di comportamento di lettura è fornito dalla Bella Pellegrina. La comicità della sua condizione consiste nell'essere «divenuta in breve la mezzana amorosa di me medesima» (BP 123). Se qui è Eugenia stessa ad esplicitare il lato paradossale dell'episodio, altrove a doversene rendere conto sarà chi legge, memore dell'esempio di esegesi propostagli a scopo didattico. «Quanto è mai fallace il cuor nostro; perocché il mio quella notte non mi presagiva nissuna disgrazia, quando la massima di tutte le disgrazie era per accadermi, qual era quella d'essere improvvisamente arrestata per ordine della Corte» (BP 234): l'insegnamento tratto in nome della sua esperienza da Eugenia vale quale esempio euristico a disposizione di chi legge.

Alla limitata libertà di interpretare in modo autonomo – sulla scorta di un'abbondante esemplificazione preventiva – singole porzioni di testo, si accompagnano i vincoli palesi delle istruzioni indirizzate direttamente al lettore. In forma impersonale: «se le donne facessero tutte così ne' piccioli affari della loro giurisdizione domestica, avrebbero più sudditi, a cui poter comandare, e con più ragione potrebbero intitolarsi Regine» (Z, II 148). In forma di generalizzazione esplicativa del senso di un episodio:

è vero, rispose la donna di spirito: son io stata la prima che v'ha insegnato a fuggire dalla casa paterna, e non ve l'avessi pure insegnato giammai; ma nol feci che per soverchio amor vostro, trovandovi meritevole della mia tenerezza, e voi lo faceste allora per soverchio amore imprudente d'uno sposo di voi non degno, che non conoscevate abbastanza. Figliuole troppo facili, e preste a sceglier mariti, e voi madri del pari troppo compiacenti nel secondarle, o nel chiuder gli occhi su questo proposito, qui c'è da riflettere assai per non imitare il mio esempio (DG, II 37).

Ad essere indicato, altrove, è invece un comportamento; l'istruzione travalica la finzione e diventa consiglio pratico:

la stanza mia era l'asilo dell'allegrezza, del riso, dell'onestà; e dirò ancora dello spirito, e della virtù; perocché non vi passavamo le ore colle carte alla mano; ma in continui discorsi saporitissimi, da' quali sempre imparavo qualche occulta qualità del cuore umano, e qualche artifizio coperto delle nostre passioni, che mi serviva di regola per no lasciarmi ingannare [...] Tutte quelle che amano il gran Mondo dovriano fare così (CF, II 128-9).

Per stabilire quella sintonia e verificare quella buona fede necessarie a riscuotere la fiducia di chi legge, indispensabili per stimolare la sua volontaria collaborazione passiva, ecco infine gli inviti a convenire con chi racconta sulle sue valutazioni: «non ci sarà forse un solo tra quanti avranno la sofferenza di leggere queste Memorie, che non abbia da confessare essere stata più di me favorita dalla fortuna Madamigella Fiorina, per quanto abbia ella fatto di stramberie» (DG 168-169). E, su questo, chiunque abbia letto il romanzo non può non ritrovarsi d'accordo.

UNA FRUIZIONE REGRESSIVA

A differenza delle approfondite conoscenze letterarie imprescindibili per accedere alle opere colte, le competenze richieste al lettore di romanzi fanno appello all'esperienza del vivere e ad una cultura generale nient'affatto specialistica. Dal punto di vista dell'autore, questo è un problema. La difficoltà consiste nell'elaborare un testo accessibile a un pubblico illetterato a partire da un patrimonio classicistico di convenzioni espressive: per parlare ai nuovi lettori, lo scrittore dispone di un sapere letterario ancora fortemente tradizionale. Chiari risolve la questione utilizzando espedienti tipici di generi semiletterari ed extraletterari familiari a quel pubblico, secolarizzando strategie espressive tipiche della tradizione scolastica ed ecclesiastica e sostituendo ai fini devozionali e pietistici di quelle opere un obiettivo modernamente edonistico. Ma la mobilitazione da parte del nuovo genere di competenze diverse rispetto a quella strettamente letteraria comporta un nuovo tipo di fruizione non ancora del tutto riqualificata, nel caso dei romanzi di Chiari proprio per la loro natura di formazioni di compromesso fra nuove esigenze rappresentative e cultura letteraria tradizionale. A documentare l'avvertimento della novità dell'esperienza della lettura di romanzo è lo stupito entusiasmo testimoniato da tanti autorevoli lettori stranieri di fronte a opere ben diversamente compiute (basti pensare alle valutazioni di Diderot sulla *Pamela* di Richardson), molto meno prevenute rispetto a quelle degli intellettuali italiani e perciò più interessanti. In ogni caso, in Inghilterra come in Italia sono i testi a recare traccia delle pratiche di lettura connesse al nuovo genere.

Nei romanzi di Chiari, la situazione ricorrente del gruppo di personaggi intento ad ascoltare il narratore si potrebbe intendere come un'allusione alla ricezione collettiva di un racconto recitato ad alta voce. Non diversamente, nel xviii secolo in Francia «ci sono persone che sanno leggere e che leggono ad alta voce per gli altri. È chiaro che alcuni grandi romanzi della *Biblioteca Blu* sono destinati ad essere letti così» [11]. L'effetto è duplice: consiste nel «comunicare lo scritto a chi non sa decifrarlo, ma anche [nel] cementare forme chiuse di socialità, che corrispondono ad altrettante figure del privato – l'intimità familiare, la convivialità mondana» [12]. Sia la conformazione letteraria dei testi narrativi di Chiari, sia quella tipografica delle loro edizioni popolari, suggeriscono come dovesse essere questa la pratica di lettura della fascia meno colta del pubblico. La stampa poco accurata, i caratteri piccoli e fitti, lo scarso corredo di punteggiatura, ne rivela la destinazione ad «una lettura disincentivante, lenta e continua, senza pause, analitica, fondata non sulla vista, ma sull'ascolto della propria voce o della voce di un altro» [13], mentre parecchi aspetti tecnici (la ridondanza generale, l'impostazione «didattica», la presenza di istruzioni di lettura esplicite, le didascalie riassuntive dei capitoli) documentano altrettanti tentativi di facilitare al lettore ingenuo il processo di appercezione dell'opera. Naturalmente, questa fruizione pubblica, «recitata» del testo, non esclude affatto una più evoluta lettura privata e mentale, per eccellenza «borghese».

La natura «vorace» del genere romanzo, che «tende ad assorbire più o meno tutti gli altri generi letterari» [14], è ben manifesta nei testi chiariani proprio per la mancata sintesi dei loro materiali costitutivi, ed ha un corrispettivo sul piano della ricezione. A romanzi compositi è infatti possibile collegare svariati atteggiamenti di lettura.

---

[11] G. Bollème, *Letteratura popolare e commercio ambulante del libro nel XVIII secolo* (1965), in *Libri editori e pubblico nell'Europa moderna. Guida storica e critica* (1977), a cura di A. Petrucci, trad. di F. Petrucci Nardelli, Roma-Bari, Laterza, 1989, p. 213.

[12] G. Cavallo-R. Chartier, *Introduzione*, in *Storia della lettura nel mondo occidentale*, a cura di G. Cavallo e R. Chartier, trad. di M. Maniaci, Roma-Bari, Laterza, 1995, pp. viii-ix.

[13] U. Cardinale-G. Giachino, *La lettura*, Bologna, Zanichelli, 1981, p. 2 (il passo è una sintesi di A. Bartoli Langeli, *Premessa* a *Alfabetismo e cultura scritta. Con alcuni contributi su psicologia e storia*, in «Quaderni storici», a. xiii, n. 38, maggio-agosto 1978, pp. 447-448).

[14] R. Bourneuf-R. Ouellet, *L'universo del romanzo* (1972), trad. di O. Galdenzi, Torino, Einaudi, 1978, pp. 19 e 18. La «voracità» del genere è evidente anche agli occhi dei romanzieri ottocenteschi: Francesco Domenico Guerrazzi dedica al trasformismo di questo «Proteo inesauribile della letteratura moderna» il quarto capitolo (*Vita e miracoli del romanzo: della morte ne parleremo più tardi*) di *Il buco nel muro* (a cura di A. Jeri, Milano, Rizzoli, 1959, p. 73).

La caratteristica generale che assimila a questo proposito romanzo e teatro è la *discontinuità*: la «concezione dei tempi e dei modi narrativi scanditi per scene successive rimanda [...] agli analoghi ritmi a cui erano abituati i frequentatori dei teatri, in gran parte appunto lettori di romanzi»[15]. Il fruitore dei romanzi di Chiari procede per salti percettivi, a partire dall'alternanza capitale fra la disposizione al racconto e la disposizione al commento. Nella contrapposizione frontale sacerdote-fedeli, anche la predica condivide lo spazio scenico della recitazione, ma è mirata *ad personam* al fine di ottenere uno scopo: davanti al predicatore il fedele non è più solo spettatore, ma destinatario individuato di un discorso persuasivo le cui forme oratorie sono ben presenti anche nei testi romanzeschi. Rispetto al paradigma rappresentativo dell'agiografia, tramite l'abbassamento assiologico dell'eroe allo stesso livello del lettore, il romanzo induce in chi legge una disposizione non solo passiva, né soltanto imitativa: a favorire la partecipazione immedesimativa saranno soprattutto le componenti avventurose parenti del *romance*. D'altra parte, la successione dei fatti concernenti l'eroe disegna una progressione non molto diversa da quella canonica della fiaba di prove. E «la fiaba, come il sogno, è un testo a cui si *deve* credere»[16], un dovere assolutamente ineludibile in tutti questi romanzi. Invece, le analogie con gli almanacchi implicano un tipo di fruizione più attivo, quasi di consultazione del testo, perciò simile a un'enciclopedia domestica di informazioni e curiosità. Alla natura composita dei romanzi di Chiari corrisponde dunque un ventaglio di atteggiamenti ricettivi. Ma come l'opera non è la somma dei suoi ingredienti, così il tipo di lettura appropriato si distingue dall'insieme di tutti quegli atteggiamenti. Proprio per via di questa caratteristica multiformità, il rapporto che intercorre fra il lettore e l'opera non è centrato sull'unico nesso lettore-protagonista, e non mobilita esclusivamente la categoria dell'immedesimazione: a qualificare il tipo di rapporto dell'opera con il lettore concorrono *tutti* gli elementi testuali, e per cercare di inferire le reazioni di un lettore ipotetico occorre partire da qui. Per la precisione, in questo modo sembra possibile individuare il tipo di lettura *presupposto* dai testi, a prescindere dalla sua effettiva attuazione storica.

[15] L. Toschi, *Un secolo di romanzo*, in Marchesi, *Romanzieri e romanzi del Settecento*, cit., p. IX.
[16] G. Bottiroli, *Il comico inesistente. I regimi figurali nell'opera di Calvino*, in *Calvino & il comico*, cit., p. 94. Il corsivo è mio.

La conformazione bipolare dei romanzi di Chiari, costruiti sull'alternanza di un discorso narrativo e di un discorso commentativo, è il loro aspetto più caratteristico. La comunicazione con il lettore è in effetti affidata a due linee espressive differenti, a volte complementari (dove l'avventura sfuma nella considerazione generale e viceversa), a volte alternative (ad esempio quando ciò che è predicato in sede didascalica non trova conferma nella rappresentazione), raramente intrecciate in modo indissolubile (i passi di compiuta sovrapposizione storia-discorso). Ne discende un duplice rapporto con chi legge, prefigurato di volta in volta nell'opera quale destinatario di un discorso retorico, oppure come destinatario di un discorso narrativo, due strategie espressive implicanti atteggiamenti di lettura ben diversi. In effetti, il *narratore-retore* si rivolge al lettore empirico con l'intento di persuaderlo: cerca di convincerlo esprimendo opinioni riguardanti aspetti del testo, ma soprattutto svolgendo riflessioni estranee all'opera: difende principi «filosofici», imperativi morali e così via, strutturando le sue divagazioni con perizia argomentativa. Il suo discorso ha insomma una finalità pratica o – meglio – riconoscibilmente orientata a modificare il comportamento del lettore e il suo bagaglio di convincimenti personali. Se invece il narratore-retore si rivolge ad un destinatario interno al testo, perde i connotati dell'autore implicito di un discorso «saggistico» per vestire i panni del *narratore che commenta*: le sue parole si collocano a mezza strada fra quelle saggistiche del narratore retore e quelle avventurose proferite, invece dal *narratore che racconta*. Solo quando a parlare è lui, il narratore che racconta, il gioco comunicativo è di carattere schiettamente finzionale, e il lettore si deve aspettare divertimento e azione. Il fine del discorso è non riconoscibilmente orientato, il testo è cioè di carattere estetico, e in quanto tale richiede una fruizione disinteressata all'immediata applicabilità pratica di temi, idee, consigli. Dunque, al sovrapporsi di narrativo ed extranarrativo, di estetico e di inestetico, di finzione e non-finzione, corrisponde un atteggiamento di lettura altrettanto composto, fatto di continui ingressi e continue uscite dall'edificio romanzesco. Proprio qui, in questa non uniformità dell'atteggiamento di lettura postulato dai romanzi chiariani, è possibile individuare la sua prima caratteristica generale.

Nonostante l'estrema cura prestata dallo scrittore nel costruire vicende concatenate in modo logico e per successione causale, saltano all'occhio numerose incongruenze. Nel *Serraglio indiano*, non solo il cugino di Rosnì la corteggia appassionatamente salvo poi cercare di convincerla a sposare l'Imperatore, ma il lettore verrà a sapere che nel serraglio i matrimoni misti con donne europee sono proibiti. Un fatto in contrasto con la trama del romanzo, basata sulla ricerca da parte dell'Imperatore di una donna da sposare fra le straniere sue ospiti. In effetti, a volte Chiari utilizza un argomento o una situazione per la sua funzionalità immediata, senza preoccuparsi della coerenza rispetto ad altre condizioni già impostate nella narrazione. Ed è la prassi del riepilogare le dinamiche dei fatti, fornendone la sola versione autorizzata, a consentirgli di lasciar cadere le situazioni e gli argomenti incongruenti. Tale condotta ha un corrispettivo nella ricezione del testo. Il lettore sembrerebbe apprezzare determinati segmenti successivi di vicenda, senza prestare attenzione alle implicazioni fra singoli elementi di insiemi diversi, tanto più se distanti. Chi legge sarebbe in grado di controllare solo micro-coerenze testuali, e cioè singoli nuclei narrativi, essendo l'unità semantica del testo assicurata da alcune opzioni narrative strutturali, *in primis* il patto autobiografico e l'identità costante della protagonista. A riprova, ultimato il romanzo nessuno sarà mai in grado di riassumerlo, se non per linee generalissime.

La ricezione del lettore sembrerebbe dunque analitica e parziale, non sintetica e «globale». A regolare la percezione della storia manca insomma la convenzione di «realisticità», l'idea per cui il romanzo ritrarrebbe in modo mimetico l'esistenza: la libertà inventiva si impone a scapito dell'organicità del testo, e infatti i personaggi sono strutturati per tratti caratteriali disomogenei e discontinui, in modo da non imporre alcun vincolo alla libertà di svolgimento dell'imprevedibile storia. La trama si configura perciò come una «fantasia del desiderio, e non [come] un'immagine della vita» [17]. A parziale correttivo, ecco i riepiloghi delle informazioni pregresse indispensabili alla comprensione di un nuovo episodio, ecco gli inviti a ricordare precisi aspetti dell'opera («come ciò fosse lo vedrà chi legge a suo luogo, *sol che ne conservi memoria*» AI, II 113, c.vo mio), ed ecco la puntuale sottolineatura delle eccezioni all'ordine cronologico della vicenda, sintomatica della difficoltà di intendere il testo quando si eccepisca alla linearità che una percezione parcellizzata dell'opera fa supporre. Se «nessun evento ha

---

[17] Muir, *La struttura del romanzo*, cit., p. 49.

significato» quando non sia «visto all'interno di un contesto e [se] niente può essere creato o anche solo elaborato dalla mente senza il tessuto connettivo spazio-temporale»[18], si capisce quanto nei romanzi di Chiari il cortocircuito illusionistico della *fiction* romanzesca sia un processo incompiuto.

La discontinuità della percezione di questi testi riguarda pure la relazione lettore-protagonista. Soprattutto grazie allo sdoppiamento ora-allora dell'impianto pseudoautobiografico, chi legge è a momenti sollecitato ad immedesimarsi nell'eroina («ma credo che questi basti per mettere orrore a chiunque si fosse trovato allora, o voglia immaginarsi adesso nelle mie circostanze» BP 60) tanto quanto in altre occasioni è spinto ad allontanasene con un comportamento di lettura straniato: «a sangue freddo qual sono al presente, che scrivo queste memorie, mi sento scoppiar dalle risa, riflettendo che io stipulavo con Don Valerio un istrumento di dote tutto chimerico» (GL 76). Un minore ma pur sempre manifesto distanziamento lettore-eroe si verifica invece nei momenti avventurosi impostati sull'equivoco, «un procedimento privilegiato della commedia di tutti i tempi, che sfrutta l'informazione maggiore dei fruitori rispetto ai personaggi, assumendo forme svariate: lo scambio di persona, il quiproquo, la morte presunta di un personaggio che riapparirà al momento cruciale»[19], tutti *topoi* ricorrenti nella narrativa chiariana. La dialettica immedesimazione-distanziamento critico è quindi scandita anche dalla quantità di informazione accessibile al lettore rispetto al sapere dell'eroe, tenendo però presente che persino nei casi di superiorità delle conoscenze del fruitore, quanto egli sa è comunque dispensato da un narratore tanto autoritario quanto sempre ostentatamente onnisciente.

Il fatto è che alla base della relazione lettore-protagonista c'è un distacco incolmabile. Le esperienze delle eroine chiariane sono offerte «altrui di correzione, e d'esempio» (VS 7): il loro valore paradigmatico esclude sia un atteggiamento di appropriazione immedesimativa, sia una dinamica di proiezione spersonalizzante. Le richieste di provvisoria sospensione del giudizio sono molto significative. Sulla valutazione dei «compatibili effetti» (GL 6) di una certa situazione, Madama Tolot è molto chiara: «per decidere di

---

[18] S. Salvestroni, *I meccanismi spazio-temporali nei testi artistici e nei processi creativi della psiche*, in «Strumenti critici», n.s., a. VI, n. 67, fasc. 3, settembre 1991, p. 337.
[19] M. Fusillo, *Il romanzo greco. Polifonia ed eros*, Venezia, Marsilio, 1989, p. 46.

tutto ciò bisogna che il leggitore benevolo si compiaccia d'esaminarli, e sospenda egli di sentenziarne fino a tanto, che abbia io finito di scriverne» (*ibid.*). Proprio in quanto il giudizio non è presupposto a priori come nella letteratura devozionale e apologetica, la lettura del romanzo si configura alla stregua di un'esperienza che porta alla formulazione di una valutazione morale da parte del lettore. Perciò, non solo il suo rapporto con il personaggio è anzitutto di tipo etico, ma la fruizione edonistica dei romanzi implica l'elaborazione del giudizio quale atto di categorizzazione percettiva. Del resto, è noto quanto la *querelle* fra difensori e detrattori del nuovo genere si concentrasse fin troppo sulla sua presunta immoralità, e si capisce l'apprezzamento di Pietro Verri quando elogia le *Avventure di Saffo* perché nel libro «tutti i caratteri sono onesti e buoni, non v'è che la dea maligna e capricciosa che meriti tutto il biasimo»[20].

Le valutazioni non sono sempre richieste al lettore, né riguardano solo l'eroe. Mentre difende la sua reputazione, Cristina fornisce precisi giudizi su un personaggio secondario: «perché di quest'ultimo mi occorrerà di parlare altre volte per mio gran danno, vuole ogni ragione, che qui ne premetta quelle notizie, che bastano a farne concepire il carattere, onde trovandosi egli nel progresso di queste Memorie uno de' più maligni, e più detestabili, non venga io giudicata calunniatrice, e maledica» (AI 85). A chiedere al lettore di valutare un intero segmento di vicenda è Eugenia: «una Storia breve, e sincera di sì strane avventure era capace d'interessare chichessia; e m'avvidi io raccontandola, che i Giudici miei m'ascoltavano con sommo piacere, e con pari attenzione» (BP 13).

«La lettura spezzettata limita la riflessione. Si pensa su ciò che è scritto, ma si sogna su ciò che si è inteso. La lettura dà idee, ma l'orecchio genera immagini. La lettura ad alta voce non permette di assimilare veramente»[21]: ecco come in primo luogo il pubblico meno colto è assorbito nel romanzo. Ma a favorire un approccio emotivamente partecipato, ad inibire il distacco critico da parte della lettrice è soprattutto la componente avventurosa. L'iperattivismo dei personaggi e il ritmo forsennato della vicenda incatenano

[20] Lettera di Pietro Verri del maggio 1780 al fratello Alessandro, citata da M. Cerruti, in *Motivi e figure di un romanzo «neoclassico»*, in «Lettere italiane», a. XVI, n. 3, luglio-settembre 1964, p. 261.

[21] G. Bollème, *Letteratura popolare e commercio ambulante del libro nel XVIII secolo*, in *Libri editori e pubblico nell'Europa moderna. Guida storica e critica*, cit., nota 7, p. 214.

l'attenzione di chi legge in un mondo angusto, in percorsi obbligati: il contrasto fra finitezza della vicenda e ritmo sostenutissimo dell'azione comporta una sorta di sensazione subliminale di claustrofobia. La febbricitante ipercinesi degli attori, la loro delirante dinamicità, è esaltata *a contrario* dagli elementi identici che, ripetendosi, la scandiscono, con un effetto ipnotico catalizzante l'attenzione della lettrice. Una dinamica favorita dalla diversa conformazione della struttura superficiale e della struttura profonda dei romanzi: il divagare della combinatoria avventurosa degli eroi si riduce immancabilmente all'immodificabilità dei legami parentali; la loro spinta energetica è contenuta ed esaltata da un'ineludibile condizione di necessità. Così, gli elementi di identità, di conferma delle premesse, di chiusura dell'universo raccontato, darebbero forma all'esperienza della lettrice, ripetitiva e bloccata negli angusti orizzonti domestici. D'altro canto, il vitalismo espresso dai romanzi ben si adatta a veicolare l'intensa attività fantasticante di chi legge, dando sfogo alle energie psichiche stimolate dalla variegata conformazione avventurosa dei testi. Ma la dinamicità dell'azione si può ricondurre quasi in ogni momento ad un significato *stabile*, ad un sistema di valori impostato una volta per tutte ed esemplificato negli atti dei personaggi: il paradigma illustrativo di significazione bilancia l'imprevedibilità delle trame. La medesima dialettica è evidente nella contrapposizione fra la sorprendete varietà della vicenda a livello micro-testuale, e la sua ripetitività a livello macro-testale; in tal senso, i romanzi propongono emozionanti avventure incastonate in cornici rassicurative. In queste storie intricatissime disegnate con tratti netti, il caos della vita raccontata assume un significato preciso ed univoco proprio nella configurazione lineare dell'avventura, nel gioco dei precisi incastri fra gli accadimenti, alla fine del romanzo dominati alla perfezione da chi legge.

Più in generale, dunque, ad opporsi in questi romanzi sono una serie di elementi ricorrenti e una serie di elementi nuovi, una mobilità di superficie e una staticità profonda. L'assoluta bizzarria della vicenda, delle aspirazioni degli eroi, delle loro decisioni è patente, mentre gli aspetti dell'identità agiscono a livello subliminale. Lo svolgimento per dilemmi delle storie dei personaggi, la configurazione bipolare delle loro fisionomie e dei loro rapporti reciproci, il loro ragionare e discorrere per schemi retorici ricorrenti, il ripetersi di situazioni topiche, l'alternarsi delle medesime tematiche, l'andamento euritmico del linguaggio, sono tutte caratteristiche di regolarità del romanzesco. Ben oltre la patina razionalistica veicolata dal commentativo, la forza di impatto dei romanzi chiariani risiede in questa loro ossessiva e impercettibile figuratività: ad indurre una ricezione di stampo visionario è una strategia estetica fondata su un'evidenza ipnotica. In definitiva, il testo determina un effetto simile a quello perseguito da moltissimi oratori religiosi del XVII secolo, con quei «meccanismi suasori, ancor più che persuasori, ipnotizzanti più che convincenti, non nuovi certamente, ben conosciuti nella predicazione medievale, ma di largo incremento nel tardo Cinquecento e nel Seicento»[22].

Nel mondo narrativo di Chiari, tutto può accadere: tramite l'abolizione della probabilità, il possibilismo che governa gli accadimenti romanzeschi favorisce proiezioni di onnipotenza da parte del lettore, e non impone limiti al suo fantasticare: l'attività mentale stimolata è molto più vicina alla fantasticheria anarchica di quanto non sia assimilabile alla fantasia narrativamente strutturata. D'altronde, tutti gli aspetti di chiusura del testo inducono un controllo razionale delle reazioni di lettura: non solo gli elementi autoreferenziali, il tirannico monologismo autoriale, la stessa finzione memorialistica-autobiografica incontestabile per definizione, ma anche il rapporto fra una struttura profonda bloccata e una struttura superficiale libera, la rete di ipotesi e di interpretazioni alternative a quelle esperite dagli eroi, preconfezionate *ad hoc* per ingabbiare l'iniziativa ermeneutica del destinatario. Le frequentissime corrispondenze strutturali e formali producono la ricaduta di una regolarità «profonda» e arcana sull'imprevedibile avventuroso, con un effetto di rassicurazione irrazionale di chi legge. In tal modo, le energie psichiche compresse a livello vigile si esplicano liberamente lungo le linee delle figurazioni dell'evidenza e della fissità «onirica» che scandiscono l'universo romanzesco. La bizzarra imprevedibilità della vicenda è bilanciata dalle immodificabili scansioni del suo procedere, cui corrisponde l'ineluttabilità del destino di donna della lettrice settecentesca, riscattata fantasticamente nella sua aspirazione ad una vita diversa. Oltre alla compensazione fantastica delle frustrazioni, le macchine romanzesche chiariane garantiscono dunque un'immaginaria emancipazione individuale.

---

[22] G. Ledda, «*Le rappresentazioni al vivo». Tecniche e strategie persuasive nell'oratoria sacra del '600*, in *Ragioni retoriche di discorsi letterari. Retorica e letteratura tra narrativa, poetica, oratoria sacra e politica*, a cura di G. Ledda, Roma, Bulzoni, 1990, p. 73.

Esiste dunque un piacere del leggere l'avventura, ma esiste pure un piacere della lettura del didascalico. Nei romanzi di Chiari, le storie imprevedibili si accompagnano sempre ad una puntuale spiegazione: il gusto sta sia nella sorpresa, sia nella riduzione dell'eccezionale a catena ben ordinata di fatti e cause. Le «vicende» saranno tanto «dilettevoli e stravaganti» quanto «non più intese» (Z 241-242), ma è pure importante che a sorprendere sia la loro spiegazione: «l'esito giustificò le sue lusinghe; ma il *modo non se lo aspetta nessuno*» (VS, II 205, c.vo mio). Non si tratta di un gioco di ipotesi da parte del lettore al fine di individuare la corretta soluzione, ma della semplice presa d'atto della paradossalità di situazioni inspiegabili fino alla versione dei fatti fornita per via razionale dal narratore. Il compenso per tanta fiduciosa credulità consiste proprio nell'avere spiegazioni dettagliate di situazioni al limite dell'assurdo: il taglio enigmistico delle risposte ai rompicapi chiariani, elaborati a scapito di qualunque realisticità, risale al privilegio accordato alla dimensione cognitiva. Sul piano del commento, la relazione intrattenuta con il lettore rinvia inoltre alle pratiche della conversazione mondana. Aggiornamento sulle mode, considerazioni di attualità, suggerimenti di condotta, curiosità, sono tutti temi proposti in nome del loro oggettivo interesse, e proprio l'insistita abbondanza di tali annotazioni è sintomatica del piacere con cui il pubblico leggeva questi passi. Così è, ad esempio, quando Eugenia discorre con la Principessa intorno al tema dell'essere bugiardi: «le bugie, Madama, io risposi, pajono divenute necessarie nel mondo, dacché si fece egli pieno di bugiarde apparenze» (BP 136). Impostato l'argomento, la sua strutturazione anaforica e la modularità della sintassi rendono evidente l'andamento seriale del discorso: «perché la nobiltà nel mondo ha qualche franchiggia, vuole esser ognuno per diritta linea discendente da Cesare. Perché si dorano le ricchezze [...] Perché la bravura concilia rispetto [...] e perché finalmente la bellezza, è tiranna delle nostre passioni» (*ibid.*). Il passo procede poi con un'articolata progressione argomentativa per accumulo e concatenazione fino all'*explicit*, che allude simmetricamente all'inizio. «Ecco le bugie necessarie in un mondo abbellito da sole bugiarde apparenze» (*ibid.*): il pubblico è piacevolmente intrattenuto da un divagare potenzialmente senza limiti, e il gioco può continuare *ad libitum*. Ma il piacere del didascalico si esplica anche in strategie sintetiche, come nelle rapide annotazioni tanto apprezzate da Marchesi. Sono «le sentenze, sono i paradossi, sono le osservazioni or acute, or profonde, ora spiritose che il Chiari semina prodigalmente ad ogni passo, [che] ci arrestano e ci fanno sorridere o pensare»[23].

Il rapporto fra proiezione di sé nell'opera e introiezione dei modelli romanzeschi, a questo punto, si chiarisce. È un rapporto dialettico fra proiezione fantasmatica veicolata dall'avventura e conforme agli aspetti subliminali del testo e introiezione a livello consapevole dei modelli e dei contenuti ideologici trasmessi dal didascalico. Non ultima funzione del commentativo è allora quella di permettere al lettore, rinfrancato dai buoni propositi impartitigli da dispotici narratori, di abbandonarsi al piacere del testo senza alcun rimorso.

ROMANZI ILLUMINISTI

Un canale molto importante di comunicazione con il pubblico è costituito dal sistema di valori e dalle prese di posizione ideologicamente orientate che informano tanto la componente didascalica quanto quella avventurosa dei romanzi di Chiari. Quando il contenuto è dichiarato la comunicazione delle idee è *esplicita*; se i contenuti ideologici sono sottaciuti sta a chi legge razionalizzare i concetti presupposti dagli accadimenti e le premesse non dichiarate nelle argomentazioni del commento. La comunicazione è allora *implicita*.

Fra le molte possibilità di comunicazione esplicita di messaggi ideologicamente connotati è interessante l'espediente della sceneggiatura di un motivo filosofico: narrativo e commentativo si radicano nel racconto tramite la riduzione a figurazioni romanzesche di temi di attualità. Ecco allora il *topos* dell'uomo solitario, di ascendenza giusnaturalistica, motivo centrale nell'*Uomo di un altro mondo*. Stilizzato in Stevingh, figura importante della *Zingana*, nel *Serraglio* il motivo è interpretato da una comparsa, un contadino di centotrenta anni che vive isolato dal consorzio umano, ed è affidato alla figura marginale e anonima dell'Indigeno nell'*Amante incognita*. Analogo trattamento possono avere temi di attualità culturale. Basti ricordare il serraglio, centrale nell'omonimo romanzo e argomento sussidiario nella *Zingana*, soggetto quanto mai adatto a stimolare la curiosità del pubblico per la sua connotazione esotica.

---

[23] Marchesi, *Romanzieri e romanzi del Settecento*, cit., p. 79.

Il modo più diretto di comunicare idee è naturalmente quello di esprimerle *apertis verbis*, come quando capita di leggere inviti ad una condotta spregiudicata: «ho giuocato, giuoco tuttavia, e giuocarò fin, che vivo, perché come dissi fin da principio, non dobbiamo tener serrata dal canto nostro alcuna strada per cui accostarsi a noi possa la nostra buona Fortuna» (GL 224). D'altra parte, ogni volta che i comportamenti della Viniziana di spirito rasentano quelli di una «pazza» (VS 22), ad essere spregiudicate sono delle azioni non commentate da chi racconta. Così come non è dichiarata la corrispondenza fra alcune caratteristiche di Zaida e quelle attribuite dal senso comune alle zingare. Il pregiudizio per cui la Zingana sa predire il futuro è uno dei motori dell'intreccio dell'omonimo romanzo, comunicati in modo implicito a chi legge.

Dal punto di vista ideologico, nei romanzi di Chiari non solo si alternano posizioni innovative e conservatrici, ma vi sono vere e proprie incongruenze. Se ad una Viniziana «emancipata» si oppone una Zaida interprete di ideali tradizionali, parecchie affermazioni esplicite che riguardano argomenti centrali di queste opere sono in patente contraddizione fra loro. Così, il diritto alla libera elezione sentimentale è difeso con energia dall'Uomo d'un altro mondo: «giusto Cielo! io esclamai con qualche trasporto, come sagrificarete voi la libertà vostra, la ragione, gli affetti all'arbitrio d'un altro che ne abusa con tanta ingiustizia? Voi amar dovete lo sposo, voi sperimentarne il carattere, voi soffrirne i difetti, voi vivere seco lui, e da lui inviolabilmente dipendere fino all'ultimo de' giorni vostri» (UM 232). Al contrario, Madama Tolot approva il matrimonio di Raimondo e Felicita solo per liberare lei dal convento. Per un analogo fine utilitaristico nella *Viniziana* gli sponsali di una lavandaia con un uomo deforme rispondono a motivi di interesse economico. Addirittura, a contraddirsi può essere il medesimo personaggio: «non v'ha disgrazia o felicità sulla terra, che non dipenda da noi d'incontrarla se giova, o se nuoce di scemarne almeno l'affanno» (2 64), afferma lapidaria Zaida, salvo in seguito esprimere un parere opposto: «è comune opinione, che l'uomo sia l'arbitro della sua volontà; ma l'assioma non è sì universale, che non abbia bisogno di molte eccezioni» (Z 126). Opinione smentita perentoriamente da Ninna: «l'ho detto mille volte in mia vita, e l'ho ancora sperimentato sovente, che tutte le cose umane dipendono non di rado dall'arbitrio del caso; e non saprei, se più frequenti siano sulla terra i disordini, ch'egli produce, o quelli, a' quali egli mette inaspettatamente riparo» (DG 95).

Simili contraddizioni non investono soltanto il piano della comunicazione esplicita: nei romanzi di Chiari la medesima incompatibilità riguarda i contenuti ideologici impliciti. Così, all'impianto razionalistico dei discorsi del narratore e alla progressione logicamente necessitata della vicenda, si contrappongono i moventi irrazionali delle azioni dei protagonisti. La tacita contraddizione per cui l'ipercinesi di tutti gli eroi chiariani li conduce sempre alla medesima condizione di partenza è verbalizzata una sola volta in un passo della *Zingana*: «un laberinto è la vita [...] Le strade sue son sì tortuose, ed impenetrabili, che il più delle volte là si ricade appunto, donde siamo partiti pocanzi» (Z 188). Ancora, esiste contraddizione fra il teleologismo logico-causale dell'eroe nella trama, e il possibilismo paralizzante che lo attanaglia ogni qualvolta siano inscenati i suoi «riflessi» sul da farsi. D'altronde, non vi è quasi mai continuità fra intenzioni del soggetto, azione e suo effettivo esito pratico: «la cosa avvenne tutto al contrario delle di lui intenzioni» (VS 228). Lo stesso vale per quanto riguarda le convinzioni ispiratrici dei comportamenti. Da un lato gli atteggiamenti emancipati di Zaida incarnano il punto di vista della zingara, critico rispetto alla cultura europea che discrimina lo straniero, d'altra parte trattando i suoi connazionali egiziani alla stregua di «barbari» la Zingana assume l'atteggiamento da lei stessa censurato.

Anche se in generale la coerenza ideologica fra esplicito didascalico e implicito narrativo è garantita, ad esempio tramite il significato illustrativo dei personaggi e per via di un elementare sistema di valori e disvalori predicato nel discorso e applicato nella storia, è facile individuare affermazioni esplicite contraddette da molti taciti presupposti di fatti o azioni estrapolabili a buon diritto dal testo. Si tratta di un terzo genere di contraddizioni, quelle fra i contenuti ideologici impliciti e le idee dichiarate a tutta voce. Sul piano delle regole di comportamento, i pressanti appelli all'impiego consapevole dell'esperienza si scontrano con l'effettiva inutilità delle azioni intraprese dagli eroi ai fini di affrontare non solo il futuro, ma persino il presente. Ancora, la difesa del giusto mezzo si accompagna alla pratica sistematica di comportamenti esasperati, mai riconosciuti però come tali da chi li intraprende. Un'altra contraddizione, di maggior peso, riguarda il fatto che una concezione casualistica della realtà, tante volte sottolineata a chiare lettere, si traduce narrativamente in storie tutte improntate a ferree relazioni logico-causali, le quali dovrebbero postulare se mai una visione deterministica del mondo. Nel *Serraglio indiano*, addirittura, a contrastare sono le aspettative legittimate dalle premesse introduttive al romanzo e l'impostazione ideologica dell'intera finzione. «Chi le scrive [queste memorie] è una giovane donna, che non pensava d'arrivare a tanto giammai [...] Non è però dessa sola, né di se stessa unicamente ella scrive. Le moltiplicate vicende di più persone d'inclinazioni, di patria, e di carattere differentissime non hanno forse a moltiplicare ne' leggitori il piacere della curiosa loro attenzione?» (SI 7): al contrario di quanto promesso, la situazione esotica sceneggiata nell'opera è modellata in conformità ad una visione del mondo e a consuetudini occidentali.

Anche le singole affermazioni esplicite in contrasto con le conclusioni ricavabili riflettendo sulla propria esperienza di lettura sono parecchie. «In vece di lagnarsi qualcuno che nacque plebeo, perché n'ha rossore, pensi a prevalersi di questo suo rossore medesimo per sorgere dal fango, nobilitando colle azioni sue la sua nascita» (CF 16): in realtà, le eroine di Chiari *credono* di essere nate plebee, e dunque la loro storia non suffraga affatto le parole di Rosaura. La contraddizione può essere più sottile: «non è sempre vero, che a' soli spiriti grandi quasi sempre intervengono le grandi avventure. Ne incontrano assai più sovente gli spiriti deboli, e la ragione io ne credo, che operando questi da macchine senza antivedenza, e ragione, in esse inciampano, dirò così, non volendo, laddove gli altri il più delle volte li schivano, quando ne sono ancora sorpresi» (DG, II 103). Delle due, l'una. O le eroine chiariane sono spiriti deboli anziché «donne di spirito» come fa ritenere il loro continuo «antivedere», oppure sono tutte «spiriti grandi», e allora l'affermazione posta ad apertura della citazione è smentita dai testi, che raccontano «grandi avventure» di donne qualunque.

La poca consequenzialità dei contenuti ideologici, tanto dichiarati quanto impliciti, appare dunque evidente. Posizioni tradizionaliste e affermazioni anticonformiste sono accolte in una visione di stampo eclettico: Chiari tratta le idee con notevole spregiudicatezza, senza troppo riguardo alla loro coerenza. Fra i tanti ingredienti capaci di interessare il pubblico – semplicemente – ci sono anche questioni filosofiche, problematiche morali, e così via. La «riduzione a slogan di grandi temi»[24] non risparmia le idee dei maggiori

---

[24] L. Toschi, *Un secolo di romanzo*, in Marchesi, *Romanzieri e romanzi del Settecento*, cit., p. 12.

intellettuali contemporanei, come Lafitau, Burke e Prévost[25]. A riprova, certi argomenti sono assunti semplicemente perché divertenti: Rosnì di Brinville, educata dal padre «lontanissima da' pensieri di soggezione, e di matrimonio» (SI, II 157-158), non è la rappresentante convinta di una posizione originale, ma il supporto narrativo di un'idea bizzarra che incuriosisce chi legge alla stregua dei tanti temi esotici dispensati nel didascalico. Persino i principi morali appaiono contrastanti: l'etica «protoborghese» di Chiari accoglie valori arretrati di ascendenza cavalleresca, primo fra tutti la vendetta. Invertiti i rapporti di forza, la seconda parte della *Zingana* racconta il ritorno di una protagonista vendicativa negli stessi luoghi frequentati da vittima nella prima parte dell'opera.

Tutto ciò non significa che i romanzi di Chiari siano privi di insegnamenti positivi, anzi. Nel complesso, contenuti di buon senso si sposano con un realistico pessimismo, e con un reiterato invito all'autoconsapevolezza. Non bisogna mai stupirsi di quel che accade: tutto è possibile, ma non perciò bisogna confidare in speranze improbabili; c'è sempre una «logica delle cose», e vale la pena di cercare di scoprirla; fra quanto si progetta e quel che si realizza vi è sempre uno scarto; ogni felicità ha il suo rovescio; potere e ricchezza portano fedeltà, l'indigenza lascia soli; è meglio non fidarsi mai del prossimo: la differenza fra essere e apparire è spesso notevole. Ma i suggerimenti sono molti altri, e molto più specifici: quante madri possessive assillano i figli maschi rendendoli burattini nelle mani di amanti spregiudicate?

L'eclettismo ideologico di questi romanzi non fa altro che confermare la varietà dei materiali con cui Chiari assembla i suoi testi narrativi, governati da una fantasia sbrigliata anche sul piano delle idee propugnate. A ribadire e rinforzare la libertà inventiva dell'autore è il concetto di caso, che rappresenta la proiezione nel testo del prevaricante soggettivismo fabulatorio chiariano: un colpo di artiglieria va a segno perché «il caso, che vuol esser il primo regolatore delle battaglie, e dispensatore delle vittorie, diede di sua mano una spinta sì favorevole alle prime palle del nostro cannone» (AI, II 97). Una teoria del caso in grado di legittimare qualunque imprevisto, in netto contrasto con la legge di composizione dell'in-

---

[25] «La cui importanza egli [Chiari] sembra essere stato fra i primi ad intuire in Italia» (F. Fido, *I romanzi: temi, ideologia, scrittura*, in *Pietro Chiari e il teatro europeo del Settecento*, cit., p. 286).

treccio basata sulla coerenza logica degli elementi narrativi. Un tipo di coerenza «unidimensionale», centrata sulla valorizzazione dell'agente (personaggio o oggetto servile) e sulla ferrea coesione della trama. In mancanza di una compiuta visione del mondo in grado di dare un significato fondante il testo nel suo complesso, Chiari propone dunque un'ingenua teoria del caso deputata a giustificare il suo romanzesco. Con un cortocircuito tautologico, la libertà inventiva che ne governa la configurazione è così proiettata nell'opera, e la gratuità delle dinamiche romanzesche si spiega con la loro stessa arbitrarietà.

Che il romanzo trovi fondamento e liceità nel fatto stesso di raccontare vicende romanzesche, in fondo, non è un'affermazione da poco: la modernità di Chiari non è di carattere ideologico, ma letterario. Il suo «illuminismo» consiste esattamente nell'aver scritto romanzi. Una scelta, almeno in Italia, in netto anticipo sui tempi. A fronte di questo merito indiscutibile, vi sono altri aspetti meno proiettati verso il futuro. Le variazioni della superficie avventurosa, iscritte come sono nell'identità delle strutture romanzesche «profonde», comunicano una visione del divenire antidinamica, non in grado di dare spessore al presente. Le regole di trasformazione della vita suggerite nei romanzi scandiscono la ciclicità degli avvenimenti pubblici e privati all'insegna dell'immodificabilità del destino individuale e di quello collettivo. Infine, l'atteggiamento di lettura sollecita la consapevole presa di coscienza di contenuti didascalicamente dichiarati, ma nello stesso tempo invita ad un suggestivo abbandono fantasticante del tutto irrazionale. Una pulsione che trova accesso alle euritmiche strutture profonde del testo grazie alle mancate connessioni fra loro delle opzioni ideologiche esplicitamente tematizzate, all'incongruenza reciproca fra le indicazioni implicite, e pure per il fatto che quanto dichiarato non sempre corrisponde alle premesse tacite del racconto. Come dietro all'appercezione rassicurante del commentativo si nasconde la partecipazione fantastica all'avventura, così dietro al razionalismo apparentemente ferreo dei mille «riflessi» che costellano questi romanzi si trovano ragionamenti incompiuti e contraddittori. La componente velleitaria dell'atto di lettura è propiziata da tali incongruenze quasi impercettibili. In questo senso, i romanzi di Chiari nascondono una natura conservatrice e la loro fruizione, in apparenza liberatoria, è invece effettivamente regressiva.

6.

UN ROMANZESCO «IBRIDO» E ORIGINALE

Il paradigma romanzesco elaborato da Chiari mostra un'organizzazione molto diversa da quella tipica del romanzo moderno, regolato da ben altre convenzioni rappresentative. Si pensi all'istituzione di una dimensione motivazionale del personaggio tale da rendere conseguenti azioni e intenzioni, alla sua coerente identità nel divenire della storia individua in modo che i suoi comportamenti, le sue affermazioni, le sue convinzioni ideologiche si implichino reciprocamente, alla regola secondo cui l'azione dell'eroe va collocata sempre in un *hic et nunc*, le sue imprese incorniciate dall'imprescindibile concorrenza di precisazioni spaziali e temporali. Ancora, se nell'ambito della medesima rappresentazione romanzesca convivono prospettive ideologiche diverse e focalizzazioni narrative multiple, le eventuali contraddizioni del testo, in quanto organiche a punti di vista immanenti all'opera, vengono percepite quali implicazioni della sua complessità.

Diverso il modello di Chiari. Ad assicurare in primo luogo la coerenza dei suoi romanzi sono due convenzioni fondamentali. La prima postula una serie di identità testuali e un'opzione preliminare di finitezza organica della rappresentazione. L'identità di autore, narratore e protagonista determina una notevole semplificazione della *fiction*, e comporta l'impostazione di una gerarchia delle sue componenti dominata dall'assoluta centralità di chi racconta; nessun altro personaggio avrà mai un'importanza solo paragonabile a quella del narratore-protagonista. Questa drastica riduzione delle istanze narrative dipende dall'istituzione dell'espediente della finzione autobiografica. Non solo il narratore espone una storia in cui protagonista è lui stesso, ma la fine delle sue memorie si riallaccia al momento in cui ha preso la parola: in tal modo si rafforza nel lettore una presupposizione di unitarietà del racconto. Inoltre, trattandosi di storie autobiografiche, è sempre garantita la massima libertà di eloquio al narratore, le cui parole prendono la forma della rievocazione avventurosa e quella del commento, all'interno di una materia dominata solo da lui in quanto storia personale, la cui autenticità è inscritta nel patto narrativo. Ora e allora, storia e discorso, sono reciprocamente funzionali grazie a questa prima convenzione. La seconda convenzione prevede che nei romanzi chiariani la storia narrata sia sempre una sola, quella dell'eroe. Anche da questa prospettiva tutte le figure comprimarie risultano subordinate; le loro storie personali sono legittimate solo in quanto accessorie a quella principale. La seconda convenzione identifica quindi l'assoluta priorità della trama, vettore di coerenza fra il tempo presente del narratore-ora e il passato delle sue imprese eroiche.

Se questi primi due espedienti fondamentali di omologazione impongono ai romanzi di Chiari una coerenza generale, la morfologia delle sue opere narrative postula anche altre priorità. Ad interagire funzionalmente sono le principali modalità espressive poste alla base dei suoi romanzi: storia, discorso, ora, allora. L'interazione di queste categorie costituisce quattro istanze testuali: storia-ora, storia-allora, discorso-ora e discorso-allora. Si tratta di istanze «intermedie» fra le prime due grandi convenzioni rappresentative e gli altri costituenti romanzeschi, a partire dai personaggi. Queste quattro istanze testuali istituiscono relazioni con diversi livelli dell'opera, e sono rese omogenee fra loro per il fatto di essere espressione della medesima voce e perché focalizzano la stessa esperienza personale. Ognuna manifesta tanto delle coerenze specifiche con le altre tre, quanto delle coerenze «interne». A queste quattro istanze «intermedie» sono funzionalizzate gran parte delle componenti testuali. L'annoiato disinteresse che si prova leggendo oggi i romanzi di Chiari si spiega proprio con l'istituzione da parte sua di questi punti di fuga astratti. Invece di mettere a fuoco il personaggio, lo spazio, il tempo come elementi di forza della rappresentazione, categorie cioè in grado di catalizzare e dare forma alle proiezioni psichiche del lettore in virtù del loro spessore culturale, in linea con la sua ispirazione retorica il modello chiariano imposta trasparenti luoghi tecnici di convergenza formale che non hanno alcun corrispettivo con le caratteristiche antropologiche qualificanti l'immaginario del pubblico.

L'ambito della storia-ora è una zona particolare, di «sovrapposizione» fra lettore e opera, un settore in cui l'omologia testo-vita è affermata tacitamente. Intanto, la storia dell'eroe viene raccontata in un momento del presente coincidente con il presente di chi sta leggendo: la sua vita-ora è da ritenersi contemporanea alla vita-ora del narratore. Per un'estensione di questa analogia temporale, tale corrispondenza finisce per comportare un'implicita assimilazione dell'allora di chi racconta con quello di chi legge: le vicende pregresse dell'eroe si sono svolte in un'epoca percepita come lo stesso passato del lettore, e ciò contribuisce a conferire familiarità al protagonista. Proprio per evitare di introdurre elementi di differenziazione eccessiva fra chi racconta e il destinatario delle parole del narratore-ora, il discorso non tematizza mai i fatti della sua quotidianità contemporanea, ma solo quanto gli accadde in epoche precedenti. A rafforzare in modo esplicito l'analogia presupposta dal lettore vi sono le affermazioni contenute nelle parti paratestuali del romanzo, in cui l'autore-narratore-protagonista accredita la referenzialità del suo discorso, asserendo l'effettiva esistenza di chi racconta: la Viniziana dipinge il suo ritratto affinché il pubblico «riconoscermi possa se mai mi rincontrasse tra via» (VS 11).

In quanto espressione della medesima parola del narratore, la storia-allora, il discorso-allora e il discorso-ora manifestano anzitutto numerose analogie di impostazione: le forme modali attraversano tutti e tre questi settori del romanzesco, e lo stesso accade per le opzioni retoriche fondamentali di queste opere, scandite da figure di simmetria bipartita, senza voler ricordare le digressioni informative e commentative, sia concrete sia astratte, in grado di uniformare vicenda e divagazione attraverso una serie graduata di soluzioni intermedie. Nello specifico, però, le congruenze di questi tre settori sono anche altre. L'omologia fra discorso-allora e discorso-ora è patente: entrambi appartengono al commentativo. Invece, la congruenza fra storia-allora e discorso-allora risulta meno lampante, nonostante i due piani del testo siano uniformati grazie a diversi espedienti. Ad esempio, le ipotesi del discorso possono fare riferimento alla psicologia del personaggio in azione, oppure rimandare ad altre serie di avvenimenti avventurosi e, in tal caso, non di rado è l'eroe stesso a formulare ipotesi previsionali circa le sue future vicende. L'omogeneità fra storia-allora e discorso-ora è invece la meno stringente. Chiari la ottiene tramite la spiegazione diretta di un episodio, il suo commento morale, per via di divagazioni occasionate da un fatto avventuroso, oppure per mezzo del valore illustrativo dell'azione passata di un personaggio, valore che rinvia cioè al senso etico della sua condotta.

Diversi aspetti del romanzesco chiariano concorrono a bilanciare la forza vincolante delle due convenzioni fondamentali e dei quattro ambiti testuali appena descritti. A livello di vicenda, rispetto alla chiusura della struttura profonda della storia l'apertura fittizia di quella avventurosa ha il valore di una pseudo apertura compensativa. Funzione analoga assolve il narratore quando allude a vicende accadutegli ma non contemplate nel suo resoconto, presentato così quale ricostruzione fortemente selettiva, ritagliata in una molteplicità richiamata soltanto di scorcio. Ancora, «l'elementarietà concettuale» dei romanzi di Chiari viene «rinforzata dalle complicazioni dell'intrigo»[1], a parziale (e illusorio) risarcimento di quella banalità. A proposito di queste strategie di pseudo-dialettizzazione, bisogna ricordare la funzione svolta dall'ipotetico al fine di rendere in apparenza problematici e incerti accadimenti in effetti ineluttabili. Per non menzionare, a livello di *elocutio*, le frequenti concessive e avversative disseminate nei commenti per simulare una plurivocità romanzesca del tutto estranea a questi libri. Riepilogando, l'identità di autore, narratore e protagonista, la qualità *autobiografica* della storia, l'istituzione delle quattro priorità testuali ricavate dall'interazione fra storia-discorso e ora-allora rappresentano le principali funzioni di coerenza istituite da Chiari nei suoi romanzi, punti cardinali in cui è organizzata l'opera. E, infatti, proprio qui risaltano pure le numerose incoerenze testuali, le contraddizioni evidenti soprattutto in ordine alle quattro modalità «intermedie» garanti della «tenuta» del testo. Dato però che le incoerenze chiariane coinvolgono sia aspetti formali dei romanzi sia aspetti del loro contenuto, è necessario distinguere fra la configurazione dell'opera e i suoi significati.

Sul piano dei significati, quando la narratrice della *Commediante* dice: «la via di mezzo è la più sicura» (CF, 59), il contenuto del discorso-ora contrasta con i comportamenti effettivi di Rosaura, cioè con il contenuto della storia-allora. Non diversamente, al

---

[1] F. Portinari, *Introduzione*, in *Romanzieri del Settecento*, cit., p. 52.

significato del discorso-ora: «io so che non posso scriver di me se non cose a cento altre accadute dell'età mia e del mio sesso» (CF, 10-11) segue una vicenda (contenuto della storia-allora) che nulla ha di comune. Contrasta inoltre il tema del matrimonio come massima aspirazione del gentil sesso (tema accreditato sia dal contenuto del discorso-allora, sia dal contenuto del discorso-ora) con il significato delle trame (contenuto della storia-allora), raffiguranti legami familiari instabili e inaffidabili. Ancora, la concezione casualistica della realtà illustrata sia dalle narratrici-ora sia dalle protagoniste-allora non ispira affatto le dinamiche di storie improntate a rigide relazioni di causa-effetto. Per la precisione, manca consequenzialità fra i «riflessi» circa una situazione problematica (il contenuto del discorso-ora) e la decisione che ne discende, spesso la meno conveniente di tutte sul piano del contenuto della storia-allora. È il caso di Rosaura quando, per evitare di seguire il padre in Inghilterra, firma addirittura un contratto decennale con l'impresario Marbelle, dal quale poco prima intendeva separarsi per incompatibilità di carattere.

Ma i contrasti non riguardano solo i contenuti. Basti ricordare la casualità che impronta la fenomenologia del procedere romanzesco alla quale si oppone sul medesimo piano – quello della forma della storia-allora – la simmetria della sua stessa progressione. Del resto, è facile tradurre nei termini qui proposti le contraddizioni di carattere ideologico, considerando che l'«esplicito didascalico» pertiene ai contenuti sia del discorso-ora sia del discorso-allora, mentre l'«implicito narrativo» corrisponde ai significati della storia-allora[2]. Infine, possono non essere consequenziali le affermazioni pertinenti al contenuto della storia-ora rispetto tanto ai significati quanto alle forme di tutti e tre gli altri settori. Ciò accade quando il portavoce di turno dello scrittore dichiara di affidare la memoria di sé all'opera letteraria di cui sta per intraprendere la stesura: Rosaura pubblica la sua storia «per dare se non altro a' posteri questa tenue testimonianza della mia gratitudine verso un amico» (CF 152). Il motivo classicistico della perpetuazione del ricordo tramite l'arte è qui invocato in contraddizione con la fisionomia del testo cui è affidato: quale genere meno adatto allo scopo del romanzo?

---

[2] Per i concetti di «esplicito didascalico» e di «implicito narrativo» cfr. il quarto paragrafo (*Romanzi illuministi*) del quinto capitolo (*Gli atteggiamenti di lettura e la visione del mondo*).

Le quattro priorità impostate dallo scrittore tramite l'interazione di storia-discorso e ora-allora rispondono dunque all'esigenza di attivare dei luoghi «intermedi» di coerenza testuale in grado di coadiuvare l'opzione pseudo-memorialistica e l'identità delle istanze che presiedono al racconto (autore = narratore = protagonista), le due principali convenzioni istituite per dare un'organizzazione ai romanzi. In un paradigma così concepito, le grandi categorie narrative (personaggio, tempo, spazio) assumono un ruolo subalterno e una fisionomia sbiadita. Lo si evince anche da dettagli di modesta entità. Nei romanzi di Chiari regna un disinteresse sovrano per le stagioni dell'anno. Fa eccezione l'episodio in cui Eugenia assiste Loeb ammalato, in cui l'attenzione per il periodo durante il quale si svolgono gli avvenimenti è del tutto inusuale:

questo accidente d'un giorno all'altro procrastinando, ci rubò quasi due mesi, e la staggione intanto s'era fatta peggiore, perocchè avvanzava a gran passi l'Inverno, che per i ghiacci, e le nevi, rende in que' Paesi impraticabili affatto le strade, e quasi prive per intere giornate d'ogni umano soccorso. Con tuttociò ripensando ogni momento a quali angustie sarebbero esposti i miei Genitori, che m'aspettavano forse ogni giorno, e di me, né del Domestico nostro non aveano più novelle, risolsi alla fine di troncare ogni indugio, e di non lasciarmi atterrire da qualsivoglia disastro (BP 175-176).

La rigidità dell'inverno in quei paesi viene annotata da Chiari perché rende più eroica la decisione di Eugenia: tempo e spazio, lungi dal costituire il reticolo dello sfondo sul quale si muovono i personaggi, sono ridotti ad attributi della protagonista. Un analogo disinteresse riguarda il personaggio. «La desiderai più d'una volta, e a lei per fine rivolsi le mie speranze, formando il progetto di ricoverarmi appresso di lei» (BP 72): dichiarato all'improvviso, il legame affettivo di Eugenia per la «Nodrice» non si evince affatto dai suoi pensieri, non dai suoi discorsi, né tanto meno dai suoi comportamenti. È un sentimento estemporaneo, introdotto per ragioni prive di qualunque coerenza con la fisionomia dell'eroe. Non diversamente, affidandosi a Milano al personaggio più screditato del romanzo, il Signor Girandola, Rosaura intraprende azioni dalle conseguenze tanto disastrose quanto prevedibili. In entrambi i casi, la motivazione rinvia alla seconda convenzione fondamentale dei romanzi chiariani, e cioè alla priorità della vicenda. Come quando Eugenia agisce pur essendo cosciente di compiere un errore. Per accondiscendere al suo desiderio di rivedere i genitori, la Principessa

non trovò [...] altro mezzo d'acchetarmi, che quello di fingere d'aver novelle de' miei Parenti sotto un segreto altissimo del luogo della loro dimora, dove m'avrebbe ella condotta in sua compagnia per darmi la consolazione di rivederli [...] Se confessar deggio la verità, non mi fidai interamente delle sue relazioni (BP, II 145).

Neppure la lettera esibita come prova dalla Principessa convince la Pellegrina: «il segreto della lettera fu da me giudicato uno stratagemma» (*ibid.*). Nonostante tutto «partimmo noi da Stocolm sull'aprire della stagione novella» (BP, II 146): la sua scelta controproducente asseconda le necessità della trama, e consente di attribuire all'eroina un tratto fisionomico positivo, la perspicacia.

Allo stesso modo, anche altre incoerenze rispetto alla moderna concezione del personaggio si spiegano con una diversa funzionalità, questa volta relativa alle quattro priorità «intermedie» istituite da Chiari. Così, quando il senso di un comportamento risiede nel valore morale che illustra, debitamente esplicitato dal narratore, ecco stabilita una corrispondenza fra il contenuto della storia-allora e il contenuto del discorso-ora. Analoga pertinenza etica mostra l'argomento esibito da Ninna per negare la parentela con Fiorina. L'essere sorella di una ballerina sarebbe un fatto disdicevole: il ragionamento si fonda sulla corrispondenza fra la tesi di Ninna (il significato del discorso-allora) e le reiterate affermazioni circa l'irreprensibilità dell'eroe sostenute nell'ambito del discorso-ora. Il vincolo fra il contenuto della storia-allora e quello del discorso-allora è invece particolarmente stringente nel caso della caratterizzazione della madre di Rosaura. La sua condotta è tanto vincolata al tipo che rappresenta da assumere i contorni della caricatura: «mia madre fin dal primo momento che potevo meglio conoscerla volle darmi a dividere lo stravagante carattere, che sortito aveva dalla natura» (CF 101). Infine, il rapporto fra i contenuti della storia-allora, del discorso-allora e del discorso-ora è garantito sotto forma di ragione astratta, accampata esattamente per istituire questa triplice corrispondenza testuale. Per esempio laddove chi racconta commenta così la relazione fra il Poeta e la madre di Rosaura: «s'aggiunga che il Poeta fanatico dava ad essa nel genio, perché il genio de' pazzi ordinariamente s'incontra, e s'accordava seco lui nelle massime per farmi disperar maggiormente» (CF 145).

FORME DI INTEGRAZIONE FRA IL NARRATIVO E IL DISCORSIVO

Se le presupposizioni di organicità determinate dalle corrispondenze istituite grazie alle due convenzioni fondamentali contribuiscono insieme alle quattro istanze «intermedie» ad integrare il testo, nondimeno la loro individuabilità è resa possibile dall'evidente presenza in queste opere del doppio discrimine ora-allora e storia-discorso, due linee di confine dissimulate solo in parte, due distinzioni assiologicamente disomogenee. L'istituzione della separazione ora-allora è infatti intrinseca alla narrazione, mentre il narrativo e il commentativo sono modalità espressive d'indole diversa, il primo di carattere fittivo, il secondo extrafinzionale. Dunque, è proprio per amalgamare questi due tipi di discorso per loro natura irriducibili l'uno all'altro che Chiari fa interagire le forme e i contenuti delle quattro categorie «intermedie»: il didascalico-informativo è funzionalmente abbinato di volta in volta al narrativo, al presente e al passato. Chiunque abbia letto anche una sola di queste opere, si accorge però di un fatto: considerando le incoerenze fin qui individuate, non si renderebbe ragione dell'effettivo grado di omogeneità dei romanzi di Chiari. Il punto è che, oltre agli espedienti già inventariati, lo scrittore realizza alcune strategie mirate ad ottenere non un effetto di omogeneità ma una vera e propria integrazione fra storia e discorso.

Una prima serie di integrazioni dei due piani consiste nell'imposizione delle convenzioni che regolano l'universo narrativo all'ambito del didascalico, subordinato così alle esigenze dell'intreccio avventuroso. Il commentativo è vicario all'azione tutte le volte che informazioni circa la protagonista vengono inserite negli *incipit* degli «articoli» al fine di introdurre e dare senso agli *exempla* narrativi immediatamente successivi. Oppure se sono collocate nei luoghi in cui l'intelligenza del racconto richieda un'integrazione semantica:

dove si tratta di pericoli, temersene dovrebbero fin le minaccie fatte semplicemente da scherzo. Se per l'ordinario non se ne fa caso, forse principalmente deriva, perché nella prima età nostra non altro sentiamo che minacciarceli ad ogni passo [...] Allevata io fui per lo contrario né timorosa, né temeraria, ma cauta (DG 158-159).

A questo preambolo segue il resoconto dell'educazione di Ninna. Quando ci si imbatta in situazioni improbabili ecco manifestarsi un'analoga subalternità del commento alla storia, che si incarica di fornire le debite spiegazioni. Come quando Cristina concepisce un'improvvisa avversione per Halm, fino ad allora personaggio molto apprezzato dall'eroina:

una era questa di quelle stravaganze bizzarre del genio nostro, di cui tutto dì si provan gli effetti, e non se ne intende l'origine. Quante volte una sola occhiata ne previene in favore di persone non più vedute [...] Chi ne volesse da noi ragione, bisognerebbe, che ne insegnasse un po' meglio de' nostri Filosofi da quali fisiche impressioni sulla macchina umana derivi in noi l'avversione, e l'amore (AI 19).

Analogamente, il carattere del personaggio viene descritto solo se è necessario al fine di chiarire il senso della sua condotta. Ciò che accade al Barone di Cervia nella *Commediante in fortuna*, in assoluto l'anti-eroe meno sbiadito: «parerà inverisimile di che fosse capace il Barone di Cervia, se non lo fo prima conoscere, formandone minutamente il Carattere. Era egli uno di quegli uomini [...]» (CF 186). Naturalmente, a venire introdotte possono essere semplici precisazioni; comunque, si tratta pur sempre di «lumi necessarj all'intelligenza di queste Memorie» (CF 17), ed ecco ancora una volta esercitarsi in ambito didascalico il richiamo perentorio del narrativo.

Si può cogliere un analogo primato del narrativo ogni qualvolta la protagonista si trovi in una condizione psicologica difficile, e ad essere messi in scena siano i suoi «riflessi» sulle azioni che il personaggio potrebbe intraprendere per cercare di reagire. In queste occasioni, la casistica porta quasi sempre ad una conclusione estrema, a «risoluzioni da disperata, e da amante» (CF, II 69). Un altro espediente di carattere analogo consiste nell'allusione allo stato d'animo del personaggio attraverso il riepilogo delle cause materiali che lo hanno generato, come se le relazioni logico-causali governanti i fatti fossero in grado di illuminare le dinamiche interiori. Nell'*Amante incognita* uno dei ritratti sentimentali di Cristina è giocato sulla rassegna degli accadimenti che sono all'origine del suo stato d'animo (Cfr. AI, II 144). Dinamiche tematizzate per analogia pure quando, per descrivere la condizione psicologica della protagonista, il discorso è trasferito in ambito narrativo tramite la sceneggiatura di un'azione concitata. Infine, tutte le volte che l'eroe si muove sulle tracce di notizie delle quali il narratore non dispone, il narrativo fa ancora una volta aggio sul commentativo.

Nonostante le svariate «ingerenze» del narrativo sul didascalico, a prevalere nei romanzi di Chiari è l'imposizione delle convenzioni del didascalico sul racconto: l'integrazione fra storia e discorso procede anzitutto grazie a espedienti di questo secondo genere. Di matrice evidentemente extranarrativa è la tecnica di presentazione dell'eroe. Il suo ritratto segue un'impostazione di tipo argomentativo: la pagina è scritta per convincere chi legge circa gli attributi (soprattutto morali) del protagonista. Un intento retorico, dunque, ben manifesto pure altrove. Quando Ninna è in Olanda, la sua albergatrice Madama Valsingh le trova una governante, Cilene, alla quale chi racconta attribuisce svariate qualità positive. Subordinando l'avventuroso alle esigenze del commentativo, Chiari inserisce un episodio «dimostrativo» *ad hoc*: «in quella occasione io conobbi, che preso avea costei ad amarmi da vero, perché un caso m'avvenne di pochissima conseguenza, *ma convincente al sommo, e dimostrativo del suo amoroso carattere*» (DG 117-118, c.vo mio). Analoga subalternità concerne i dialoghi concepiti quali lunghe perorazioni giustapposte: il loro procedere è di tipo scolastico, per nulla mimetico rispetto ai colloqui della vita di tutti i giorni.

La sovrapposizione del discorsivo sul narrativo è altrettanto evidente nelle parole ben più dinamiche del narratore. A partire dalla libertà di selezione degli episodi da raccontare rispetto a quelli passati sotto silenzio, la stessa libertà di chi sceglie gli argomenti più adatti ad una comunicazione persuasiva: Zaida tralascia aspetti della storia del Cavagliere de la Roque semplicemente «perché non fanno al mio caso» (Z 140). Quando il protagonista, commentando, menziona fatti accadutigli mai raccontati, il discorsivo va a colmare una lacuna del narrativo. Non solo. Per dare la necessaria coerenza alla catena degli episodi avventurosi, l'eroina può introdurre in un secondo tempo informazioni non individuate precedentemente. Quando occorrono i ritratti di due schiave da inviare al re di Persia, Rosnì aggira così l'ellissi del narrativo: «fortunatamente Sofronia durante quella campagna s'era in parte divertita facendo i due ritratti appunto delle due Schiave rapite» (SI 140). D'altronde, prestando attenzione ai pochi oggetti nominati in questi romanzi ci si accorge subito del fatto che sono presenti soprattutto nel commento: nella *Bella Pellegrina* «le riflessioni, onde fui mossa» (BP, II 19) includono un catalogo di esempi probatori che contemplano «una lega di terreno messo a coltura» (CF, II 17), «cinquanta bifolchi» (*ibid.*), «le nevi» (*ibid.*).

Anche a livello di vicenda il didascalico interferisce con il narrativo. La consueta replica sul piano del *plot* dei medesimi tropi che governano l'*elocutio* del commento interessa pure il disporsi degli avvenimenti e i ragionamenti paralogici dei personaggi. In certe occasioni la successione degli accadimenti è determinata dall'ordinamento del discorso. Riferendosi a una missione del suo domestico, Eugenia si esprime così: «prima che andasse al suo destino volli, che [...] Prima di tutto insegnar mi feci la strada del bosco [...] Volli in secondo luogo, che [...]» (BP 67). Nei momenti in cui la progressione dei fatti raccontati configura invece una serie «libera», tali segmenti narrativi assumono la forma dell'enumerazione aneddotica di stravaganze. Ma il didascalico fa le veci del narrativo pure altrimenti: i discorsi su questioni inerenti la trama e sui suoi snodi servono ad amplificare la loro rilevanza tramite il commento. Meno frequente è l'utilizzo da parte di Chiari di pause didascaliche inframmezzate all'avventura a scopo di *suspense*: «ad un passo così interessante della mia Storia ogni momento di sospensione un artifizio sarebbe troppo vizioso, e troppo comune del sesso mio, che vuol farsi pregare, quando più gli giova d'essere indulgente, e sollecito nel prevenire le altrui domande» (AI, II 30).

La prevalenza del commento rispetto al discorso avventuroso al fine di compenetrare narrativo e didascalico si nota anche più in generale. In mancanza di coordinate spazio-temporali, uno dei principali criteri di connessione fra i contenuti del testo romanzesco consiste nella loro analogia tematica, un tipo di collegamento d'indole non narrativa. Nel complesso, parecchio di quanto non viene rappresentato dal narrativo viene «detto» dal commentativo: l'evoluzione della personalità dell'eroe non è mai sceneggiata; la sua esperienza è un semplice predicato. Ma la stessa tecnica serve a qualificare il tenore degli episodi: «siamo ormai alla tragica scena dolente, da cui tante altre ne discesero, che inorridir mi fanno al solo pensarle» (AI, II 147). Se qui la drammatizzazione dell'episodio è affidata al didascalico, il modo più analitico con cui il discorso modella il narrativo e supplisce alle sue carenze consiste nell'impiego di qualificatori apposizionali, cioè di singoli termini valutativi, di *input* microtestuali.

Per cercare di ottenere testi romanzeschi integrati, omogenei e coerenti nelle loro articolazioni interne, Chiari opera dunque su diversi piani. Tramite l'estensione del dominio del narrativo al commentativo e viceversa, lo scrittore incide sulla disomogeneità di base storia-discorso; istituendo le funzioni di coerenza fra storia-discorso e ora-allora l'intervento si colloca ad un livello «intermedio» del testo, mentre grazie alle presupposizioni di organicità indotte dalle due convenzioni rappresentative di base il romanzo è percepito, a livello di patto narrativo e di vicenda, alla stregua di un'opera compiutamente integrata.

VERO, VERISIMILE E CREDIBILE

Una delle principali preoccupazioni del Chiari romanziere riguarda lo statuto d'esistenza delle storie che racconta, storie «vere» (VS, ii 103), altre volte «verisimili» (UM 310), sempre «credibili» (CF, ii 5), comunque storie effettivamente accadute. Gli espedienti utilizzati per affermare e sottolineare tale «verità» del narrato sono numerosi. In primo luogo, Chiari accredita la verità del racconto sostenendo la sincerità del narratore, e inserisce questa sua qualità in una collana di valori etici positivi attribuiti al protagonista in maniera da rinforzare la credibilità delle sue parole. «Diasi gloria alla verità, che questo era un gastigo, io meritato me l'era colla mia disubbidienza e col mio poco cervello» (GL 130): l'ammissione di Tolot coniuga sincerità e giustizia. Per propugnare la verità delle sue storie, in certi passi la moralità del protagonista è ribadita a chiare lettere: «eccomi però al fine di queste memorie, in cui ho fedelmente eseguito quanto da bel principio promisi [...] Di tutto rimproverarmi può a suo talento chi legge; ma non già di non essere stata sincera» (CF, ii 186). Altrove, ad essere espressa senza reticenze è la finalità stessa di tali affermazioni:

senza pregare i Leggitori miei a compatirmi, voglio pregarli soltanto di credermi. Non prendano in cortesia questo libro alla mano con la prevenzione purtroppo autenticata dall'uso di leggere semplicemente un Romanzo. Io presento loro una istoria veridica de' miei avvenimenti, che in vece di sorprendere colle stravaganze, avrà tutto il pregio di allettare colla verità senza punto annoiare con una soverchia artifiziosa lunghezza (CF 13).

Poiché un impegno di veridicità è parte irrinunciabile del «patto autobiografico»[3], nei romanzi di Chiari la questione dell'autenticità

---

[3] Se «nella letteratura d'invenzione il lettore è portato a notare le corrispondenze fra realtà e narrazione, cioè tra la biografia dell'autore e la storia narrata», al contrario «nell'au-

referenziale del racconto è capitale. «Per non raccontargli la storia vera di quanto m'era avvenuto» (CF, ii 13): se le parole di Rosaura introducono quasi di sfuggita una precisa valutazione circa l'autenticità di quella «storia», gli inviti rivolti al lettore affinché sospenda la sua incredulità possono essere ben più perentori. «Non istupisca adunque chi legge, come di cosa incredibile» (VS, ii 53): qui non si tratta più di un invito, ma di un'ingiunzione. Altre volte la «storicità» del racconto è insinuata in modo meno diretto, per esempio quando il narratore si fa valere in qualità di testimone oculare: «questo racconto di Morigana era autenticato da tante circostanze, di cui ero stata spettatrice io medesima, che per quanto paresse strano, non lasciava d'essere al sommo credibile e veritiero» (Z, ii 122). «Credibile» (*ibid.*), «veritiero» (*ibid.*), «vero» (Z, ii 108), «verisimile» (VS 212), «possibile» (AI 70) – lo si è già intuito – sono per Chiari concetti molto simili. A questa omogeneità terminologica fa però riscontro una notevole varietà delle concezioni di verità accampate dallo scrittore per legittimare le storie contenute nei suoi romanzi, storie vere perché raccontate da un narratore moralmente ineccepibile, perché sono vicende autobiografiche, e (in modo più semplice e drastico) per via di un patto narrativo autoritario.

Ma le concezioni di verità del narrato attestate in queste opere sono anche altre, a partire dal principio secondo il quale è credibile ciò che appare possibile nelle circostanze specifiche di volta in volta individuate. È questa una concezione del verisimile a sfondo cognitivo: il racconto non è contestabile se lo precedono le premesse necessarie e sufficienti al suo svolgimento, rispetto alle quali deve risultare consequenziale. Soltanto, diventa necessario dichiarare le implicazioni, soprattutto logiche e causali, che lo rendono «vero». «Nel corso intero della mia storia si troverà regnare una novità, che deve sorprendere senza riuscire incredibile» (AI 5): per evitare il rischio Cristina aggiunge «una sola particolarità, che dall'altre tutte dipende, e renderebbe quasi incredibili le avventure mie, se di lei non se ne avesse notizia. Le fattezze del volto mio erano un tempo così dilicate, e ad ogni menoma alterazione per sì gran modo sog-

tobiografia sono le discrepanze fra realtà e invenzione ad attirare la curiosità, proprio perché un impegno di veridicità è parte irrinunciabile del "patto autobiografico"» (M. Barenghi, *Autobiografia e memorie*, in *Manuale di letteratura italiana. Storia per generi e problemi*, a cura di F. Brioschi e C. di Girolamo, vol. iii, *Dalla metà del Settecento all'Unità d'Italia*, Torino, Bollati Boringhieri, 1995, p. 500).

gette» (AI 7). Grazie a questa accezione di verità-verisimile, Chiari legittima una poetica della meraviglia: in un paradigma avventuroso di stampo fortemente irrealistico, il criterio di credibilità dei fatti è individuato nella narrazione stessa. Ancora una volta, la verità di quanto l'eroe ricorda risiede nel suo racconto: a riscattare l'assurdità di tanti episodi è la loro coerenza reciproca e, con ciò, qualunque accadimento può essere «vero». Ecco perché i riassunti, i riepiloghi, gli aggiornamenti circa la sorte dei comprimari servono a garantire la verisimiglianza del romanzesco, a inventariare le premesse che conferiscono autenticità alle svolte della trama.

I concetti di vero «morale», di verità autobiografica, di credibilità imposta tramite il principio di autorità legittimato dal patto autobiografico insieme alla concezione cognitiva del vero narrativo («l'impossibile credibile» che Stefano Calabrese collega ad «un'universale perdita di esperienza storica»[4]) non esauriscono però le tecniche utilizzate da Chiari per accreditare la materia delle sue invenzioni romanzesche. Un mezzo ulteriore consiste nel richiamarsi ad altri romanzi facendo con ciò riferimento ad un'idea di «verisimile intertestuale»: «i Romanzieri, e i Poeti non vestirono in altra foggia i loro Maghi operatori di così strani portenti» (BP 58): il mago di Chiari è vero perché è in buona compagnia. Invece, laddove la verifica della verisimiglianza esorbita dalla dimensione romanzesca, coinvolge a vario titolo il lettore. In primo luogo chi legge è chiamato in causa per essere esautorato:

certuni [...] danno comunemente con troppo disprezzo il nome di cose romanzesche a certi raggiri amorosi non mai veduti, né praticati da loro, perché non ne sono capaci. Tanto non sanno costoro cosa si dicano, che impossibili credono le cose da loro chiamate romanzesche, quando correttamente parlando, le buone romanzesche avventure hanno ad essere non solamente possibili, ma naturali (DG, II 85).

L'esperienza di chi legge, peraltro blandita, non conta nulla: l'appello al lettore è puramente strumentale. «Io non dico cose incredibili, benché portentose e bizzarre. Le narro altrui quali sembravano a me medesima; e chiunque trovato allora si fosse ne panni miei, e predominato da medesimi pregiudizj, non avrebbe creduto altrimenti» (GL 66-7): in questo caso le aspettative del pubblico

---

[4] Calabrese, *Intrecci italiani. Una teoria e una storia del romanzo (1750-1900)*, cit., p. 19.

sono riqualificate in quanto consonanti con quelle di chi racconta. Ma le richieste di controllo del romanzesco da parte del destinatario sono anche esplicite. «Dopo tanti simili libri non si creda di rileggere in questo delle cose già lette negli altri, e chi avrà la sofferenza di esaminare i soli primi capitoli, trovandomi veritiera si invoglierà di vederne ancora la fine» (AI 5-6): la verifica metatestuale delle affermazioni del narratore è affidata al lettore.

Il coinvolgimento del fruitore tramite il richiamo alla sua esperienza è uno dei mezzi più utilizzati da Chiari per accreditare la verità della storia. «Quella stravaganza dell'indole mia l'ho già fin dal principio accennata, onde per renderla più credibile aggiungerò solamente, che quasi tutte le donne di qualche merito in viso [mi assomigliano]» (AI 121): per rendere «credibile» il suo proteismo, Cristina sostiene che si tratta di una caratteristica molto comune. La ragione invece che spinge l'avaro marito di Deianira a spendere parecchio per incontrare l'Imperatore consiste nel ritenere tale espediente «assai verisimile» (SI 143), cioè a dire conforme alle usanze. In diverse occasioni il richiamo all'universo esperienziale del lettore è meno indiretto. «Ma *per quanto giornalmente si vede*, ho ragionevole motivo di credere» (VS 124, c.vo): il verisimile tende a conformarsi all'orizzonte d'attesa del pubblico. Altri passi sono ancora più chiari: «chiami ognuno all'esame i casi particolari del paese, della casa, e della famiglia, in cui vive, e toccherà con mano, che dall'eco soltanto bene spesso dipendono i meriti nostri, e i nostri delitti» (AI 178-9). Lo stesso *escamotage* può essere scoperto: «il mondo tutto può essere buon testimonio, che non avanzo una solenne impostura, se lascio scritto alla memoria de Posteri, che il giorno 22 Marzo dell'anno 1751 uscirono nell'estrazione di Venezia tutti i numeri a me suggeriti dalle mie aritmetiche operazioni, con l'ordine medesimo con cui indovinati io l'avea» (GL 202-3). Nessuno può dubitarne.

«REALISMO» E IRREALISTICITÀ

Il principio della coerenza logico-causale degli avvenimenti quale prova della loro effettiva «verità», la sanzione di verisimiglianza per ragioni etiche e per motivi logici, le tecniche di omologazione del racconto all'opinione del pubblico volte a garantire la credibilità del narrato sono evidentemente espedienti molto diversi. A renderli interessanti è proprio la loro varietà, perché è il sintomo di un tentativo di accreditare un nuovo rapporto fra realtà e finzione. Un rapporto istituito da Chiari tramite una serie di riferimenti extratestuali al «mondo»: le sue funamboliche invenzioni parlano pur sempre ai lettori della vita che li circonda. Ma se in queste opere l'avventura si sviluppa all'insegna dello straordinario, al fine di suscitare meraviglia ponendo e risolvendo molteplici «enigmi», è la componente didascalica a intrattenere un rapporto più franco con la realtà esperienziale e culturale del lettore. Per la precisione, l'avventuroso irrealistico è in prevalenza individuabile soprattutto nelle parti del testo di pertinenza del protagonista-allora, il commentativo quale sostituto dell'istanza realistica in quelle afferenti al narratore-ora. Ed è nel commento che lo scrittore si fa censore dei costumi, cronista mondano, «sociologo», osservatore della realtà contemporanea.

È anzitutto all'interno della cornice paratestuale dei suoi romanzi che l'autore-traduttore Chiari affronta questioni di attualità, occupandosi per esempio del mercato del libro, delle condizioni di lavoro imposte dalle botteghe tipografiche, della sua stessa attività professionale di scrittore. Nelle parti preliminari sono citati personaggi famosi, dedicatari potenti; gli amici dell'abate vengono ringraziati, i suoi nemici non di rado attaccati. Ad incaricarsi di far confluire nel racconto questa cornice aperta verso la realtà contemporanea è il narratore. «Dando per noi principio ad una serie di nuove avventure or luttuose, or felici, che durano ancora oggidì, ed apparenza non hanno di potersi terminare sì presto» (SI 22): grazie ai rinvii del paratesto al «mondo», la saldatura fra storia e discorso certifica la realisticità della vicenda. Ma nei romanzi di Chiari la componente didascalica è pervasiva e capillare: il «realismo del commento» travalica i limiti della cornice, sciogliendosi in modo impercettibile nel narrativo con tutte le sfumature già illustrate. Naturalmente, la categoria di «realismo» è anacronistica, oltre che estranea all'orizzonte culturale dello scrittore bresciano. Per indicare le tecniche utilizzate da Chiari al fine di stabilire un rapporto fra la sua opera e la realtà extratestuale, includendo tutte le svariate allusioni che dalla pagina rinviano al mondo, è più appropriato ricorrere al concetto di «mediazione testo-realtà». E la principale mediazione attivata dallo scrittore è proprio la componente didascalica dei romanzi, in tutte le sue varianti, dalla cornice paratestuale alle massime, dalle «traduzioni» ai messaggi espliciti. Insieme ai riferimenti ad elementi materiali del mondo e ai rimandi ad aspetti culturali appartenenti al patrimonio di conoscenze del pubblico.

Fra le principali mediazioni con la realtà, una notevole rilevanza assume quella istituita dal linguaggio romanzesco: le componenti tipiche del parlato e quelle desunte da modelli non istituzionali, contrapposte agli ingredienti colti e nobili, costituiscono la mediazione specificamente linguistica dei romanzi di Chiari, il piano sul quale anzitutto si gioca il loro rapporto con la realtà extrafinzionale. In particolare, assolve il compito la terminologia specifica del linguaggio teatrale, il lessico dell'economia, del gioco d'azzardo, della moda, i nomi degli oggetti implicati nel viaggio e nella vita di società[5]. Anche i personaggi manifestano svariate caratteristiche di mediazione. Se solo alcuni singoli tratti distintivi della personalità sono d'indole «realistica», la proprietà per cui l'eroe è disegnato come figura non integralmente positiva tramite l'incongruità complessiva dei suoi tratti rinvia a quanto effettivamente accade nella vita di tutti i giorni. Lo stesso valore di riferimento hanno le azioni e i discorsi esplicitamente antieroici del personaggio, funzionali a ridimensionare la patente irrealisticità del protagonista. Pure gli oggetti assolvono al compito di rinviare oltre al testo, inglobando nell'opera una parte ben riconoscibile di «mondo»[6]. Oltre agli oggetti correlativi materiali di situazioni alla moda («il caffè», BP, II 216; «la cioccolata» CF, II 38), vanno menzionati i biglietti, le lettere, le poesie esibite nei romanzi quali documenti, appunto, extratestuali: «le cose di Don Cirillo furono sempre in tal pregio appresso di me [...] e ragion vuole che io sia di parola, trascrivendo qui la Canzone seguente» (CF, II 155). Altre volte certi «oggetti» rimangono sottintesi, come quando il denaro è evocato tacitamente: «ricompensato l'albergatore largamente delle sue cortesi accoglienze» (SI 26).

Fra le mediazioni più patenti bisogna indicare i temi di attualità accolti in questi romanzi. Si tratta di argomenti che sollecitano l'interesse del pubblico per aspetti dicussi della vita contemporanea. In

---

[5] Per un regesto dei termini, cfr. Antonelli, *Alle radici della letteratura di consumo. La lingua dei romanzi di Pietro Chiari e Antonio Piazza*, cit., pp. 177-190.

[6] È la stessa tecnica utilizzata da Goldoni nelle commedie: «l'intento realistico è perseguito dal Goldoni [...] attraverso la reiterata citazione – cui doveva corrispondere l'ostensione scenica – di oggetti decisamente connotati come quotidiani» (E. Sala di Felice, *Ragioni ed affetti: un equilibrio in movimento tra Arcadia e illuminismo*, in «Problemi», n. 72, gennaio-aprile 1985, pp. 62-63).

primo luogo l'ambiente teatrale, considerando «la curiosità diffusa di conoscere i retroscena della vita di teatro»[7]. I continui cambiamenti di compagnia da parte degli attori, la loro ignoranza, lo spirito di rivalità all'interno dello stesso gruppo, i «capricci» delle prime donne, sono tutti motivi ricorrenti. In questi casi la mediazione con la realtà può passare attraverso altri testi in cui è affrontato il medesimo tema. I tre romanzi dedicati alla vita del teatro richiamano anzitutto la pubblicistica periodica contemporanea: gazzette e giornali veneziani dedicano all'attualità teatrale uno spazio considerevole. La rete intertestuale comprende poi altri romanzi, come *Il teatro, ovvero fatti di una veneziana che lo fanno conoscere, La virtuosa, ovvero la cantatrice fiamminga, L'impresario in rovina* di Antonio Piazza, opere teatrali dello stesso Chiari[8] e di altri autori (basti citare *Il Teatro comico* e *L'Impresario delle Smirne* di Goldoni) e ancora testi tipo *Il Teatro alla moda* di Benedetto Marcello, *Le convenienze teatrali* di Antonio Simone Sogràfi, alcune parti delle *Memorie inutili* di Carlo Gozzi. Si tratta insomma di un circuito che scavalca la separazione fra scritto e orale, fra testo a stampa, rappresentazione scenica e polemica verbale: il pubblico frequenta gli spettacoli, alimenta i pettegolezzi, dà vita a fazioni come quelle dei «chiaristi» e dei «goldonisti» e perciò si appassiona alla letteratura e alla pubblicistica dedicate a quell'ambiente. Analoga mediazione di carattere intertestuale fra tema romanzesco e realtà questa volta culturale svolge il motivo del «filosofo». Dopo il 1753, l'anno della *Filosofessa italiana*, la schiera dei filosofi di carta si infittisce: nel 1772 le «Notizie letterarie» di Firenze presentano il *Filosofo viaggiatore in un paese incognito alli abitanti della terra*, «un romanzo scritto con molta vivezza, in buono stile, ornato di pensieri e di sentimenti capaci di istruire» che ha «preso per argomento la fatica di Astolfo nella luna», mentre *Il divorzio disperato. Memorie*, del 1793, è incentrato su «due scellerati che si spacciano per filosofi e sono la desolazione di una famiglia e la rovina di una piccola città»[9]. La moda dilaga; Raffa Garzia stila un elenco di romanzi ordinati per nazionalità:

---

[7] Granatella, *La donna nei romanzi teatrali del Chiari*, cit., p. 55.

[8] In *Il teatro fra polemica e costume* (in *Storia della cultura veneta*, diretta da G. Arnaldi e M. Pastore Stocchi, *Il Settecento*, cit., pp. 284-286), Giorgio Pullini analizza questi temi all'interno della produzione teatrale.

[9] Garzia [rec. a Marchesi, *Romanzieri e romanzi italiani del Settecento*, cit.], cit., p. 125 per entrambe le citazioni.

francesi: *Les amans philosophes ou le triomphe de la raison* di Madamoiselle B. (Paris, 1755), *La philosophe malgré lui* di M. Chamberland (Paris, 1760), la *Païsanne philosophe*, di Mad. de R. R. (Amsterdam, 1762), *Les philosophes aventuriers*, par M. T. (Paris, 1782), *Le philosophe parvenu* del Le Suire (Londres, 1787). Tradotti in italiano: *Il filosofo militare* (Venezia, 1760), *Il Filosofo innamorato* (Venezia, 1764), *Il Filosofo inglese* del Prévost (Venezia, 1780), *Le confessioni di una cortigiana divenuta filosofa* (Venezia, 1787); italiano: *Il filosofo veneziano, o sia la vita di Venanzio* (Venezia, 1770)[10].

Abbondano sia i testi teatrali dedicati all'argomento[11], sia opere di altro genere, come *Il filosofismo delle belle* del 1752 di De Cataneo e i due «libri di lettere» *Lettere curiose, o sia Corrispondenza istorica, critica, filosofica e galante fra tre amici viaggiatori in diverse parti del mondo* (la seconda edizione esce a Venezia nel 1750) e *Lettere filosofiche di D. Anna Gentile Gagliani* del 1780. Anche il circuito editoriale più basso risente di questa moda: a Milano è stampato l'almanacco *La filosofessa* (1776-77), a Trento *L'indovino filosofo* (1786-87); la gazzetta *Il filosofo errante inglese* esce invece a Venezia, nel 1765[12]. Anche le fonti fanno naturalmente parte dei testi tramite cui l'autore rinvia al mondo, ma la mediazione – molto più selettiva – è di carattere squisitamente letterario[13]. Più direttamente implicati di quanto oggi si creda con la realtà contemporanea sono invece alcuni temi circoscritti, come il *topos* della donna tra-

---

[10] *Ibid.*, p. 67.

[11] Fra le commedie di Chiari va menzionato l'inedito *Il Filosofo Imaginario*, manoscritto autografo contenuto insieme alla tragedia in cinque atti *Glafira* in una *Miscellanea* conservata alla biblioteca Palatina di Parma. La tragedia è preceduta da una lettera datata Brescia, 25 aprile 1771, indirizzata a Joseph Pezzana, in cui Chiari gli annuncia l'invio di una commedia, presumibilmente *Il Filosofo*. L'autografo della commedia è a sua volta preceduto da una lettera datata Brescia, 26 maggio 1771, indirizzata allo stesso Monsieur Abbe Joseph Pezzana («avec un Pacquet a sen nom») in cui Chiari fa riferimento alle osservazioni del Pezzana sulla tragedia. La commedia non reca correzioni, e in una carta qui acclusa si dice sia stata letta dal Conte Rezzonico. Oltre al *Filosofo Imaginario* vanno richiamati *I filosofi pazzi* (Bologna, Tipografia S. Tommaso d'Acquino, 1760) e *Il filosofo viniziano* (Bologna, Tipografia S. Tommaso d'Acquino, 1760). Per il resto, basti ricordare il goldoniano *Filosofo inglese* e la *Principessa filosofa* di Carlo Gozzi.

[12] Il tema è attestato ancora a lungo, ad esempio in *L'amante filosofo. Almanacco per l'anno 1829* (Milano, Fratelli Ubicini, 1829) e nelle *Lettere filosofiche di Marina* (Venezia, con i tipi della vedova di G. Gattanei, 1844).

[13] A titolo di esempio, la principale fonte di *La donna che non si trova* è la *Storia degli stabilimenti europei in America* di William ed Edmund Burke, tradotta in italiano nel 1763 (l'edizione originale risale al 1757) (cfr. P. Del Negro, *Per una bibliografia italo-canadese. Il Canada nella pubblicistica italiana dell'età moderna*, in *Canadiana. Problemi di storia canadese*, a cura di L. Codignola, Venezia, Marsilio, 1983, p. 15 e *passim*).

vestita da uomo [14]. Naturalmente, le diverse omologie testo-lettore già messe a fuoco (implicite, esplicite, evidenti [15]) sono momenti di mediazione con la realtà, così come tutte le mediazioni testo-realtà si possono considerare aperture dell'opera verso il pubblico. Lo stesso dicasi per le tecniche messe in campo da Chiari per accreditare la «verità» del narrato, compresi gli inviti rivolti a chi legge di verificare nei fatti quanto il romanzo racconta.

Vi sono però altre strategie espressive approntate al fine di conferire all'opera un effetto di realtà, vere e proprie formule generali di mediazione con l'esistente. Lungi dal conferire al testo significati astratti con un risultato derealizzante, in questi romanzi l'allegoria ha una funzione opposta. Il travestimento cifrato di tematiche e personaggi conferisce loro concretezza, «realisticità»: alludendo tramite pseudonimo a personaggi celebri [16], la cronaca entra nella finzione grazie a un riferimento di tipo allegorico alla realtà contemporanea [17]. Con il medesimo risultato, il trattamento è riservato anche a figure qualunque, come l'ostessa dell'albergo di Livorno «che io chiamerò Madama Placidia, dovendone tacere il vero suo nome per mille buoni riflessi» (CF 87). Analoga funzione di mediazione è affidata da Chiari al comico, utilizzato in qualità di registro espressivo massimamente implicato con la realtà che esprime: i motivi narrativi comici vanno dunque intesi non tanto quali parentesi divertenti, ma come raffigurazioni dirette del mondo. Ecco perché episodi assolutamente seri sono trattati comicamente:

[14] «Fino al XIX secolo l'abito per i lunghi tragitti non è altro che il vestito smesso per usura o perché fuori moda. Non di rado le donne – grandi viaggiatrici nell'era del Grand Tour – usano in viaggio abiti maschili opportunamente riattati» (A. Brilli, *Quando viaggiare era un'arte. Il romanzo del Grand Tour*, Bologna, il Mulino, 1995, p. 106).

[15] Cfr. il secondo paragrafo (*Le «aperture» del testo e le istruzioni di lettura*) del quinto capitolo (*Gli atteggiamenti di lettura e la visione del mondo*).

[16] Nella *Commediante* il Signor Vanesio è Casanova, Don Cirillo è lo stesso Chiari e il Signor di Marbele è Girolamo Medebach; Iacopo da Passano diventa Pogomas nella *Zingana*. Secondo Giuseppe Ortolani, la *Commediante in fortuna* sarebbe una «specie di romanzo a chiave, in lode di Girolamo Medebach e ad infamia dello Sciugliaga e della combriccola Zorzi» (*Della vita e dell'arte di Carlo Goldoni. Saggio storico*, Venezia, Istituto Veneto di Arti Grafiche, 1907, p. 81).

[17] F. Portinari individua in Casanova-Signor Vanesio l'«ingresso della storia in un romanzo del Chiari» (*Introduzione*, in *Romanzieri del Settecento*, cit., p. 42, nota 2). Del resto, «la "storicità" (e la conseguente abitudine a scorgere ovunque allusioni a personaggi contemporanei) era addirittura una mania. L'*Argenis* dell'inglese Barclay, dal latino volta in italiano nel 1625 e 1630, e l'*Endemia* di G. V. Rossi ebbero poi, più tardi, un commento che ne esponeva la chiave» (M. Capucci, *Alcuni aspetti e problemi del romanzo del Seicento*, in «Studi secenteschi», vol. II, 1961, p. 35).

è il caso di Zaida quando, all'inizio del *Serraglio indiano*, ha a che fare con delicati affari di stato, tutt'altro che spassosi. Come il *comico* e l'*allegorico*, nel paradigma romanzesco chiariano il *tipico* è una forma di mediazione testo-realtà; il travestimento allegorico, quello comico e la tipizzazione sono cioè tre tecniche di mimesi. Si tratta ovviamente di tecniche diverse da quelle invalse in epoca successiva, fondate sul concetto di «apparentemente reale»[18]. Un concetto in gran parte estraneo all'orizzonte culturale di Chiari, che dà l'illusione di referenzialità alle sue invenzioni ricorrendo anche all'*evidenza* (di personaggi, idee, situazioni). Per dare spessore mimetico ai suoi romanzi Chiari persegue infine *concretezza* e *precisione*. Quando nella *Bella Pellegrina* Eugenia dà una spinta al soldato facendolo precipitare dalle scale, l'azione è scandita analiticamente. «Quella scala fatale era un precipizio da rompersi il collo. Il Comandante invasato dall'amor suo era un Uomo di corporatura grossa e pesante. A fargli perdere l'equilibrio della persona in orlo ad una scala non ci voleva gran forza [...] Se i colpi disperati si esaminassero a lungo non riuscirebbero mai [...] Mosso adunque dall'urto mio [...]» (BP, II 180): la precisione con cui sono elencate le concause determinanti la rovinosa caduta e la meticolosità della descrizione della dinamica del fatto conferiscono concretezza all'accaduto, rendendo l'episodio più «realistico».

---

[18] R. Scholes-R. Kellog, *La natura della narrativa*, cit., p. 109.

7

UNA CONCEZIONE DEL ROMANZO
FRA TRADIZIONE E MODERNITÀ

TRADIZIONE E INNOVAZIONE: I GENERI DI RIFERIMENTO

Nonostante le svariate incoerenze rappresentative autorizzate dal paradigma narrativo approntato da Chiari, la sua notevolissima capacità di «tenere insieme» testi particolarmente compositi è fuori discussione. Naturalmente, proprio perché si tratta di un modello non efficacemente integrato, gli aspetti dell'opera che rimandano ad altri generi letterari non sono affatto dissimulati, anzi. D'altronde, la natura polimorfa del genere è un dato ormai acquisito dalla critica, e le svariate famiglie di testi cui il romanzo settecentesco è debitore sono state analiticamente individuate e in buona parte studiate. La rete di convenzioni espressive codificate e di modelli di riferimento all'interno della quale collocare i romanzi di Chiari comprende però anche generi di origine e diffusione non nobile. Si tratta di una parentela decisiva. Se infatti per quanto concerne il narrativo è evidente la discendenza dal *romance*, dalla tradizione cavalleresca e da quella romanzesca barocca, una tradizione le cui radici affondano nel romanzo ellenistico, sul piano del commento ad imporsi è piuttosto il richiamo ai generi di «trattenimento», alla pubblicistica, alla pamphlettistica, e a tipi di testi extraletterari: gli almanacchi, le prediche, le vite dei santi.

Dal punto di vista della diffusione, l'enorme successo di questi romanzi fa pensare ad una loro penetrazione sia nella ristretta e tradizionale sfera dei lettori colti[1], sia soprattutto nelle fasce basse

---

[1] Ugo Vaglia fornisce indicazioni circa i nobili proprietari di una copia della *Viniziana*

del pubblico, fino ad allora escluse dalla fruizione di opere letterarie, ma non perciò digiune di letture. Presso tale pubblico «popolare», i testi romanzeschi affiancano anzitutto gli almanacchi[2]: «si presuppone infatti che gli almanacchi, o, nei casi dei ceti più bassi, i lunari e i calendari, entrassero nella stragrande maggioranza delle case. Erano infatti tra i pochi libri di cui avevano bisogno tutti, poveri e ricchi: con la spesa di pochi soldi potevano avere una "guida" del tempo religioso e civile da consultare di giorno in giorno per un anno intero»[3]. E infatti i due generi mostrano analoghe sorti editoriali: nonostante il ricorso al diritto di privativa, capitano casi «di tre o quattro versioni simultanee dello stesso alma-

<hr>

di spirito: «il libro [...] appartenne già al Duca di Sermoneta, quindi ai fratelli Falsacappa, dei quali reca l'ex libris con la data 1860» (*Pietro Chiari e i bresciani,* in *Commentari dell'Ateneo di Brescia per l'anno 1985,* Atti della Fondazione «Ugo da Como», Brescia, 1985, p. 154). Sulla fruizione di romanzi «amorosi» da parte di lettrici di ceto elevato, valga ad esempio questa testimonianza relativa alla nobildonna Camilla Solar d'Asti Fenaroli: «a dir vero, essendo a se medesima, e al proprio genio abbandonata, i suoi primi passi non furono felicemente diretti. Avendole forse il caso posto in mano Romanzi pieni di amorose stravaganti follie, avida di leggere, e d'indagarne l'intreccio, e di vederne il fine vi spendea talora le intere notti, e non sapea deporre il libro se non quando [...] lo avea tutto trascorso» (A. Brognoli, *Elogio della nobile Signora Camilla Solar d'Asti Fenaroli,* in *Elogi di Bresciani per dottrina eccellenti del secolo XVIII,* Brescia, Pietro Vescovi, 1785, p. 175). Del resto, in Francia Maria Antonietta teneva i romanzi di Madame Marie Jeanne Riccoboni «nella propria biblioteca, camuffati sotto indicazioni di comodo (l'esemplare delle *Lettres de Mistriss Fanni Butler,* contrassegnato dalle "armes" della Regina, conservato alla Bibliothèque National di Parigi porta sul dorso della rilegatura il titolo di un'opera di devozione: *Journée d'un chrétien)»* (F. Vazzoler, *Prefazione,* in C. Goldoni [tradotta da], *Istoria di Miss Jenny. Scritta da Madama Riccoboni,* Padova, Franco Muzzio Editore, 1993, p. XIII).

[2] «Far degli almanacchi vuol dire, di solito, correr dietro a fantasie inutili» (C. Goldoni, *Memorie,* prefazione e traduzione di E. Levi, Torino, Einaudi, 1967, p. 110). Nonostante l'opinione di Goldoni, vi sono testi di insigni letterati che si rifanno a questo genere popolare. Se nel *Tom Jones* la scansione del tempo del viaggio del protagonista dalla West Country a Londra pare fosse stata ripresa proprio da un almanacco, con *La Tartana degli influssi invisibili per l'anno bisestile 1756* Carlo Gozzi finse di stampare un almanacco, rinnovando in effetti un antico lunario veneziano, lo *Scieson.*

[3] L. Braida, *Premessa,* in *Le guide del tempo. Produzione, contenuti e forme degli almanacchi piemontesi nel Settecento,* Torino, Deputazione subalpina di storia patria, 1989, pp. XI-XII. In Piemonte «gli stampatori e i librai torinesi avevano individuato almeno tre fasce di pubblico. La prima era rappresentata da un ceto medio-basso, da poco alfabetizzato (artigiani, piccoli commercianti) [...] Ma il settore su cui puntò la maggior parte dei produttori fu proprio quella mid-cult cittadina in espansione, differenziata internamente per cultura, relazioni sociali e interessi (commercianti, professionisti, militari di medio grado, preti). Una terza fascia era rappresentata dai ceti alti: i nobili, gli alti impiegati regi, l'alto clero, e i militari d'alto grado» (*ibid.,* pp. 222-223). Marco Cuaz concorda: gli almanacchi erano un prodotto editoriale ricercato dai nobili e da «un ceto medio urbano, quanto meno alfabetizzato», da «quella fascia di cultura media che si espande in relazione alla diffusione dell'alfabetizzazione e alla formazione della società civile» (*Almanacchi e «cultura media» nell'Italia del Settecento,* in «Studi storici», a. 25, 1984, aprile-giugno, pp. 356 e 359). I destinatari degli almanacchi sarebbero dunque gli stessi del romanzo.

nacco»[4], una situazione tipica del mercato del romanzo. «Nel XVIII secolo, come in quello precedente [gli almanacchi] sono spesso la sola lettura che unisce l'utilità pratica al divertimento»[5]: il motto oraziano impresso sul frontespizio del *Monferrino* (Torino, 1774) – «*miscere utile dulci lectorem delectando pariterque monendo*» – sintetizza senza dubbio gli intenti di fondo di tutti i romanzi chiariani, in cui la componente didascalica e «formativa» tipica degli almanacchi è imprescindibile[6]. Inoltre, verso la fine del secolo gli almanacchi sembrerebbero rivolgersi soprattutto alle lettrici, e cioè al pubblico del romanzo. Le somiglianze fra i due generi non riguardano però soltanto paratesto, settori di mercato e fasce di destinatari. In entrambi i tipi di testi i personaggi sono astratti e generici in quanto illustrazioni di valori esemplari, concepiti per rappresentare il tipico e non l'individuo. Del resto, la singolare coincidenza dei nomi di tanti personaggi chiariani con quelli delle figure di questa produzione popolare non è affatto casuale. Appellativi tipo la Bella Pellegrina e il-la Pellegrina compaiono nei titoli di alcuni almanacchi dell'epoca: *La pellegrina celeste* (Milano, 1746-82), *La pellegrina del mondo lunare* (Torino, 1760-96), l'*Almanacco pellegrino* (Torino, 1787), *Il pellegrino* (Milano, 1791); nomi tipo Sibilla e Sempronia, entrambi personaggi della *Giuocatrice*, hanno riscontri interessanti nella *Sibilla celeste* (Torino 1751-85) e nell'*Almanacco monferrino* (Torino, 1791)[7]. Non si tratta di coincidenze casuali: se l'almanacco *L'uomo dell'altro mondo* (Milano, 1792) riprende quasi alla lettera il titolo di un romanzo di Chiari, significa che l'immaginario di riferimento di questa produzione è piuttosto stereotipato. Ancora, in certi almanacchi ad esporre il contenuto è un

[4] Braida, *Le guide del tempo. Produzione, contenuti e forme degli alamanacchi piemontesi nel Settecento*, cit., p. 40.
[5] Bollème, *Letteratura popolare e commercio ambulante del libro nel XVIII secolo*, in *Libri editori e pubblico nell'Europa moderna. Guida storica e critica*, cit., p. 229.
[6] Una produzione laica propriamente «comportamentale» affianca quella religiosa tradizionale; ad esempio, l'*Almanacco per la gioventù contenente la civiltà de' giovenili costumi* (Torino, 1786) è «una sorta di manuale di "buone maniere" con il fine di insegnare ai giovani a "vivere in società"» (Braida, *Le guide del tempo. Produzione, contenuti e forme degli alamanacchi piemontesi nel Settecento*, cit., p. 75).
[7] Uno dei personaggi dell'*Almanacco monferrino* si chiama Sempronia. A riprova della diffusione (e della longevità) di titolazioni come queste basti citare *I meravigliosi oracoli della Sibilla Cumana ovvero regole per conoscere le occulte e future cose* (Firenze, Salani, 1880), *La Sibilla celeste. Effemeride per l'anno comune 1895* (Torino, Botta, 1895) e *La Sibilla. La rivista del destino e della volontà* (Cusano Milanino, Arti Grafiche Colombo) il cui primo numero esce addirittura nel 1956.

«narratore» femmina. In *La sollecita giardiniera del zodiaco* (Torino, 1761) i consigli per coltivare orti e giardini sono offerti da una «pratica giardiniera»[8].

Lunari, calendari e almanacchi costituiscono un *corpus* di testi molto disomogeneo, destinato a organizzarsi in sottogeneri abbastanza precisi nel corso della seconda metà del Settecento. Già intorno al 1750, alternando prosa e poesia, l'almanacco comincia ad abbandonare il pronostico astrologico e il compendio a puntate. Alla fine del processo di differenziazione del genere, negli anni novanta, «alcuni almanacchi letterari puntarono su un taglio educativo e moralistico, altri si orientarono piuttosto verso temi "dilettevoli", pubblicando novelle e commedie a puntate»[9]. Se l'almanacco ricorre alla *fiction*, molte informazioni esibite nei romanzi di Chiari rimandano all'impiego pratico tipico di lunari e calendari: nella *Giuocatrice* sono inserite le tavole del lotto. Anche le tematiche e la loro varietà sono simili a quelle del romanzo. Gli almanacchi pubblicano infatti «articoli su temi svariati: dalle origini di costumi e feste popolari, alle consuetudini di vita dei popoli orientali; dalla moda alla critica del lusso delle donne dell'alta società. Interventi moralistici convivevano con aneddoti curiosi e divertenti»[10]; in molti casi «l'amore, i pettegolezzi e il teatro occupano lo spazio maggiore»[11]. Le differenze, però, rimangono notevoli. Non solo nei romanzi vi è una netta riduzione della disomogeneità tematica dell'almanacco[12] a vantaggio degli argomenti mondani, ma l'impianto romanzesco conferisce alla materia una gerarchizzazione funzionale e una prima fondamentale sintesi, tale da garantire al lettore una nuova e ben più soddisfacente appercezione dell'opera. Un tipo di fruizione di carattere prevalentemente ludico e non tendenzialmente praticistico.

Una seconda famiglia di testi imparentati con i romanzi di Chia-

---

[8] Braida, *Le guide del tempo. Produzione, contenuti e forme degli alamanacchi piemontesi nel Settecento*, cit., p. 65.

[9] *Ibid.*, p. 116.

[10] *Ibid.*, p. 183.

[11] Cuaz, *Almanacchi e «cultura media» nell'Italia del Settecento*, cit., p. 359.

[12] Gabriella Solari individua proprio nell'«impianto tematico eterogeneo [...] il tratto peculiare di questo "genere letterario". Una confusione di motivi diversi e spesso contrapposti è quella che risiede al fondo di questa letteratura; una sorta di incoerenza aperta ai dati dell'esperienza, al richiamo astrologico, alla Provvidenza, al sapere scientifico, al gioco, ai dettami morali, che [ne] spiega forse il largo successo» (*L'importanza di alcuni materiali "minori". Almanacchi, lunari e calendari: considerazioni a margine di una ricerca sulla stampa popolare nei secoli XVIII e XIX*, in «Biblioteche oggi», n. 4, 1989, p. 490).

ri è quello degli «eterni libri di pietà o in genere di carattere religioso [...] [che] rappresentano sempre una merce di vendita sicura, anche nei periodi di crisi»[13]. Insieme ai calendari e ai lunari, «questa letteratura ha i più bassi prezzi di copertina che il commercio milanese registri», ed occupa la fascia inferiore del mercato[14]. Le opere devozionali, le agiografie, i catechismi per il popolo, sono tutti testi tradizionali non più confacenti alle esigenze di lettura soddisfatte dai romanzi chiariani. Tanto più in un momento in cui la predicazione gesuitica va sempre più perdendo consenso, al tramonto di un secolo che «può ben essere chiamato il secolo della predicazione popolare»[15]. Le principali corrispondenze fra i romanzi di Chiari e le prediche[16] sono ancora una volta tematiche: anche l'oratoria sacra si concentra sui soliti argomenti di attualità: il cicisbeismo e le mode, la vita di società e quella domestica delle donne, la loro condotta nel matrimonio. E lo fa non di rado con piglio «mondano»: i predicatori infatti «arieggiavano temi filosofici

[13] Braida, *Le guide del tempo. Produzione, contenuti e forme degli alamanacchi piemontesi nel Settecento*, cit., p. 107. «Insieme ai catechismi e alle vite dei santi, erano tra le poche opere ad entrare nelle case dei ceti popolari sia per il basso prezzo sia per le informazioni utili riportate nelle rubriche fisse» (*ibid.*).

[14] A Milano, ancora a metà Ottocento (nel 1842), fra i best-seller figurano *L'esercizio di pietà di un pio giovanetto* (Ripamonti Carcano); le *Istruzioni cristiane per la gioventù* (Pirotta); il *Libro dell'infanzia cristiana* (Molina) (cfr. M. Berengo, *Intellettuali e librai nella Milano della Restaurazione*, Torino, Einaudi, 1980, p. 177; per la citazione nel testo, p. 170).

[15] «Non vi fu, si può dire, per quanto riguarda il nostro paese, luogo e contrada che non fosse battuto dalla predicazione peregrinante dei missionari» (A. Prandi, *Religiosità e cultura nel '700 italiano*, Bologna, il Mulino, 1966, p. VI per questa citazione e per quella nel testo).

[16] Per il rapporto fra materia edificante e rappresentazione romanzesca, sarebbe interessante confrontare il romanzo religioso e la produzione oratoria. *Maria Maddalena peccatrice e convertita* (1636) di Anton Giulio Brignole Sale («il capolavoro del romanzo religioso») realizza «il difficile accordo tra materia agiografica (una materia incline di per sé alla staticità oratoria e alla frondosità parenetica) e forme romanzesche, che non potendo, in questo caso, contare sulla novità dell'argomento, sono attente a segnare le tappe di una tormentata esperienza interiore» (Capucci, *Introduzione*, in *Romanzieri del Seicento*, cit., p. 28). «Potrebbe riscontrarsi veramente se la Perfetta religiosa sia un romanzo nella forma di un'opera di devozione, come curioso documento delle aberrazioni che, in fatto di religione, non mancavano in alcun tempo» (Garzia [rec. a Marchesi, *Romanzieri e romanzi italiani del Settecento*, cit.], cit., p. 121). Il *Panegirico su l'Annunciazione di Maria Vergine* di Antonio Cesari (recitato per la prima volta nel 1794) è invece un testo che presenta la «topica del romanzo d'appendice edificante» (L. Bolzoni, *Oratoria e prediche*, in *Letteratura italiana*, direzione di A. Asor Rosa, vol. III, *Le forme del testo*, t. II, *La prosa*, cit., p. 1072). Del resto, secondo Portinari la linea del racconto agiografico «rappresenta forse la sola linea popolare della cultura italiana» (*Introduzione*, in *Romanzieri del Settecento*, cit., p. 12, nota). Da una prospettiva non letteraria ma agiografica, H. Delehaye conferma l'abbondanza dei materiali: «i romanzi di questa specie sono parecchio numerosi, ed alcuni rimontano ad un'antichità molto remota» (*Le leggende agiografiche* (1906), Firenze, Libreria editrice fiorentina, 1987, p. 13).

e sociali, onde piuttosto che ragionar sulla necessità della fede, gli oratori preferivano parlare del Caso»[17], tema quant'altri mai chiariano. Per ritrovare lo stile argomentativo che sorregge i rovelli di Cristina, Tolot, Ninna e di tante altre eroine, basta leggere il passo del Segneri riportato da Santini, che ne segue lo svolgimento argomentativo: il discorso, avviato dall'esordio in cui è posta la tesi, è bipartito; il ragionamento è suffragato da prove tolte dall'esperienza, dalla Sacra Scrittura, dai classici[18], e si sviluppa tramite proposizioni concessive, domande retoriche, pseudo soluzioni, approfondimenti e ipotesi alternative[19]. La radice del caratteristico ragionare per via ipotetica delle protagoniste chiariane sta nell'abitudine alla *distinzione*, fondamento di ogni disputa affrontata con il metodo scolastico[20]. Non bisogna dimenticare che a Modena l'abate Chiari era stato insegnante di eloquenza[21]: lo studio della casistica e in particolare dei casi di coscienza lascia cospicue tracce nella sua letteratura d'invenzione, quanto mai attenta ai distinguo soprattutto psicologici e sentimentali[22].

[17] F. Zanotto, *Storia della predicazione nei secoli della letteratura italiana*, citato da Prandi, in *Religiosità e cultura nel '700 italiano*, cit., p. 38.

[18] Se nei romanzi di Chiari le prove sono tolte solo dall'esperienza, nelle *Lettere* e nei *Trattenimenti* spesso la fonte è classica, ma il modo di condurre il discorso non muta.

[19] E. Santini, *L'eloquenza italiana dal Concilio Tridentino ai nostri giorni. Gli oratori sacri*, Milano-Palermo-Napoli-Genova-Bologna-Torino-Firenze, Sandron, 1923. Il passo del Segneri è riportato alle pp. 113-115.

[20] «Il metodo scolastico ha come momento fondamentale la disputa sulle *quaestiones* che sorgono nell'interpretazione di un testo: un *opponens* ("attaccante") o più pongono obiezioni al *respondens*. Dalla distinzione del concetto nei suoi elementi fondamentali e dall'esame di tutti i *pro* e i *contra* scaturisce la soluzione del problema. Nessuno può ottenere i gradi accademici se non partecipa alla disputa in qualità di *opponens* o di *respondens*» (*Ratio atque institutio studiorum Societatis Jesu. L'ordinamento scolastico dei collegi dei Gesuiti*, a cura e trad. di M. Salomone, Milano, Feltrinelli, 1979, p. 43, nota 2).

[21] Nelle scuole come il collegio gesuitico di San Bartolomeo in cui Chiari aveva insegnato, i corsi superiori prevedevano frequenti lezioni ed esercitazioni di «casistica», in cui scolari e professori attuavano «un confronto di opinioni sui casi» (*ibid.*, p. 26).

[22] Analoga influenza è riscontrabile in alcuni romanzieri del Seicento, come Anton Giulio Brignole Sale e Francesco Fulvio Frugoni: «è d'altronde possibile che proprio la familiarità coi testi di teologi e casuisti gesuiti [...] abbia sollecitato in alcuni di questi romanzieri liguri un'attenzione esasperata verso la varietà inesauribile della problematica amorosa, politica e morale, di cui taluni presentano una vera e propria raggera di variazioni secondarie intorno alla vicenda esemplare dei protagonisti. Si veda ad es. la casistica dell'amor deluso nel romanzo del Brignole» (P. Malgarotto, *Proposte per una rilettura dei romanzi barocchi*, in «Lettere italiane», a. XXI, n. 3, luglio-settembre 1969, p. 486). A proposito di un importante manuale di retorica dei Gesuiti, il *De arte rhetorica* del De Colonia, Andrea Battistini sottolinea una tendenza vincente verso la fine del Settecento: a colpire è «l'ampio spazio occupato dall'analisi delle passioni» (*I manuali di retorica dei Gesuiti*, in *La «Ratio studiorum». Modelli culturali e pratiche di retorica dei Gesuiti in Italia tra Cinque e Seicento*, a cura di G. P. Brizzi, Roma, Bulzoni, 1981, p. 115). Secondo Calabrese, è lecito «pensare

A conferma dell'«incrocio» fra romanzo e predica, se lo scrittore utilizza le tecniche argomentative dell'oratoria sacra, nel 1785 Juan Andres annota: «chi avrebbe mai pensato che giungesse a tanto l'amore de' romanzi di farne uso persino nelle opere di divozione?»[23]. Turchi critica il vezzo di citare «un verso di tragedia, un periodo di romanzo, un articolo di dizionario recitato con aria nobile e franca»[24], ma a fare il punto della situazione è Venini: «nelle città alla Chiesa si andava come al teatro e per fare strazio del predicatore nelle conversazioni e nei circoli»[25].

Agli occhi dei censori, il romanzo è accomunato ad altri generi di trattenimento: per individuare il contesto semiletterario ed extraletterario dei romanzi chiariani è utile dare un'occhiata alle famiglie di opere messe all'indice. Alcuni accostamenti emblematici si possono evincere dallo spoglio effettuato da Franco Piva sul «Registro Donadoni-Morelli» dei libri proibiti a Venezia dal 1769 al 1795. Fra i titoli fermati si registrano: Goethe, *Passion du jeune Werther*; *La pulzella* di Voltaire; *L'Espion Chinois*; *L'Espion Turc*; *Histoire Secrette de la Cour de Berlin*; *Voyage du Jeune Anacharsis en Grece*; *Les Fastes de Louis XV, de ses Ministres, de ses Maitresses, et des Notables Personages de son Regne*; *Vie de Voltaire*, par M. de Condorcet; *Traité curieux des charmes de l'Amour Conjugal dans ce monde et dans l'autre*; *Lettres sur divers sujets de Morale*; Le Suire, *Le Philosophe Parvenu*; *Vita e martirio di Luigi XVI, Re di Francia, imolato li 21 Gennaro 1793 con un esame del decreto del regicidio*, opera del Sig.r di Limon, tradotta dal Francese[26]. Romanzi del Seicento e del Settecento, «storie segrete», libri di lettere, biografie, testi discendenti dalla tradizione della «letteratura del patibolo»[27],

---

che la casuistica – alleatasi sul terreno della letteratura con lo sperimentalismo scientifico del Cimento – alimenti il romanzo al modo stesso in cui la novella umanistica si era fondata su una componente controversistica» (*Intrecci italiani. Una teoria e una storia del romanzo (1750-1900)*, cit., p. 58).

[23] J. Andres, *Dell'origine, progressi e stato attuale d'ogni letteratura*, Parma, Stamperia Reale, 1785, t. VIII, p. 499.

[24] A. Turchi, *Prediche alla corte*, citata da Prandi, in *Religiosità e cultura nel '700 italiano*, cit., p. 175.

[25] I. Venini, *Quaresimale, Panegirici e discorsi*, citato da Santini, in *L'eloquenza italiana dal Concilio Tridentino ai nostri giorni. Gli oratori sacri*, cit., p. 148.

[26] F. Piva, *Censura e libri proibiti a Venezia: il «Registro Donadoni-Morelli» (1769-1795)*, in «Aevum», a. XLVIII, 1974, fasc. V-VI, pp. 546-569, *passim*.

[27] R. Loretelli, *Premessa* a *I criminali e le loro storie*, in «L'Asino d'oro», a. III, n. 6, novembre 1992, p. 6. Conferma quanto fossero trasparenti i margini di genere fra opere di questo tipo il fatto che ad alimentare la confusione sono gli stessi stampatori. Nell'elenco

titoli accomunati dal fatto di essere percepiti dal potere come «pericolosi» per i medesimi destinatari del romanzo. Non diverse le opere messe all'indice dai censori cattolici: Adeodato Turchi condanna senza distinzioni «raccolte di lettere egualmente oscene che empie, saggi piacevoli e libertini, poemetti impuri e sacrileghi, novelle, romanzi, dizionari cuciti dall'impostura e dall'empietà»[28]. Le testimonianze dirette del gusto del pubblico confermano questi orientamenti: in *Il Genio de' tempi. Almanacco alla moda italiano e francese* (Torino, 1785) viene descritta la biblioteca «d'une homme de bel ai»: «essa conteneva ogni genere di romanzo, ogni sorta di pièces teatrali, ma era priva di saggi filosofici e storici: 'On n'aura d'histoire que celles de Charles xii et celle qu'on nomme universelle, parce que cela s'accorde parfaitement avec les romans»[29]. Nel complesso, «il gusto letterario era orientato, secondo il compilatore, verso letture disimpegnate o verso storie e biografie avventurose di volteriana memoria, ma anche verso favole, "les lettres galantes", i viaggi immaginari, e soprattutto le strenne e gli almanacchi»[30]: anche nella percezione dei lettori le opere censurate all'epoca vengono assimilate.

In questo insieme di testi vi sono alcuni generi «forti» ed altri meno determinanti per Chiari; in entrambi i casi, alla base della parentela con la sua produzione «di trattenimento» c'è l'identificazione di un medesimo pubblico non erudito ma «popolare». Nei suoi romanzi manca qualunque coscienza politica della dimensione pubblica, della società e dello stato: le sorti dei governi sono determinate da faccende e interessi meramente privati. La guerra con la Persia del *Serraglio indiano* ha un movente ben poco politico: «due giovani schiave [...] ma belle tutt'e due» (SI 132) sono contese da altrettanti sovrani. Lo stesso vale per le motivazioni della fine del conflitto: il titolo di un capitolo recita *Pace fatta con una cosa da nulla; e principj amorosi dal nulla altresì derivati* (SI 139). Si tratta

---

delle opere di Chiari posto a completamento del quarto tomo delle sue *Commedie rappresentate ne' Teatri Grimani di Venezia cominciando dall'anno 1749 d'Egerindo Criptonide, pastor arcade della Colonia Parmense* (Venezia, Pasinelli, 1752-58, 4 tomi), sotto la dicitura «Romanzi» il tipografo introduce le *Memorie della vita di Federico IV re di Prussia*, che non è né un romanzo né opera di Chiari.

[28] L. Bolzoni, *Oratoria e prediche*, in *Letteratura italiana*, direzione di A. Asor Rosa, vol. III, *Le forme del testo*, t. II, *La prosa*, cit., p. 1071.

[29] Braida, *Prefazione*, in *Le guide del tempo. Produzione, contenuti e forme degli almanacchi piemontesi nel Settecento*, cit., pp. 58-59.

[30] *Ibid.*, pp. 196-197.

di una concezione non diversa da quella che pervade le «storie segrete» tanto lette all'epoca, storie cui Eugenia sembra accennare in un passo: «delle cabale delle Corti avevo qualche barlume; ma non quanto bastava per navigare in un mare sì burascoso senza temer di naufragio» (BP, II 95). Di maggior peso l'analogia fra romanzi e libri di lettere[31]. I romanzi di Chiari condividono infatti tutte le principali caratteristiche del genere, che punta «sulla varietà di argomenti come elemento d'attrazione per il lettore, trascorrendo dal dilettevole al morale, allo scientifico, con l'intento di offrire una rappresentazione vagamente enciclopedica della realtà», obbedendo in fondo «alle opportunità delle conversazioni alla moda»[32]. Addirittura, la *Viaggiatrice* si configura quale semplice raccolta di missive: il pretesto dell'opera è identico a quello delle *Lettere filosofiche di D. Anna Gentile Gagliani* e di tanti altri libri di lettere[33].

---

[31] A parte le numerosissime raccolte di lettere di contenuto religioso redatte da ecclesiastici (per farsi un'idea del loro successo basta vedere la quantità di titoli registrati da V. Anelli, L. Maffini e P. Viglio in *Leggere in provincia. Un censimento delle biblioteche private a Piacenza nel Settecento*, Bologna, Il Mulino, 1986), fra i libri di lettere più venduti all'epoca ci sono le *Lettere critiche, giocose, morali, scientifiche, ed erudite, alla Moda ed al Gusto del Secolo Presente del conte Agostino Santi Pupieni* (1743-51) di Giuseppe Antonio Costantini e la risposta di Chiari, *Lettere scelte di varie materie piacevoli, critiche ed erudite scritte ad una Dama di qualità* (1749), due opere debitrici al D'Argens della *Corrispondenza filosofica, storica e critica*, tradotta e compendiata a Venezia tra il '41 e il '42 da Ponziano Conti. Chiari pubblicò altri due libri di questo tipo, le *Lettere d'un solitario a sua figlia per formarle il cuore e lo spirito nella scuola del mondo* (1777) e *I privilegi della ignoranza. Lettere d'una Americana ad un Letterato d'Europa* (1784), la cui affinità è confermata dal fatto che l'ultima lettera della prima raccolta si intitola *Privilegi dell'ignoranza*. Un certo successo ebbero pure le *Lettere scritte da una donna di senno e di spirito per ammaestramento del suo amante* (Ferrara, Barbieri, 1737; seconda e terza edizione Firenze, Andrea Bonducci, 1747 e 1758, quindi Venezia, Antonio Graziosi, 1764), ristampate di recente in modo non ineccepibile (Milano, *La Vita Felice*, 1993, *Introduzione* di C. Gagliardo). L'edizione riproduce infatti quella Graziosi del 1764 ritenendola erroneamente la prima. A conferma dello sfruttamento intensivo del genere ci sono anche titoli particolarmente curiosi come il poco note *Lettere consolatorie di un solitario ad una inferma* (Venezia, Occhi, 1773).

[32] G. Pizzamiglio, *Tra «libri di lettera» e teatro*, in *Pietro Chiari e il teatro europeo del Settecento*, cit., p. 251.

[33] «Le lettere, ch'io presento al pubblico, non furono ritrovate in qualche vecchio Archivio, nè furon rubbate dallo scrigno di qualche Dama brillante come per lo più sogliono fingere gli Autori di tali opericciuole, per imponere a' leggitori. Eccone ingenuamente la storia. Nelle scientifiche adunanze, che per ogni settimana si tenevano in casa di un filosofo della città di Palermo, fù pochi anni sono, presentata una giovinetta, chiamata D. Anna Gentile, che non oltrepassava l'età di quindici anni; la quale, mediante l'accurata, ed ottima educazione [...] faceva de' poetici componimenti, che nelle adunanze suddette con molta grazia, e spirito recitava». Tale giovinetta suscita un'ottima impressione in uno fra i convenuti, un noto filosofo «la di cui modestia eccessiva mi vieta di pubblicarne il nome» (*L'editore a chi legge*, in *Lettere filosofiche di D. Anna Gentile Gagliani*, Napoli, Nella Stamperia

Rispetto agli almanacchi, la varietà tematica ed espressiva della pubblicistica periodica è naturalmente minore[34], ma ben più elevata di quella dei libri di lettere[35]. Sono le stesse protagoniste della narrativa chiariana a soffermarsi sul rapporto fra narrativa e pubblicistica periodica: Ninna è un'accanita divoratrice di romanzi, e ripiega sui giornali solo in caso di bisogno: «leggendo un dì, *per non avere di meglio*, le Gazzette olandesi della settimana corrente» (DG 129, c.vo mio). Una conferma al fatto che, soprattutto a Venezia, «il giornale e il romanzo appartenevano ad un modo senza dubbio alternativo di apprendere sapere, di gestire una mitica socialità culturale da riversare poi nella discorsività del salotto, del caffè e della piazza»[36]. La complementarietà antagonistica fra romanzo e giornali risalta anzitutto nella confezione dei testi. Se i *Trattenimenti* chiariani furono offerti in «pochi fogli per ciascun mese» «a chi non avesse di meglio, per erudirsi, e per trattenersi»[37], il periodico «La Minerva, o sia nuovo giornale de' letterati italiani» era venduto in eleganti fascicoli mensili destinati a comporre un volume per trimestre[38]. La somiglianza tipologica fra periodico e

della Società Letteraria e Tipografica, 1780, p. 2). Il libro presenta la corrispondenza che i due si scambiarono in seguito.

[34] L'ambito operativo del giornalismo non è poi così distante da quello degli almanacchi popolari: la «Gazzetta veneta» di Gasparo Gozzi affronta un'esigenza «cui da tempo e discontinuamente gli almanacchi si sforzano di rispondere, quella di seguire e illustrare la vita cittadina nelle sue novità culturali e nella sua cronaca minuta, narrando fatti e rispondendo a domande curiose, pubblicando aneddoti e alternando novelle con apologhi, annunzi con proposte» (M. Berengo, *Introduzione*, in *Giornali veneziani del Settecento*, a cura di M. Berengo, Milano, Feltrinelli, 1962, p. XXVII). Non a caso l'esperienza di Gozzi prosegue con Chiari, redattore della «Gazzetta veneta» dal 7 febbraio 1761 al 10 marzo 1762, per un totale di 102 numeri.

[35] Non mancano esempi di periodici organizzati in forma epistolare: i numeri del giornale veneziano la «Pallade Veneta» (1687-1688) sono redatti sotto forma di lettere ad una donna, e le «Memorie per servire all'istoria letteraria» di Girolamo Zanetti e Angelo Calogerà sono composte da autentiche lettere inviate da varie città, dedicate alla presentazione e discussione di opere pubblicate *in loco*.

[36] I. Crotti, *I materiali della finzione. Appunti per una definizione del genere-romanzo nel Settecento italiano*, in Piazza, *L'amor tra l'armi*, cit., p. 11.

[37] Chiari, *L'autore a chi legge*, in *Trattenimenti dello spirito umano sopra le cose del mondo passate presenti e possibili ad avvenire*, cit., t. I, p. 4.

[38] A conferma della labilità dei confini, se la critica chiariana tende a considerare i *Trattenimenti* un'opera composta e non un periodico, Marco Cuaz li inserisce invece fra i giornali scientifico-letterari (*Per un inventario dei periodici settecenteschi*, in *Periodici italiani d'antico regime*, a cura di A. Postigliola con la collaborazione di N. Boccara, Roma, s. e. (Società italiana di studi sul secolo XVIII), 1986, p. 124). Non senza una cautela: «impossibile si è invece rivelato sciogliere il nodo della confusione dei generi e dei periodici di frontiera che sono contemporaneamente letterari e gazzette, almanacchi e periodici scientifici» (*ibid.*, p. 102).

novel è confermata proprio sul piano dell'offerta: le dispense possono contenere dei romanzi, concepiti a loro volta alla stregua di opere composite: i *Trattenimenti* includono *Il Serraglio indiano* e *La Corsara francese*, gli «Opuscoli miscellanei» di Giacomo Casanova le *Lettere della nobildonna Silvia Belegno*, *Di aneddoti viniziani militari ed amorosi* e *Il duello ovvero saggio della vita di G.C. veneziano*[39]. Che la distanza fra questi due tipi di opere non sia netta lo conferma del resto un episodio: *Il mondo morale* venne pubblicato a dispense alla stregua di un periodico[40], ed in effetti l'identità romanzesca del testo si perde con il progredire delle uscite. All'origine del successo di tanti giornali dell'epoca c'è la strategia indicata dall'editore della «Galleria di Minerva», che propone «una raccolta di ogni specie di cose, che per renderla piena e riguardevole, non basta che siano tutte gemme. Bisogna che sia il diletto per i men dotti e per ogni sorta di dotto»[41]. La stessa opzione analitica descritta da Ninna quando si accinge a comporre le sue memorie: «chi scrive per tutti [...] procurar deve indispensabilmente di dar a tutti nel genio, accomodandosi quanto può a' gusti diversi de' leggitori, che non sempre si trovano del tutto paghi, o di tutto capaci» (DG, II 175).

Quanto invece alla parentela fra romanzo e teatro, è anzitutto attestata nelle abitudini di fruizione del pubblico e nella pratica letteraria dei narratori di successo. Nel *Teatro, ovvero fatti di una veneziana* Antonio Piazza descrive l'apprendistato di Rosina alla lettura di romanzi. In un primo tempo entusiasta frequentatrice di platee, quindi lettrice appassionata del testo teatrale *La vendetta*

---

[39] All'inizio degli anni Ottanta, rivolgendosi ai «Signori associati» per proporre la sottoscrizione degli «Opuscoli miscellanei» da lui interamente redatti, Giacomo Casanova sottolinea la varietà di argomenti pur nell'unità complessiva dell'iniziativa: «abbiano la bontà [i Signori associati] di non dire, che l'opera non sia analoga all'argomento proposto nel manifesto. Altre materie verranno trattate in proseguimento, ed avverrà ancora, che molti libretti uniti insieme formeranno un corpo di vera, imparziale, moderna, ed assai desiderata istoria. Si compiacciano solo di conservare di tutti gli opuscoli miscellanei la serie, ed il laborioso autore li assicura, che in capo ad un determinato tempo, malgrado la loro varietà, formeranno un tutto» (citato da P. Archi, in *Introduzione*, in G. Casanova, *Romanzi italiani (1984)*, a cura di P. Archi, *Prefazione* di L. Toschi, Firenze, Sansoni, 1990, p. XXVI).

[40] *Il mondo morale. Conversazioni della Congrega de' Pellegrini*, «pubblicazione settimanale, usciva il lunedì e raramente il mercoledì a partire dal 5 maggio 1760» (I. Crotti, *L'esperimento del romanzo: «Il mondo Morale»*, in *G. Gozzi. Il lavoro di un intellettuale nel Settecento veneziano*, Atti del Convegno, Venezia-Pordenone 4-6 dicembre 1986, a cura di I. Crotti e R. Ricorda, Padova, Antenore, 1989, p. 187).

[41] Cuaz, *Almanacchi e «cultura media» nell'Italia del Settecento*, cit., p. 114.

Amorosa[42] di Chiari, successivamente divoratrice di romanzi. Un mercato troppo parcellizzato come quello italiano non permette ancora professionalità letterarie specializzate: Chiari e Piazza, Vincenzo Rota, Vincenzo Formaleoni, Giuseppe Maria Foppa e i meno noti Giambattista Verci e Alessandro Zanchi oltre a romanzi scrissero commedie, tragedie, drammi per musica[43]. Del resto, la bibliografia di Chiari registra titoli che designano sia romanzi sia testi teatrali: la commedia *La Bella Pellegrina* (1761) è contemporanea all'omonimo romanzo, ma in molte sue commedie lo scrittore utilizza direttamente celebri romanzi inglesi e francesi:

il primo contatto "professionale" col romanzo fu dunque di tipo utilitario o parassitario, per cavare dalle grandi opere narrative europee, a lui note nell'originale francese o nella traduzione francese dell'originale inglese, trame e personaggi da contrapporre a quelli del Goldoni: dal *Tom Jones* di Fielding furono tratte, nel 1750, *L'Orfano perseguitato*, *L'Orfano ramingo* e *L'Orfano riconosciuto*; e l'anno seguente dalla *Vie de Marianne* di Marivaux, *L'Orfana, o sia la forza della Virtù*, e *L'Orfana riconosciuta, o sia la forza del Naturale*[44].

---

[42] «Leggendo alcuni versi della commedia, un piacere io sentiva che mi veniva da lei. Con questa mozione d'affetti mi misi a letto ed invano ho invocato il sonno per calmare le mie inquietudini. Che agitazioni! Che smanie! che sospiri! che rabbia! [...] Non lessi, ma divorai la commedia, e la ho di mia mano copiata, imparandone a memoria degli atti interi» (A. Piazza, *Il teatro, ovvero fatti di una veneziana che lo fanno conoscere*, ora come *L'attrice*, a cura di R. Turchi, Napoli, Guida, 1984, p. 31).

[43] Si tratta di autori le cui opere sono pressoché irreperibili. Di Verci fornisce notizia la *Biografia universale antica e moderna. Storia per alfabeto della vita pubblica e privata di tutte le persone che si distinsero per opere, azioni, talenti, virtù e delitti* (Venezia, Gio. Battista Missiaglia, 1822-1831), dove a sigla M.G.S. si legge che la *Storia di Deli, o avventure curiose di un Turco* (Venezia, 1771) sarebbe «un romanzo del genere di quei di Chiari» (vol. LX [1830], p. 317, col. II). Il titolo di Rota *Il fantasma. Commedia* (Lugano, Nelle stampe della suprema Superiorità Elvetica nelle Prefetture Italiane, 1748) sarà riecheggiato da Chiari nel romanzo *La fantasima. Aneddoti castigliani di una Dama di qualità, scritti da lei medesima*. Vincenzo Formaleoni (1752-97) tradusse i romanzi *Avventure di Riccardo Oberton tradotte dal francese* (Venezia, presso Vincenzo Formaleoni, 1787) e *Abdeker, ossia l'arte di conservare la bellezza delle donne* (ibid.) e scrisse *Caterin Zeno. Storia curiosa delle sue avventure in Persia, tratta da antico originale manoscritto, ed ora per la prima volta pubblicato da V. F.*, Venezia, presso l'Autore, 1783.

[44] F. Fido, *I romanzi: temi, ideologia, scrittura*, in *Pietro Chiari e il teatro europeo del Settecento*, cit., p. 284. Le contaminazioni sono anche molte altre: per esempio, «sulla falsariga della *Paysanne parvenue* (1735) del De Mouhy [...] si sviluppa l'intreccio de *La contadina incivilita dal caso* e *La contadina incivilita dal matrimonio* [...] all'*Histoire de Gil-Blas de Santillane* (1715-35) di Alain-René Lesage, guarda la commedia *I nimici del pane che mangiano*» (C. Alberti, *Introduzione*, in *Pietro Chiari e il teatro europeo del Settecento*, cit., pp. 17-18). Alle accuse di plagio mosse a Chiari dai suoi detrattori lo scrittore rispose spesso con l'indicazione preventiva dei suoi modelli: «le due [commedie] intitolate *La contadina incivi-*

Le affinità fra le convenzioni teatrali e il paradigma romanzesco elaborato da Chiari sono numerose[45]: se ad imporsi quale ambito prediletto di ricerca onomastica è la commedia (Rosaura, Firaldo, Don Alvaro, Rosnì, Dorilla e molti altri sono tutti «nomi inequivocabilmente presi dal palcoscenico»[46]), l'impiego dell'azione e non dell'identità del carattere allo scopo di dare coerenza al personaggio è un mezzo tipico del teatro comico[47]. Inoltre, non solo parecchie situazioni narrative ricalcano *topoi* da palcoscenico, ma molti episodi sono d'impostazione teatrale. Agnizioni, scambi di persona, equivoci d'ogni sorta ricorrono con la medesima frequenza tanto nei canovacci teatrali quanto nei romanzi, luoghi comuni accennati persino nei titoli degli «articoli»: *Scena Comica tra due Persone, che si somigliavano al volto, ed erano d'opposto carattere* (BP 129). Ancora, nei suoi romanzi Chiari utilizza il *coup de théâtre*, come quello di Rosaura nascosta dietro ad una «Portiera» (CF, II 40) quando appare improvvisamente a Cirillo che la credeva morta; gli intrecci intricatissimi e macchinosi si ritrovano anche nelle commedie; come nei romanzi, le vicende ruotano spesso intorno ad un dilemma anagrafico: nell'*Erede fortunato* i primi tre personaggi sono «il Marchese d'Estival [...] il Cavaliere di Bissi suo figliuolo [...] la Madamigella La Valliere sua figlia, *ma non conosciuta per tale che da lui solo*»[48]. Ecco annunciato il nocciolo della storia. I nuclei narrativi di cui si compongono i romanzi sono concepiti alla stregua di unità di luogo e di azione; nuovi segmenti di vicenda abbisognano di nuove quinte, contenitori di porzioni omogenee di peripezia. Come a teatro, le scene nucleari sono finestre aperte sugli incontri

lita [*La contadina incivilita dal caso* e *La contadina incivilita dal matrimonio*] furono tratte dal romanzo, che porta il medesimo titolo», e «l'altra commedia compresa in questo volume intitolata *I nimici del pane che mangiano*, è fondata anch'ella in qualche sua parte sopra una favoletta del Gilblas, che si riconoscerà facilmente da tutti» (*L'autore a chi leggerà*, in *Commedie rappresentate ne' Teatri Grimani di Venezia cominciando dall'anno 1749*, cit., tomo IV, rispettivamente c. 3 *verso* e c. 4 *recto*).

[45] Armando Marchi ritiene i romanzi di Chiari «la brutta copia della commedia di cassetta che faceva la gioia degli impresari veneziani» (*Dovuto all'abate Chiari. Appunti sul romanzo nel Settecento italiano* (1982), Parma, Ed. Zara, 1985, p. 63).

[46] F. Portinari, *Introduzione*, in *Romanzieri del Settecento*, cit., p. 43.

[47] Jacopo Stellini lo ritiene un espediente drammaturgico inadatto alla *fiction*: i romanzieri fanno male ad affidarsi «al cieco circostanziarsi degli eventi, facendo dell'uomo un Proteo, ossia un personaggio teatrale che ad ogni istante muta natura e non sa cosa gli accadrà domani» (*Opere varie*, Padova, Penada, 1784, vol. V, p. 119). Non si dimentichi il caratteristico proteismo di Cristina, la protagonista dell'*Amante incognita*.

[48] P. Chiari, *Commedie rappresentate ne' Teatri Grimani di Venezia cominciando dall'anno 1749*, cit., t. I, p. 2, corsivo mio.

dei personaggi legate da viaggi in terre di nessuno. L'effetto ricorda il calarsi e l'alzarsi del sipario, a scandire gli atti della commedia.

Oltre che per l'organizzazione della vicenda, teatro e romanzo si assomigliano anche per i personaggi. La loro analogia è sottolineata dallo stesso Chiari: l'albergatrice Madama Nicol «era un carattere originale da fare in un Romanzo, o in una commedia una strepitosa figura [...] Un Rodomonte in collera parlar non poteva più franco, e più risoluto di lei» (V 206). Ogni volta che gli eroi delle narrazioni si trovano a dover dissimulare, propriamente *recitano*: «la mia Governatrice allora levandosi la *maschera* della dissimulazione [...]» (V 23, c.vo mio). La gestualità particolarmente curata (Tolot saluta in continuazione levandosi «quel suo berrettone» GL 177) deriva dal repertorio della commedia dell'arte, da cui sono desunti pure i lazzi, gag trapiantate nei romanzi: «così s'alzò ella da sedere sputando, e sputando senza avvedersene in petto alla Governatrice [...] e così dicendo [la Principessa] urtò sì malamente nell'uscir dalla porta al cantone della muraglia, che crederono tutte di vederla per terra» (DG 32). Gli atteggiamenti degli eroi sfruttano il codice del melodramma: «quando ebbe finito mi lasciai cadere ginocchione al suo letto, gli baciai mille volte la mano, me gli gettai colle braccia al collo largamente bagnandolo delle mie lagrime, sempre singhiozzando altamente, e non altro dicendo senonsè, caro Padre mio, perdono, compassione, pietà» (BP, II 152). La componente teatrale risalta anche sul piano del linguaggio: nei suoi romanzi Chiari utilizza spesso il vocabolario drammaturgico. «L'intreccio allora della Commedia mia poteva idearsi diversamente, ma dall'idea concepita con quella sostituzione d'altra Persona a me simile in vece mia non ne potevano derivare, che quelle Scene lugubri, e ridicole, che ne vedremo in appresso» (BP 130-131). Del resto, la metafora del romanzo come spettacolo è abusata: «una scena più patetica, e più interessante non videro mai i Teatri tutti d'Europa» (VS 129-130). Anche il termine «tragedia» ricorre parecchio: «una scena sì tragica, voi non ve la sareste mai aspettata» (V 60). Tragiche sono diverse scene che preludono al lieto fine, e tragici sono in quell'occasione i monologhi dei protagonisti. Ricorrenti sono infine alcuni *topoi* della tragedia. Come il contrasto fra desiderio di vendetta e senso del rispetto della legge, o come la contrapposizione drammatica fra amor filiale e amore erotico: Eugenia è innamorata del Conte B. C., «benchè figliuolo egli fosse del nimico più acerrimo della mia casa» (BP 169). Quando infine importanti enunciati sentenziosi sono pronunciati da protagonisti, gli eroi finiscono per indossare le vesti tipiche del *raisonneur* della commedia francese classica.

L'innovazione dei romanzi di Chiari sta dunque nel proficuo colloquio che seppero instaurare oltre gli angusti confini della ristretta società letteraria del XVIII secolo, con nuovi lettori e con generi testuali extra-istituzionali. Non è un caso: in analogia con la commedia, il romanzo si colloca ai margini del sistema letterario, mostrando una libertà di assimilazione di forme e contenuti che è la prima ragione del suo successo[49]. Resta il fatto che il modello romanzesco approntato da Chiari sarà ben presto superato. Anche perché nella contaminazione con gli altri generi l'abate bresciano non sempre utilizza le tecniche più funzionali. Per esempio, non riprende una tecnica mimetica della commedia destinata a diventare capitale nei paradigmi narrativi più moderni. «I dialoghi nostri sariano da scrivere, se non pensassi che fo una *storia della mia vita, non già una Commedia*» (CF, II 153, c.vo mio), dichiara Rosaura. Una delle ragioni che condannano all'inattualità i romanzi di Chiari consiste proprio nell'aver desunto il modello del dialogo romanzesco non dalla commedia ma dalla retorica deliberativa.

MARGINI SFUMATI: IL ROMANZESCO DEI TESTI NON ROMANZESCHI

Se molti aspetti dei romanzi di Chiari rinviano a testi altrui di generi diversi, a maggior ragione il *corpus* complessivo delle sue opere dovrebbe manifestare significative consonanze interne. L'espediente del «cangiare vivande» (DG, II 175) per mantenere desto l'appetito di chi legge alternando avventura e informazione, l'intenzione cioè dell'autore di rivolgersi ad un pubblico il più ampio possibile i cui interessi sono perciò piuttosto disomogenei, non caratterizza soltanto i romanzi:

---

[49] «Il fenomeno, tipicamente settecentesco, della moltiplicazione dei generi [...] si era verificato nel campo dell'arte teatrale. Questa moltiplicazione deriva dal fatto che le regole della poetica classica sono state infrante sotto la pressione di nuove idee, di contenuti e sentimenti a cui tali regole non potevano più convenire. La moda dei nuovi generi si diffondeva in Italia più tardi e consisteva prima nelle riduzioni in italiano della narrativa inglese e francese; ma dopo si assisteva addirittura all'invasione dei drammi stranieri, tradotti o adattati sulle scene italiane da un numero elevato di letterati teatrali, tra cui perfino il Goldoni e il Chiari» (L. Nyerges, *L'autore teatrale di moda e il pubblico*, in *Pietro Chiari e il teatro europeo del Settecento*, cit., pp. 117-118).

vorrei pur io in questi *Trattenimenti* dare a tutti nel genio i miei leggitori; ma qual di loro non vede, che un impossibile io voglio, e quante le volte scrivendo non l'ho sperimentato io medesimo? A questo fine soltanto ho inserita nel primo loro volume qualche bagatella poetica, che mi veniva espressamente cercata; ma l'indovini chi può, se ne restassero tutti soddisfatti egualmente. Ricercata del pari io mi sento qualche inedita storiella galante, ed eccola nel tomo presente (SI, *L'autore a chi legge*, 3).

Oltre a due testi narrativi, i *Trattenimenti* contengono dissertazioni astronomiche e geografiche, la storia della scoperta dell'America, la storia del Brasile e del Paraguai, considerazioni sulla fauna, la flora, le industrie dell'uomo: il desiderio di «dare a tutti nel genio i miei leggitori» è realizzato fornendo loro una gran varietà di contenuti allestiti secondo molteplici strategie espressive. Se da un lato la produzione chiariana si configura come un insieme di opere costruite all'insegna della *varietas* in modo analogo ai romanzi, d'altra parte i testi narrativi mantengono una precisa identità individua di genere. A cambiare sono la componente dominante (informativa-fittiva), il trattamento dei contenuti (in versi, in prosa, per le scene) e il tipo di fruizione (lettura mentale, ad alta voce, ricezione di un testo recitato). Così, tramite la serie di opzioni espressive comuni a gran parte delle sue opere, Chiari organizza la sua produzione al fine di unificare il pubblico. Nello stesso tempo, però, non rinuncia ad accontentarne singoli settori specifici grazie a testi pensati per rispondere a interessi più precisi, compresi gli scritti d'occasione composti a pagamento: «per incontrare il genio di tutti [...] altro caso non veggio, che quello suggerito da Orazio d'appagargli separatamente l'uno alla volta» (SI 4). Considerando le ridotte dimensioni del mercato e il pubblico numericamente molto ristretto, la strategia di Chiari assume il valore di una vera e propria necessità professionale.

La notevole varietà della produzione di un autore che si mostra disponibile a seguire «un iter professionale che abbraccia tutte le possibilità che vengono offerte all'uomo di lettere»[50], risalta tenendo presente l' «innumerevole quantità di generi»[51] frequentati da Chiari. Lasciando da parte le opere giovanili e della formazione, quell'«esperienza di poeta arcadico, lirico-melico di scuola frugo-

---

[50] Marchi, *L'autore mercatante. Mercato e professioni nel Settecento*, cit., p. 143.
[51] C. Alberti, *Introduzione*, in *Pietro Chiari e il teatro europeo del Settecento*, cit., p. 11.

niana»[52], la popolarità di Chiari ha una data di nascita: nel 1749 la sua brillante carriera prende il via con la raccolta di *Lettere*, cui affianca *L'avventuriere alla moda*, il titolo del debutto sul palcoscenico. L'esordio narrativo è del 1753, anno a partire dal quale si susseguono testi teatrali, romanzi d'invenzione, traduzioni di romanzi stranieri e di opere d'altra indole. Nonostante il forte impegno su questo fronte, Chiari non tralascia i generi più tradizionali: all'attività poetica d'occasione (*Raccolta di componimenti poetici fatti in varie occasioni*, 1755) si alternano componimenti di carattere didascalico (*La filosofia per tutti. Lettere scientifiche in versi martelliani per il buon uso della ragione*, 1756; *La verità. Canti IV*, 1778), versi latini (*Poesie e prose italiane e latine*, 1761), e *Canti Berneschi* (*Il teatro moderno di Calicut*, opera del 1787, pubblicata postuma). Oltre a commedie esotiche, mitologiche e storiche, lo scrittore compone sia alcune *Tragedie* (1774), sia tragicommedie (per esempio *La partenza*, del 1760), né rinuncia a ragionare sul teatro in quanto espressione artistica specifica (*Dissertazione storica e critica sopra il teatro antico e moderno*, 1756). La produzione in prosa si sviluppa quindi in ambito giornalistico con la «Gazzetta veneta» (1761-62), in un genere di trattenimento abbastanza originale, le *Commedie da camera* del 1770, e in opere «enciclopediche» e divulgative come i *Trattenimenti dello spirito umano sopra le cose del mondo passate presenti possibili ad avvenire* (1780-81). Né va dimenticata l'attività di librettista: fra il 1749 e il 1774 Chiari scrive venti componimenti per musica.

Questa «sterminata produzione (qualcosa come trecento opere, complessivamente)»[53] mostra notevolissimi elementi di analogia. In particolare, i principali procedimenti espressivi tipici dei romanzi contraddistinguono opere di tutt'altro tipo[54]: il paradigma narrati-

---

[52] C. Varese, *Per una imparziale rilettura*, in *Pietro Chiari e il teatro europeo del Settecento*, cit., p. 49.

[53] N. Mangini, *Chiari, Pietro*, in *Dizionario biografico degli italiani*, Roma, Istituto della Enciclopedia Italiana, 1980, vol. xxiv, p. 571.

[54] Nei *Trattenimenti*, secondo Madrignani la figura di Cristoforo Colombo «è "trattata" come fosse un personaggio dei suoi romanzi di avventure e sventure»; inoltre, «nel sintetizzare il succedersi delle conquiste, Chiari mette a frutto le qualità del romanziere d'avventure, col suo gusto della mobilità e della sorpresa», e infine «fa opera di utile informazione ed insieme cerca di inserire elementi di intrattenimento, di piacevolezza narrativa, quando la materia assume coloriture e movenze avventurose» (*Colombo, le Americhe, i «selvaggi» e l'Europa*, in Chiari, *Sulle Americhe «compendiose notizie per spiriti colti»* (1780), cit., rispettivamente pp. 12, 14 e 18). Quale passo di un'opera non narrativa in cui è reperibile una costruzione della pagina «secondo moduli romanzeschi» Gilberto Pizzamiglio segnala la

vo di Chiari si dimostra incapace di un autentico salto di qualità rispetto a modelli rappresentativi tradizionali. Le caratteristiche generali che circolano nel complesso della sua produzione sono la varietà composita delle singole opere e l'intento che le governa, quello di «istruire dilettando»[55]. Come le *Lettere scelte*, i romanzi, le commedie, le altre opere di «trattenimento», perseguono anzitutto il «giovamento e diletto»[56] del lettore, compendiando a tal fine aspetti di carattere didascalico con inserti narrativi di tipo aneddotico, allusioni al presente e dissertazioni più o meno dotte. Inoltre, la ripresa degli stessi argomenti configura una «circolazione dei medesimi nuclei tematici in opere strutturalmente assai diverse l'una dall'altra»[57]. La *deprecatio* del teatro comico, il tema dell'«uomo di un altro mondo» (nelle *Lettere*, chi parla afferma di non essere «*Uomo di questo Mondo*»)[58], la ricorrente difesa d'ufficio del «giusto mezzo»[59] e tanti altri motivi[60] si ripetono in continuazione, in forma di aneddoto narrativo o di discorso argomentato. Quanto ai personaggi, nelle *Commedie da camera* ecco la figura di «un Solitario», ripresa in diversi romanzi, analoga a quella dell'autore delle missive raccolte nelle *Lettere di un solitario a sua figlia*. Fra i

Istoria galante contenuta nelle *Lettere scelte* (*Le fortune del romanzo e della letteratura d'intrattenimento*, in *Storia della cultura veneta*, diretta da G. Arnaldi e M. Pastore Stocchi, *Il Settecento*, cit., p. 176).

[55] R. Ricorda, *La «Gazzetta Veneta» di Pietro Chiari*, in *La cultura fra Sei e Settecento. Primi risultati di una indagine*, cit., p. 92. L'articolo analizza i procedimenti espressivi che accomunano la «Gazzetta Veneta» al teatro di Chiari, ai suoi romanzi, alle *Lettere scelte*.

[56] *Lo stampatore a chi leggerà*, in P. Chiari, *Lettere scelte di varie materie piacevoli, critiche ed erudite scritte ad una Dama di qualità dall'Abbate Pietro Chiari bresciano*, Venezia, appresso Angelo Pasinelli, 1750, c. 10 *verso*.

[57] R. Ricorda, *I romanzi «americani» di Pietro Chiari*, in *L'impatto dell'America nella cultura veneziana*, cit., p. 337. «È il caso, ad esempio, della presentazione dei costumi e degli usi dei selvaggi, che è riproposta in termini molto simili a quelli che la caratterizzano nella *Donna che non si trova* anche nei diversi contesti delle *Lettere d'un solitario* e dei *Trattenimenti dello spirito umano*» (*ibid.*, p. 336).

[58] Chiari, *Lettere scelte di varie materie piacevoli, critiche ed erudite scritte ad una Dama di qualità*, cit., p. 123.

[59] Per il Marchese d'Estival «la via più sicura è quella del mezzo. Falla del pari in materia d'amare chi non vuol per casa un rivale; e chi rivale si fa di tutto il genere umano» (Id., *L'erede fortunato*, in *Commedie rappresentate ne' Teatri Grimani di Venezia cominciando dall'anno 1749*, cit., t. I, p. 46).

[60] Alcuni titoli delle singole *Commedie da camera ossia Dialoghi familiari scritti dall'abate Pietro Chiari* (2 tomi, Venezia, 1770, presso Domenico Battifoco) costituiscono un ottimo repertorio di temi canonici: *Le botteghe da caffè*; *La moda*; *I teatri*; *Le commedie*; *La villeggiatura*; *La galanteria*; *L'educazione*; *Il viaggiare*; *I libri*; *La fortuna*; *La solitudine*; *La libertà*; *Lo spirito*. Impostazione analoga ha un'opera precedente di Chiari, *Il secolo corrente. Dialoghi d'una dama col suo cavaliere Scritti da lei medesima* (Venezia, presso Novelli, 1761). Gli argomenti sono i medesimi, gli interlocutori solo due, sempre gli stessi.

personaggi delle *Commedie da camera* si incontrano «un Servente filosofo», «una Zingana», «una Pellegrina», tre soggetti protagonisti di altrettanti romanzi, mentre nella commedia *Le sorelle rivali* appare per la prima volta il Signor Vanesio, già introdotto dal Fagiuoli nel *Cicisbeo*, e in seguito personaggio secondario della *Commediante in fortuna*. Nelle *Lettere*, nei *Trattenimenti*, nei *Dialoghi*, nelle opere teatrali abbondano i tipi[61], figure interpreti di posizioni meccanicamente contrapposte le une alle altre, incarnate da personaggi perciò antagonisti. Come il significato illustrativo dell'eroe rispetto ad un valore morale e come l'attribuzione di tratti caratteriali incongrui al medesimo personaggio[62], si tratta di caratteristiche che tutte le opere in prosa condividono con i romanzi. Se l'analogia di impostazione e conduzione delle trame romanzesche e teatrali comporta la presenza di oggetti «servili» indispensabili al progredire della storia, nei testi in cui prevale la componente commentativa la funzionalità degli oggetti risponde invece alle esigenze dello sviluppo dell'argomentazione. «Guardate là in terra presso a quel buco quelle tante formiche, che vanno, e vengono l'una sempre dietro all'altra: e scambievolmente si ajutano»[63]: in questo passo dei *Dialoghi familiari* l'interesse per le formiche è soltanto un pretesto retorico per iniziare una lunga digressione.

Naturalmente, le analogie che circolano all'interno della produzione chiariana sono anche stilistiche. La scrittura che l'abate bresciano elabora è una scrittura da «camera». Così come i contenuti, originali anzitutto per via dell'inedita forma della comunicazione:

Viag. Bravissimo. Ecco la novità, che voi non trovate nelle stampe, di cui stiamo parlando. Dirann'esse delle cose già dette, e ridette in altri libri più voluminosi, ed affumicati; ma le metteranno in un aspetto men disgustoso: le vestiranno in uno stile più ameno: le faranno più brevi, più sensibili, più diletevoli, e più moderne[64].

---

[61] Marchi parla di «teatro di tipi non di individui» (*Il mercato dell'immaginario*, in *Pietro Chiari e il teatro europeo del Settecento*, cit., p. 89).

[62] Per esempio, la sofistica e critica Madama destinataria delle *Lettere scelte* viene a un certo punto definita benevola e generosa: «a forza di pensar bene, e parlare vantaggiosamente di tutti vi siete resa in qualche parte somiglievole a Mida [...] Tutto è bello per decision vostra, tutto è buono, tutto è ammirabile» (Chiari, *Lettere scelte di varie materie piacevoli, critiche ed erudite scritte ad una Dama di qualità*, cit., p. 139). Come nei romanzi, l'interesse dell'autore non è rivolto alla coerenza del carattere del personaggio ma alla sua pertinenza rispetto alle circostanze dell'azione.

[63] Id., *Commedie da camera ossia Dialoghi familiari*, cit., t. I, parte II, p. VIII.

[64] *Ibid.*, t. I, parte I, p. X.

Se le *Lettere scelte* sono «scritte con uno stile faceto e burlesco, che chiamarsi può propriamente uno stile da Camera»[65], nei *Dialoghi familiari* gli argomenti religiosi sono esclusi perché triti: «divertiamo adunque in cose più amene il pensiero, che materia essendo ella questa più da Pergamo, che da Camera, e più da sermone, che da Lettera»[66]. Nelle opere non romanzesche si ritrovano sia la retorica della simmetria e delle opposizioni paradossali sia un bassissimo numero di immagini, due caratteristiche tipiche dei testi narrativi. Ma le analogie riguardano tanto l'*elocutio* quanto la caratterizzazione formale dei personaggi. Così, nel dettato delle *Lettere* trionfano i parallelismi per antitesi, mentre nei dialoghi e nelle commedie i personaggi sono quasi sempre costruiti per opposizione reciproca, come il Cittadino che va all'estero e il Vagabondo che rientra in patria dei *Dialoghi familiari*, o come la Contessa d'Elmont e sua madre nell'*Erede fortunato*: «non potea la natura accoppiar insieme due donne più capricciose di queste. La madre fa ciera a tutti; la figlia tutti disprezza»[67]. Sempre rispettata è anche l'alternanza fra astrazioni generalizzanti e concretezza paradigmatica degli episodi, concepiti spesso quali *exempla* probatori. Se i *Trattenimenti* sono organizzati secondo una progressione dall'universale al contingente, dall'antichità all'era contemporanea, dai paesi esotici all'Italia, medesima impostazione dal generale al particolare mostrano i numerosi *excursus* e ragionamenti disseminati in tutte le altre opere. In cui si ritrovano altrettanto spesso pure i consueti processi inversi di generalizzazione di fatti specifici da cui trarre insegnamento, e abbondano gli esempi di utilizzo dell'ipotetico, un modo di argomentare che in ambito extra-romanzesco mostra la sua diretta discendenza scolastica. Di contro alla proliferazione di tecniche appropriate al discorso commentativo, Chiari utilizza il discorso riportato anche in un testo d'indole non certo romanzesca quali le *Lettere scelte*, alternando formulazioni esplicite e implicite: «si diffuse egli poi lungamente sul raziocinio de' Bruti, e sul loro particolare linguaggio [...] Disse che [...] Sostenne acremente, che [...] che [...] che [...] Esservi questa diversità [...] Doversi [...]

---

[65] Id., *Lettere scelte di varie materie piacevoli, critiche ed erudite scritte ad una Dama di qualità*, cit., p. 3.
[66] Id., *Commedie da camera ossia Dialoghi familiari*, cit., p. 201.
[67] Id., *Commedie rappresentate ne' Teatri Grimani di Venezia cominciando dall'anno 1749*, cit., t. I, p. 20.

Potersi [...]»[68]. D'altra parte, nelle opere drammaturgiche i frequenti riepiloghi avventurosi si configurano alla stregua di articolati monologhi. Insieme alle perorazioni retoricamente elaborate messe in bocca ai protagonisti, si tratta di due modi di esprimersi tipici delle eroine di romanzo.

Neppure gli stili di ragionamento divergono troppo da quelli caratteristici del protagonista-narratore romanzesco: le argomentazioni pseudo-logiche ricorrono pure nelle opere di non-*fiction*. «Se si restringessero a queste sole, Madama [...] le mostruosità della terra, non avremmo noi che da piangere. Altre ve ne sono, alle quali più volontieri m'attacco»[69]: grazie all'ambiguità semantica di una parola, nelle *Lettere* si passa da sirene e centauri alla critica sarcastica di alcuni libri contemporanei, «mostruosità» di tutt'altro genere. Nei *Dialoghi*, il Padrone parla di mancanza di libertà con la Schiava, ed ha buon gioco: «siam tutti schiavi, per così dire, di noi medesimi, delle passioni nostre»[70]. Anche qui, il ragionamento si fonda su una diversa accezione del termine.

Tutte le opere di Chiari attestano o un sovrano disinteresse per il tempo e per lo spazio o ne testimoniano una concezione poco più che ingenua. Provando a ordinare le date e i luoghi di provenienza delle singole missive raccolte nelle *Lettere scelte*, non se ne ricava alcun disegno coerente: la prima lettera reca l'intestazione «Torino 20 Luglio 1748»; la seconda è scritta da «Brusselles 6 Gennajo 1746»; la quarta salta al «15 Luglio 1748» mentre la quinta è precedente («30 Giugno 1748»). La ricostruzione delle imprese di Cristoforo Colombo effettuata nei *Trattenimenti* si fonda sull'elementare concezione di un tempo cronologico lineare che unisce l'allora al presente. Ma quelle imprese sono legate all'epoca di Chiari soprattutto grazie all'attualità della tematica, particolarmente dibattuta all'epoca. Quanto alla peculiarità geografica, le Americhe di Colombo non si distinguono affatto dagli altri paesi esotici romanzeschi, tutti connotati esclusivamente «in negativo», per una generica alterità rispetto agli spazi in cui vivono i lettori e lo scrittore. Il profilo di autore impresso nei testi non romanzeschi è infine assai simile a quello del narratore delle opere narrative: l'imposta-

---

[68] Id., *Lettere scelte di varie materie piacevoli, critiche, ed erudite, scritte ad una dama di qualità*, cit., p. 108.
[69] *Ibid.*, pp. 230 e 233.
[70] Id., *Commedie da camera ossia Dialoghi familiari scritti dall'abate Pietro Chiari*, cit., t. II, dialogo IX, p. II.

zione autoritaria della voce e la sua modulazione non cambiano granché. Quell'intonazione in fondo avvocatesca che è facile cogliere nelle parole di tante eroine, sia che impronti il dire di un locutore dotto come nei *Trattenimenti*, sia che si configuri come orazione recitata sul palcoscenico, è tipica di gran parte dei testi di Chiari.

Proprio per via di tutte le somiglianze che attraversano l'insieme delle sue opere a prescindere dal genere, la vocazione individuante e la forza di coesione del modello narrativo dei romanzi risalta particolarmente, pur senza costituire un'autentica novità. A riprova, basta confrontare la configurazione delle singole opere. Nelle *Lettere scelte* le missive si susseguono svincolate le une dalle altre, fatti salvi pochi casi di «continuità» tematica fra lettere contigue. Senza mutarne i caratteri fondamentali, la raccolta potrebbe essere accresciuta *ad infinitum*. Gli unici due principi di coerenza risiedono nella forte autorità del mittente (è lui a scegliere gli argomenti di cui trattare) e nella presenza di un destinatario ben poco adatto a bilanciare un'impostazione fortemente monologica. È invece la loro stessa natura di singole scenette monografiche a rendere replicabili a piacere i *Dialoghi*, né l'impianto di stampo teatrale del libro gli dà alcuna coerenza se non formale: i personaggi e gli sfondi cambiano continuamente. Non a caso, in ogni dialogo la numerazione delle pagine riparte dall'inizio. Rispetto a queste due opere, ma anche ai *Trattenimenti* e a molti altri libri di carattere didascalico, nei romanzi la cogenza fra loro di personaggi, temi, inserti dialogici, *exempla* paradigmatici è decisamente maggiore. Le loro implicazioni sono necessarie quanto basta a rendere ogni romanzo un insieme nel complesso solidale, ben più organico di tutti gli altri tipi di compagini espressive allestite da Chiari.

LINEE EVOLUTIVE DEL ROMANZO CHIARIANO

Fra i giudizi espressi da Marchesi c'è un'impegnativa valutazione che non è mai stata impugnata dalla critica: «il Chiari è pressapoco sempre il medesimo scrittore, dal suo primo all'ultimo romanzo. L'arte sua non seguì quasi evoluzione alcuna»[71]. I suoi romanzi, senza distinzione, altro non sarebbero che il risultato dell'applica-

---

[71] Marchesi, *Romanzieri e romanzi italiani del Settecento*, cit., p. 93.

zione di una sola ricetta di successo stabilita una volta per tutte. Eppure, la configurazione di queste opere attesta una ricerca narrativa *in progress*.

Cercare di individuare le eventuali linee di evoluzione a partire dai sottogeneri romanzeschi risulta un tentativo fuorviante. I romanzi prodotti nel triennio «sperimentale» 1760-62 appartengono infatti a tipi diversi (*La Viaggiatrice* è un romanzo epistolare, *La Bella Pellegrina* ha un'impostazione dialogica, *La Viniziana* è un romanzo di stampo filosofico), ma mostrano notevolissime somiglianze, mentre romanzi di analoga impostazione pseudo-memorialistica pubblicati in epoche diverse sono piuttosto differenti: basti confrontare *La Commediante* (del 1755) e *Il Serraglio* (del 1781). Da un punto di vista non di genere ma tipologico, la suddivisione è invece più proficua. Un primo gruppo di romanzi è caratterizzato da una commistione equilibrata di storia e discorso (come in *L'Uomo d'un altro mondo*), un secondo blocco vede prevalere l'elemento «saggistico» (*La Bella Pellegrina*), una terza serie è caratterizzata dal primato dell'avventura (*Le Due Gemelle*)[72]. In prospettiva storica la suddivisione si semplifica e presenta una sola bipartizione: una fase in cui avventura e commento sono bilanciati e una seconda in cui a prevalere nettamente è l'intreccio. Dal 1753 (l'anno dell'esordio) fino al 1762 (*La Viniziana*) Chiari sembrerebbe compiere diversi tentativi di commistione fra didascalismo e narratività, ora a favore della prima componente (*La Commediante*), ora della seconda (*La Zingana*), ora istituendo un efficace equilibrio fra le due istanze espressive (*La Giuocatrice di lotto*). Dalla metà degli anni sessanta, invece, lo scrittore privilegia il racconto a scapito del commento, dall'*Amante incognita* all'*Istoria della virtuosa portoghese*, l'ultimo romanzo di attribuzione certa.

Proprio per i privilegi accordati col passare del tempo alla dimensione narrativa, le trasformazioni del paradigma romanzesco si notano anzitutto osservando le modificazioni del personaggio e

---

[72] Per organizzare il *corpus* dei romanzi di Chiari Marchesi ha adottato un criterio cronologico, altri sudiosi una suddivisione tematica: Ricciarda Ricorda parla di «romanzi "americani"» (*I romanzi «americani» di Pietro Chiari*, in *L'impatto dell'America nella cultura veneziana*, cit.), Guido Davico Bonino e Maria Ines Bonatti di «romanzi teatrali» (cfr. rispettivamente *I romanzi teatrali*, in *Pietro Chiari e il teatro europeo del Settecento*, cit. e *I romanzi teatrali dell'abate Chiari*, cit.). Franco Fido aggiunge ai «romanzi sul teatro» e a quelli «americani» un gruppo intermedio che comprende i romanzi «dei tardi anni cinquanta» (*I romanzi: temi, ideologia, scrittura*, in *Pietro Chiari e il teatro europeo del Settecento*, cit., pp. 285 e 288).

della vicenda. Per quanto riguarda l'eroe, la linea di tendenza consiste nella netta riduzione dello spazio dedicato all'analisi psicologica: l'attenzione prestata ai rovelli tipicamente femminili delle eroine diminuisce nettamente. Lo scarto fra dimensione «interna» ed «esterna» del personaggio tende ad assottigliarsi sempre più, e i discorsi del narratore che lo tematizzano sono ridotti drasticamente; la propensione alla dissimulazione non è più una delle principali caratteristiche del personaggio. In parallelo alla crescita del tasso di avventurosità della storia la caratterizzazione dell'eroe si fa mascolina: i «riflessi» della protagonista pertengono sempre di più alla dimensione del fare, alla progettualità pragmatica, alla valutazione delle azioni proprie e altrui. Tende pure a scomparire la differenza fra la personalità «ora» di chi racconta e quella «allora» di chi agisce. Infine, si allenta il legame illustrativo fra personaggio e valore che esemplifica, con la conseguenza di conferire all'agente una maggiore libertà di movimento, e una minore rigidezza.

Nei romanzi del secondo periodo, i comportamenti dei personaggi sono più in linea con il loro carattere e con gli scopi che si prefiggono, a scapito delle consuete situazioni «paradossali» e «meravigliose» che richiederebbero invece condotte bizzarre e personalità incoerenti. Il destino dell'eroe manifesta un andamento meno sussultorio, i momenti positivi e quelli negativi si alternano con minore frequenza, grazie ad un ritmo narrativo non esclusivamente scandito dalle vicissitudini del protagonista. Affiancato da uno o più comprimari, il suo primato non è più assoluto. L'operazione impostata da Chiari a partire dalla metà degli anni sessanta consiste dunque nel progressivo approfondimento dell'ambito del narrativo. Con la riduzione e la successiva espunzione del commento scompaiono ovviamente tutte le caratteristiche forme di integrazione funzionale fra storia e discorso. Ecco allora diminuire sensibilmente le simmetrie, i paradossi, gli enigmi, gli espedienti di carattere formale proiettati nell'ambito dell'intreccio: le trame dei romanzi maturi sono meno forzatamente coerenti e si concludono sempre per ragioni più linearmente conseguenti. In un romanzo tardo come *Le Due Gemelle* le affermazioni metanarrative del porta parola sui legami di implicazione reciproca fra le varie porzioni di storia diventano pleonastiche: la trama procede per successione di episodi compiuti e perciò i riepiloghi sono meno numerosi e più stringati rispetto ai romanzi precedenti. Approfondire la storia a scapito del commento significa senza dubbio valorizzare le componenti *propria-*

mente romanzesche, ma vuole anche dire snaturare un paradigma la cui efficacia è tutta giocata sulle ambivalenze, sulle commistioni di istanze forme e coerenze espressive pertinenti anche al didascalico. In effetti, per superare l'*impasse* in cui la non più calorosa accoglienza tributata dal pubblico ai suoi romanzi lo ha spinto, Chiari finisce per rinunciare ai requisiti più originali della ricetta narrativa che gli aveva consentito di ottenere tanto successo. E approfondire il narrativo comporta non pochi problemi.

Nella *Commediante* Chiari si era dimostrato incapace di impostare una situazione narrativa collettiva, cioè relazioni multiple di ogni personaggio con altre figure compresenti nella scena. Una difficoltà particolarmente evidente nell'episodio del salotto di Milano che ospita Vanesio, Nebbiano e Tamburio. L'aver intrapreso lo sfruttamento intensivo della trama quale via privilegiata per aggiornare il paradigma romanzesco rendeva questo limite piuttosto vincolante. Un primo tentativo di risolvere il problema consiste nel seguire due storie contemporanee e parallele: nelle *Due Gemelle*, le vicende di Ninna e quelle della sua cameriera, destinata a rivelarsi la Marchesa d'Osburg. I resoconti delle due storie sono alternati, con il supporto dell'espediente epistolare che permette aggiornamenti sulla linea narrativa di volta in volta non menzionata. In questo modo Chiari realizza, seppur episodicamente, la rappresentazione di scene di gruppo in cui l'azione è simultanea: «gran consigli sotto voce eccitarono in casa nostra le riferite due lettere tra il Conte, e la Contessa d'Arbella, tra D. Castrio, e sua moglie, ch'erano ancora con noi, e tra me, e la Marchesa mia madre, e fino tra le cameriere, e i servitori della famiglia, facendo ognuno, ed ognuna de' lunarj a suo piacimento, e non volendo esser intesi dagli altri» (DG, II 50).

Ma nelle *Due Gemelle* le novità del trattamento della trama sono anche altre. Va infatti registrata una sfasatura fra la soluzione «anagrafica» dell'intreccio e la conclusione del romanzo, che non finisce quando la protagonista riconquista la sua famiglia. Una volta tornata a casa, Ninna si mette a organizzare il suo matrimonio, rinviando con ciò la conclusione, che peraltro non corrisponde neppure alla celebrazione delle nozze. Il doppio intreccio che percorre il libro consente infatti di distribuire meglio agnizioni e colpi di scena, finora concentrati nel gran finale di un'unica linea narrativa. L'andamento della storia risulta perciò molto meno prevedibile. Inoltre, questa volta Chiari non si preoccupa più di descrivere per intero la parabola biografica di tutte le figure del cast romanzesco, comprese le comparse. Nelle *Due Gemelle* i personaggi scompaiono senza lasciare tracce, nascono figli e adulti invecchiano, entrano in scena nuove figure a racconto avanzato: la storia è fatta di personaggi più indipendenti e di vicende meno vicarie a quella principale. Un risultato ottenuto rinunciando all'espediente consueto dell'introduzione di narratori di secondo e terzo grado i cui racconti si sviluppano al passato. E infatti ora la *varietas* è ottenuta «in orizzontale», nella contemporaneità. In linea con queste premesse, non stupisce la gratuità della conclusione del romanzo: la storia finisce senza alcun fatto capitale; semplicemente, da quando Ninna arriva a Lisbona, non c'è più niente da raccontare.

Nel *Serraglio indiano*, le tendenze già manifeste nelle *Due Gemelle* sono approfondite. Alzando il tiro, Chiari tenta infatti di scrivere un «romanzo collettivo»: «non è però dessa sola [Rosnì], né di se stessa unicamente ella scrive. Le moltiplicate vicende di più persone d'inclinazioni, di patria, e di carattere differentissime non hanno forse a moltiplicare ne' leggitori il piacere della curiosa loro attenzione?» (SI 7). Anzitutto, l'istanza avventurosa e quella commentativa sono rese più indipendenti. La sopravvalutazione della trama comporta una «separazione» del didascalico, molto più facile da identificare rispetto a quanto di norma avvenisse nei romanzi precedenti. Non solo: le informazioni sono sottratte all'ambito dell'avventura e vengono raggruppate a parte; il terzo capitolo *Udienza avuta dal Principe, e visite curiose del Serraglio* è meramente descrittivo. La concentrazione narrativa, che comporta la mobilitazione di un grande numero di personaggi in azione, determina una vera e propria ipertrofia del riassuntivo, concepito per aggiornare chi legge sulle premesse ai fatti narrati e sulle loro implicazioni. Operata questa semplificazione preliminare, Chiari imposta un romanzo basato addirittura su otto eroine, cui vanno aggiunte quattro serve: «quattro giovani donne di qualche merito, di non poco spirito, e di moltissima sperienza del mondo, quasi sempre insieme, e sempre vicine perocchè nello stesso quartiere alloggiate che non promettono di bizzarro, e di dilettevole, quando esser vogliano sincere, ed esatte ne' loro avvenimenti?» (SI 89). Per affrontare le prevedibili difficoltà della gestione narrativa di tanti protagonisti lo scrittore trasforma anzitutto Rosnì e le sue compagne in una piccola comunità solidale, la «lega [...] che noi chiamavamo Europea» (SI 89). Poiché tutti i personaggi hanno un medesimo atteggiamento, Chiari può trattare otto figure alla stregua di una sola: «questa nostra società d'otto femmine fece che si addomesticarono le une coll'altre in due soli mesi cotanto, che ci consideravano noi come membra d'una sola famiglia» (SI 89). Anche quando la «Lega» non è menzionata, il soggetto dell'enunciato è collettivo: «io [e] le altre compagne nostre, che ne la lodarono senza fine, si compiaceano sempre più della scelta» (SI 119). Altrimenti, le posizioni prese dalle protagoniste sono al massimo due, e così si ritorna alla canonica situazione bipolare che in tutti gli altri romanzi contrappone l'eroina alla sua serva: «qual non fu la mia meraviglia da loro sentendo, che una novità a giudizio mio si ridicola la trovavano esse probabile, e piena delle migliori apparenze. Ecco, diceano tutte d'accordo» (SI 107). Questi *escamotage* funzionano anche sul piano dell'azione: nelle vicende di gruppo la partecipazione individuale di tutte le protagoniste è molto rara. Invece, ad essere messa a fuoco è spesso una sola delle otto figure. Il variare dell'identità della rappresentante della «Lega» conferisce una certa vivacità alla narrazione, nonostante le differenze fra le protagoniste non siano molte, proprio per via della loro omologazione funzionale a questa *reductio ad unum* del gruppo. Il resoconto di posizioni divergenti e rapporti multipli è affidato al riepilogo a posteriori, quando chi racconta ragguaglia il lettore circa accadimenti pregressi o esterni alla linea narrativa principale.

Anche se Chiari riesce ad aggirare le difficoltà di gestione di tante prime donne, nel *Serraglio* la vicenda si parcellizza in singole storie convergenti e parallele rispetto alle quali la linea narrativa principale perde nitidezza. Persino le presentazioni di ogni protagonista in forma di breve biografia avventurosa costituiscono veri e propri inserti novellistici autonomi. Il fatto è che la disseminazione dell'intreccio legata alla proliferazione dei personaggi impedisce la tradizionale coerenza della storia garantita dalla ferrea unilinearità del suo procedere. Con ciò, il romanzo «collettivo» si sfrangia, con un netto incremento del tasso di avventurosità e del numero di comparse occasionali, non più rifunzionalizzate alla storia principale, nonostante i cervellotici collegamenti fra le diverse linee narrative e la moltiplicazione degli incastri dei destini dei personaggi. Alla fine del romanzo, Rosnì è orgogliosa. Afferma di aver mantenuto fede all'impegno che nella storia «non avrei io occupato, se non se l'ultimo luogo soltanto (SI, II 157), e infatti «il secolo nostro non ne [persone di spirito] vide mai tante insieme adunate, quante io sola ne' primi due lustri della mia giovinezza» (DG, II 179). La conferma di questo tentativo di raccontare non tanto le avventure della protagonista autobiografa quanto piuttosto vicende altrui, viene proprio dalla diversa fisionomia del narratore.

Il ruolo di Rosnì è quello di confidente e consigliere delle amiche, di portavoce della «Lega»: trascurando se stessa, l'eroina mette a fuoco principalmente le storie e i discorsi delle compagne. La sua posizione va configurandosi come quella di un narratore in terza persona di un mondo che non coincide per intero con il suo, e sul quale esercita perciò un dominio limitato. Rispetto alla costante individuazione dell'eroe nelle parole di chi racconta, tipica dei romanzi precedenti, qui sfilano svariate figure di importanza diversa. Rosnì non è più elemento centrale del *plot* ma del resoconto. La solidarietà fra eroe e narratore si è spezzata: ciò che ora conta è l'essere stata testimone oculare di vicende altrui. Tale posizione defilata è la prerogativa che permette di portare lo sguardo su gruppi di personaggi, tratteggiando dinamici ritratti collettivi: «non perdea Barsene di vista il suo appassionato Ridolfo, e trattava liberamente Vernold di pittura, e di musica colla sua adorata Sofronia. Anche la nuova mia confidente Dianira si vedea coll'amico Norlingh ogni giorno» (SI, II 27). La complessiva diminuzione di «egocentrismo» del narratore comporta inoltre una certa capacità di assumere punti di vista altrui, o almeno di condividerli. I giudizi sono perciò sfumati: se in certe circostanze «questa figliale tenerezza era assai ragionevole» (SI, II 42), «nemmeno Milord [il padre], opponendosi, non avea perciò tutto il torto» (*ibid.*). Non ultima conseguenza del ridimensionamento del ruolo della protagonista è l'inedita attenzione per la psicologia di altre figure, in particolare di Rosbelle. Ma l'effetto è deludente: l'espediente dell'identità del narratore-ora e del protagonista-allora, funzionale alla mimesi della sua interiorità, risulta assai meno efficace nel ritrarre psicologie terze. Anche perciò, nel *Serraglio* l'avventura soppianta quasi del tutto l'approfondimento psicologico, secondo una delle principali linee evolutive tracciate dal romanzo chiariano nella sua evoluzione storica.

In definitiva, Chiari non è in grado di rappresentare storie simultanee, non riesce a gestire in modo narrativamente appropriato la contemporaneità e la compresenza, se non nei termini ingenuamente lineari della successione di novelle o resoconti. In fondo, l'*impasse* sta nell'incapacità di superare una concezione del tempo come progressione successiva rettilinea, e perciò la soluzione avrebbe imposto anzitutto una manipolazione dell'asse temporale del romanzo. Invece, lo scrittore lavora sulla narrazione, limitando l'attitudine della trama a rendere coerente l'opera e cogenti i suoi elementi costitutivi. In assenza di una convenzione spazio-temporale del racconto, e avendo fortemente indebolito i legami testuali di carattere didascalico, il romanzo finisce per frantumarsi. Paradossalmente, il *Serraglio* risulta molto meno coeso dei romanzi precedenti, tutti costituiti di materiali espressivi ben più eterogenei.

Nel 1789, a Firenze, le «Novelle letterarie» pubblicano una recensione all'edizione parigina del 1788 del *Viaggio di Anacarsi*:

si dice che l'opera accennata sia frutto di 30 anni di lavoro: eppure è un romanzo [...] solo si resta sorpresi, né si sa spiegare il perché l'autore abbia preferito un viaggio chimerico ad una Storia. Comunque siasi l'autore vi ha posto quel rimedio che mai poteva, con una quantità enorme di citazioni, fin forse al numero di 25.000. Esse ricompensano la frivolezza dell'invenzione, sono il fondamento dell'edifizio, la commendatizia del medesimo, ed il testimone indubitato della vasta erudizione e della critica giudiziosa dello scrittore[73].

Ancora a fine secolo, questa è la considerazione per il nuovo genere letterario. Per riscattarne la componente «chimerica» (l'avventura) è necessario esibire una buona dose di erudizione e di «critica giudiziosa» (il didascalico). Si tratta dei due costituenti fondamentali dei romanzi di Chiari, e non solo loro: alla base di opere romanzesche tanto diverse come quelle di Alessandro Verri, di Pindemonte, di Cuoco ci sono i medesimi ingredienti. Alessandro Manzoni avrebbe parlato di «storia» e «invenzione». Da questa prospettiva, Chiari risulta in buona compagnia. Le sue opere, ormai francamente illeggibili, si possono definire sia originali sia nuove, ma non perciò né moderne, né tantomeno significative dal punto di vista artistico. Del resto, i problemi espressivi e rappresentativi affrontati dall'abate bresciano furono i medesimi su cui si impegnarono parecchi altri romanzieri italiani settecenteschi, e non sempre con esiti più soddisfacenti dei suoi. «In gran lontananza vedo qualche cosa; e mi pare che in una specie di romanzo si potrebbe mettere tutto quello, che mi desse l'immaginazione e la filosofia su vari oggetti della vita umana»: l'idea alla quale accenna Alessandro

---

[73] «Novelle letterarie», Firenze, 1789, coll. 205-209, citato da Garzia [rec. a Marchesi, *Romanzieri e romanzi italiani del Settecento*], cit., p. 116, nota 2.

Verri pensando alle *Avventure di Saffo* è quella ben famigliare a Chiari di un racconto-«contenitore»[74].

Ma, in definitiva, una delle difficoltà maggiori incontrate da chi si misura con il romanzo è costituita dal dialogato. Nel *Congresso di Citera* Algarotti esclude programmaticamente il ricorso al discorso diretto: «ma perché le dirette orazioni si trovano soltanto appresso gli storici di dubbia fede, laddove quelli che reputati sono i più veridici pongono le parole obblique, a tal metodo ci atterremo anche noi»[75]. Una posizione condivisa da Casanova, che in un passo del *Duello* si scusa con il lettore per l'inserimento di alcune sintetiche battute di dialogo non retoricamente ordite secondo convenienza: «perdoni il lettore se chi scrive ha qui bisogno di divenir drammatico per essere fedelissimo nella storia ed abbastanza chiaro. *Pòstoli (seduto sul letto del veneziano).* – Sono venuto per domandarvi se pensate prendervi giuoco della mia persona. *Venez.* – Come mai! [...]»[76]. Come dire che in questi come in moltissimi altri casi (il *Platone in Italia*, i *Viaggi di Enrico Wanton*, l'*Abaritte*) il modello per la composizione dei discorsi degli eroi rimane l'orazione argomentativa appannaggio dell'*ars bene loquendi*, e non lo scambio di battute proprio della commedia, la forma cioè di mimesi destinata ad imporsi successivamente. Forma puntualmente esclusa pure da Chiari romanziere, in questo allineato con scrittori ben altrimenti laureati.

---

[74] La lettera al fratello del 10 novembre 1770 è citata da M. Cerruti, *Alessandro Verri fra storia e bellezza*, in *Neoclassici e giacobini*, Milano, Silva, 1969, p. 59.

[75] F. Algarotti, *Il congresso di Citera [con] Montesquieu, Il tempio di Gnido*, a cura di A. Marchi, trad. di A. Marchi, Napoli, Guida, 1985, p. 60.

[76] G. Casanova, *Il duello*, a cura di E. Bartolini, Milano, Adelphi, 1979, p. 54.

INDICE DEI NOMI

Stampato da
Grafiche TPM s.r.l., Padova
per conto di Marsilio Editori® in Venezia

EDIZIONE

10 9 8 7 6 5 4 3 2 1

ANNO

1997 1998 1999 2000 2001